주역절중
周易折中

9

이 책은 (재)한국연구재단의 지원으로 학고방출판사에서 출간, 유통합니다.

한국연구재단 학술명저번역총서 동양편 *620*

주역절중
周易折中

9

繫辭上傳

편찬
이광지
李光地

책임역주
신창호

공동역주
김학목·심의용·윤원현

學古房

『주역』은 '변화(變化)의 성경(聖經)'이라 불린다. 그만큼 자연 질서
와 인간 사회 법칙을 변화의 원칙에 따라 변주하며, 성스럽게 우주적
삶의 기준을 구가한다. 그러나 '이현령비현령(耳懸鈴鼻懸鈴)'이라는
말이 붙을 정도로 다양하고 복합적인 해석의 차원이 개입하면서, 『주
역』은 축적된 역사 이상으로 심오하고 의미심장한 세계를 형성한다.
그것이 『주역』의 특성이자 묘미일 수 있다.

본 번역 연구서 『어찬주역절중(御纂周易折中)』은 강희제(康熙帝)
가 이광지(李光地, 1642~1718)에게 총괄책임의 칙명을 내려 1713~
1715년에 걸쳐 완성한 『주역』 해설서이다. 전체 22권의 석판본(石版
本)이 내부각본(內府刻本)으로 현존한다. 『주역절중』은 『주역』이 경
전으로 성립된 이후 한대(漢代)에서 명대(明代)까지의 다양한 견해를
핵심적으로 정돈한 『주역』 학술의 결정판이다. 주희의 견해를 기본으
로 하여 경(經)과 전(傳)이 분리된 『주역』 고본(古本)의 체제를 회복
하였다. 또한 주희의 주역관을 근거로 의리학(義理學)과 상수학(象數
學)을 망라하는 다양한 학설을 폭넓게 해석하고, 의리에 국한되었던
『주역전의대전(周易傳義大全)』의 결점을 보완하였다. 정주(程朱)의
뜻을 존숭하면서도 그와 다른 주장들을 절충하고 있는 저작이다.

『주역절중』의 편찬자인 이광지는 중국 청대(淸代) 사람으로 복건
성(福建省) 천주(泉州) 출신이다. 자(字)는 진경(晉卿)이고 호(號)는
후암(厚庵)이다. 1670년 진사(進士)에 급제하고 삼번(三藩)의 난을
평정함으로써 강희제의 두터운 신임을 받았고, 관직이 문연각대학사

겸이부상서(文淵閣大學士兼吏部尙書)에 이르렀다. 학문의 경지도 상당하여 경전에 두루 통달하였는데, 특히 『주역』에 정통하여 『주역통론(周易通論)』, 『주역관상(周易觀象)』, 『이문정역의(李文貞易義)』, 『역의전선(易義前選)』 등을 저술하였다. 당시 반주자학적(反朱子學的) 학풍을 대표하던 모기령(毛奇齡)과 달리 정주리학(程朱理學)의 학풍을 충실히 계승하였다.

　『주역절중』의 체계와 내용을 보면, 경과 전을 분리하여 편찬하고, 64괘의 괘사와 효사, 「단전」, 「상전」, 「계사전」, 「문언전」, 「설괘전」, 「서괘전」, 「잡괘전」의 순서로 『주역』 전문을 서술하였다. 그리고 『역학계몽』, 「계몽부록(啓蒙附錄)」, 「서괘잡괘명의(序卦雜卦明義)」를 첨부하였다. 주희의 『주역본의(周易本義)』, 정이(程頤)의 『역정전(易程傳)』, 한대부터 명대까지 역학에 조예가 깊은 학자 218명의 「집설(集說)」, 편찬자의 「안(案)」, 이를 종합한 「총론(總論)」이 실려 있다. 그런 만큼 『주역절중』은 『주역』 관련 학술 연구에서 의미가 크다.

　본 번역 연구는 내부각본을 저본으로 하고 문연각(文淵閣) 『사고전서(四庫全書)』본을 대교본으로 하였으며 무구비재(無求備齋) 『역경집성(易經集成)』본을 참고하였다. 1715년에 이광지가 『어찬주역절중』을 완성했으므로, 『주역절중』이 만들어진지 이제 막 300년이 지났다. 이 긴 세월의 무게만큼 『주역』 연구도 질적으로 깊이를 더하고 양적으로 방대해졌다. 그런 와중에 300년 만인 21세기 초반에 『주역절중』이 한글로 번역·출간되어 무척이나 기쁘다. 『주역』을 비롯한 역학 연구자, 나아가 동양학을 연구하는 관련 학인들에게 조금이나마 보탬이 된다면 번역 연구자로서 더욱 보람을 느낄 것 같다.

　본 번역 연구는 먼저, 『주역절중』의 본문을 완역하고, 원문 및 번역문을 온전하게 이해하기 위해 자세한 설명이 필요한 부분은 각주로 해설하였다. 아울러 『주역절중』에 등장하는 학자들의 「인명사전」을 별도로 작성하여 첨부하였다. 이런 연구 성과가 『주역절중』의 한문을 옮기는 수준을 훨씬 넘어서 있기에, 단순하게 『주역절중』 '번역'이라 하지 않고 '번역 연구'라고 자부해 본다.

본 번역 연구 작업은 2015년 5월~2017년 4월까지 2년여 동안 이루어졌다. 연구책임자를 맡은 신창호 교수를 비롯하여, 공동연구자인 윤원현 박사·김학목 박사·심의용 박사 등 우리 번역 연구진은 번역 연구기간 동안 수시로 만나 초교를 윤독하고 다양한 연구 자료를 교환하면서 『주역』의 학술 마당을 열었다. 한대부터 명대에 걸쳐 있는 『주역절중』의 특성상, 역학(易學) 사상의 방대함으로 인해 내용을 정확하게 이해하고 정돈하는데 애로 사항도 많았다. 하지만 전문 학자들의 자문과 번역 연구자 상호 간의 소통을 통해 문제점을 극복하려고 노력했다. 그러나 번역과 연구의 두 측면에서 여전히 아쉬운 부분이 많다. 대부분의 번역 연구가 장·단점을 지니고 있듯이, 본 번역 연구도 미비한 점이 있을 것이다. 특히, 제대로 연구가 이루어지지 않아 오류가 난 부분이 있다면, 사계의 권위 있는 학자들의 애정 어린 질정을 부탁한다.

본 번역 연구진 이외에 감사해야 할 분들이 있다. 먼저, 교정과 윤문 등 원고를 정돈하는 과정에서 수고해 준 고려대학교 대학원의 철학 및 교육철학 전공의 여러 제자들(김지은, 우버들, 위민성, 이유정, 임용덕, 장우재, 정순희, 한지윤 등)에게 고마운 마음을 전한다. 젊은 제자들은 그들의 시각에서 번역 연구 내용의 가독성과 표현 등 여러 부분을 꼼꼼하게 살피며 의미 있는 충고를 해 주었다.

또한 교육부와 한국연구재단에 감사를 드린다. 본 번역 연구는 2015년 한국연구재단의 '명저번역지원' 사업으로 2년 동안 지원을 받아 수행한 결과이다. 방대한 분량이기 때문에 한국연구재단의 지원이 없었다면, 실행하기 어려운 작업이었다. 마지막으로 어려운 사정에도 불구하고 편집과 출판을 맡아 책을 깔끔하게 정돈해 준 하운근 대표님을 비롯한 도서출판 학고방 가족들에게 감사의 말씀을 전한다.

　어떤 저술이건 혼자만의 노력과 작업에 의해 이루어지는 성과는 존재하지 않는다. 마찬가지로 이『주역절중』의 번역 연구에도 많은 분들의 땀과 열정이 녹아들어 있다. 번역 연구에 직·간접으로 참여한 모든 분들과 이 책을 참고로 연구를 진행하는 여러 학인들도『주역』의 사유가 더욱 풍성해지기를 소망한다. 나아가 미래에 또 다른 공동 노력의 결실로, 본 번역 연구보다 세련된『주역절중』이 많이 저술되기를 기대해 본다.

2018. 6

번역 연구자를 대표하여

신창호 삼가 씀

1. 본 역서는 문연각(文淵閣)판본 『어찬주역절중(御纂周易折中)』을 저본으로 한다.

2. 본 역서는 원문을 먼저 제시하고 번역문을 붙이는 대조본 형식으로 한다.

3. 번역은 직역을 원칙으로 하되, 가독성을 높이기 위해 필요에 따라 의역을 가미한다.

4. 『역』의 경문(經文) 번역은 편자 이광지(李光地)가 정이(程頤)의 『이천역전』보다 주희(朱熹)의『주역본의』를 전면으로 내세운 의도에 따라, 주희의 주장을 기준으로 한다.

5. 원문에는 최소한의 현대식 표점을 표기한다.

6. 인용한 선행 학설에 대해서는 가능한 출전을 밝히고, 요약문일 경우 필요에 따라 설명을 첨가한다.

7. 인용한 학설은 전체적으로 큰 따옴표(" ")로 묶고, 인용문 속의 인용문은 작은 따옴표(' '), 작은 꺽쇠(「 」) 순으로 한다.

8. 각주에서, 원문에 대한 각주는 원문을 먼저 제시하고(예 : 潛龍勿用[잠긴 용은 쓰지 않는다]), 번역문에 대한 각주는 한글을 먼저 제시한다(예 : 잠긴 용은 쓰지 않는다[潛龍勿用]).

9. 괘명(卦名)은 '곤(坤)괘'와 같은 형식으로 통일하되, 필요할 경우 '곤(坤䷁)괘', '곤(坤☷)괘'와 같이 괘상(卦象)을 병기한다.

10. 국한문 병기는 매 장과 매 괘의 첫 부분에서 표기하고, 나머지는 국문을 중심으로 하되, 각주에는 한문으로 처리한 것도 있다.

11. 번역문이 10줄을 초과할 경우, 가독성을 높이기 위해 가능한 단락을 구분한다.

12. 『역』과 관련된 전문적인 개념어는 주석에서 풀이하고, 번역문에는 해석하지 않고 드러내어 용어 통일을 기한다.

13. 제1권의 뒷부분에 『주역절중』에서 인용된 학자들의 약력을 정돈한 별도의 「인명사전」을 작성하여 첨부하였다.

14. 『주역절중』의 맨 마지막 부분인 22권 「서괘・잡괘명의(序卦・雜卦明義)」는 편의상 「서괘・잡괘전(序卦・雜卦傳)」 다음에 배치하였다.

계사상전繫辭上傳

繫辭上傳
계사상전

제13권

「繫辭」, 本謂文王‧周公所作之辭, 繫於卦爻之下者, 卽今經
文. 此篇乃孔子所述「繫辭」之「傳」也, 以其通論一經之大體
凡例, 故無經可附, 而自分上‧下云.

「계사(繫辭)」는 본래 문왕과 주공이 지은 말로 괘와 효의 아래에 붙
인 것이니, 바로 지금의 경문(經文)이다. 이 편(篇)은 공자가 「계
사」에 대해 서술한 「전(傳)」으로, 경(經)의 큰 체계와 범례를 총괄
적으로 논의했기 때문에 경(經)에 붙일 만한 곳이 없어, 그 자체로
상(上)‧하(下)를 나누었다.

● 孔氏穎達曰 : “夫子本作「十翼」, 申說上‧下二篇經文.「繫辭」
條貫義理, 別自爲卷, 總曰「繫辭」, 分爲上‧下二篇.”[1]

공영달(孔穎達)이 말했다. “공자가 본래 「십익(十翼)」을 지은 것은
『주역상경(周易上經)』과 『주역하경(周易下經)』 두 편의 경문을 펼
쳐서 설명하려 했다. 「계사」의 체계와 내용은 별도로 권(卷)을 이
루기 때문에 전체를 「계사」라 했고, 상‧하 두 편으로 나누었다.”

● 『朱子語類』云 : “熟讀六十四卦, 則覺得「繫辭」之語, 甚爲精
密, 是『易』之括例.”[2]

---

1) 공영달 소(孔穎達 疏), 『주역주소(周易注疏)』 권11.
2) 주희, 『주자어류』 권66, 32조목.

『주자어류』에서 말했다. "64괘를 익숙하게 읽으면, 「계사」의 말이 매우 정밀하니 『역』의 포괄적 사례임을 깨달을 수 있다."

● 又云 : "「繫辭」, 或言造化以及『易』, 或言『易』以及造化, 不出此理."[3]

(주자가) 또 말했다. "「계사」는 어떤 경우는 조화(造化)를 말하여 『역』에 미치고, 어떤 경우는 『역』을 말하여 조화에 미치는데, 이 이치를 벗어나지 않는다."

● 胡氏一桂曰 : "其有稱「大傳」者,[4] 因太史公引'天下同歸而殊途, 一致而百慮'爲「易大傳」. 蓋太史公受『易』楊何, 何之屬自著『易傳』行世, 故稱孔子者曰「大傳」以別之耳.[5][6]"

호일계(胡一桂)[7]가 말했다. "「계사」를 「대전」이라고 일컫는 것은

---

3) 주희, 『주자어류』 권74, 1조목.
4) 其有稱「大傳」者 : 호일계(胡一桂), 『역학계몽익전(易學啓蒙翼傳)』 상편(上篇)에는 "「繫辭」有稱「大傳」者[「계사」를 「대전」이라고 일컫는 것은]"라고 되어 있다.
5) 故稱孔子者曰「大傳」以別之耳 : 호일계, 『역학계몽익전』 상편에는 "曰「大傳」者別楊何之徒所爲「傳」耳[「대전」이라고 한 것은 양하의 무리가 지은 「전」과 구별한 것일 뿐이다.]"라고 되어 있다.
6) 호일계(胡一桂), 『역학계몽익전(易學啓蒙翼傳)』 상편(上篇).
7) 호일계(胡一桂, 1247~?) : 자는 정방(庭芳)이고 호는 쌍호(雙湖)이다. 원대 휘주무원(徽州婺源 : 현 강서성 무원(婺源)) 사람이다. 가학으로 부친인 호방평(胡方平)에게 경학과 역사에 널리 통하고, 특히 역에 뛰어났다. 주희의 역학을 전승했다. 저술은 『역본의부록찬소(易本義附錄纂

태사공(太史公 : 司馬談)8)이 '천하 사람들이 귀결하는 곳은 같지만 경유하는 길은 다르며, 이치는 한 가지이지만 생각은 수만 가지이다'9)라는 말을 인용하면서 「역대전」의 말이라고 한 것에서 기인한다. 태사공은 양하(楊何)10)에게 『역』을 전수받았으며, 양하의 당부로 스스로 『역전』을 지어 세상에 유통시켰기 때문에, 공자를 일컫는 것을 「대전」이라고 하여 구별 지었을 뿐이다."

....

疏)」, 『역학계몽익전(易學啓蒙翼傳)』, 『주자시전부록(朱子詩傳附錄纂疏)』, 『십칠사찬고금통요(十七史纂古今通要)』 등이 있다.

8) 사마담(司馬談, ?~B.C.110) : 중국 전한 때의 사상가로서 하양(夏陽, 지금의 섬서성 한성〈韓城〉) 사람이다. 『사기(史記)』의 저자 사마천이 그의 아들이다. 건원(建元, B.C.140~B.C.135)에서 원봉(元封, B.C.110~B.C.108)에 걸쳐 관리 생활을 하였다. 일찍이 당도(唐都)에게 천관(天官)을 배우고, 양하(楊何)에게 『역』을 전수받았으며, 황자(黃子)에게 도교사상을 익혔다고 한다. 이에 유가(儒家)·묵가(墨家)·명가(名家)·음양가(陰陽家)·법가(法家)·황로학(黃老學) 등 제가(諸家)에 두루 능통하였고, 특히 황로학을 좋아하였다. 벼슬은 태사(太史)에 이르러, 천문과 역법을 주관하고 황실의 전적을 관장하였다. 무제(武帝) 때 한나라 황실의 봉선(封禪) 의식에 참여하지 못해 화를 이기지 못하고 죽었는데, 아들에게 자신이 쓰던 사적(史籍)을 완성해 달라고 유언하였다. 저서에는 『논육가요지(論六家要旨)』가 있다.

9) 천하 사람들이 귀결하는 … 생각은 수만 가지이다 : 「계사하(繫辭下)」 제5장.

10) 양하(楊何, 생졸연도미상) : 자는 숙원(叔元)이며, 서한의 치천(淄川) 사람이다. 일찍이 전하(田何)에게 『역』을 배웠으며, 사마담에게 『역』을 전수해 주었다고 한다. 한(漢) 무제(武帝)때에 중대부(中大夫)에 임명되었다. 저서로는 『역전양씨(易傳楊氏)』 2편이 있었지만, 이미 망실되었다.

계사상 1

[계사상 1-1]

天尊地卑, 乾坤定矣; 卑高以陳, 貴賤位矣; 動靜有
常, 剛柔斷矣; 方以類聚, 物以群分, 吉凶生矣; 在
天成象, 在地成形, 變化見矣.

하늘은 높고 땅은 낮으니 건(乾)과 곤(坤)이 정해지고, 낮은 것과
높은 것이 진열되니 부귀와 빈천이 자리 잡으며, 움직임과 고요함이
항상됨이 있으니 굳셈[剛]과 부드러움[柔]이 결단되고, 방향은 부류
로써 모아지고 사물은 무리로써 나누어지니 길(吉)과 흉(凶)이 생기
며, 하늘에서는 상(象 : 모습)이 이루어지고 땅에 있어서는 형(形 :
형체)이 이루어지니 변(變)과 화(化)가 나타난다.

本義

'天地'者, 陰陽形氣之實體; '乾坤'者, 『易』中純陰純陽之卦名
也. '卑高'者, 天地萬物上下之位; '貴賤'者, 『易』中卦爻上下
之位也. '動'者, 陽之常; '靜'者, 陰之常; '剛柔'者, 『易』中卦·

爻陰陽之稱也. ‘方’, 謂事情所向, 言事物善惡, 各以‘類’分,
而‘吉凶’者, 『易』中卦·爻占決之辭也. ‘象’者, 日月星辰之屬;
‘形’者, 山川動植之屑; ‘變·化’者, 『易』中蓍策卦爻, 陰變爲
陽, 陽化爲陰者也. 此言聖人作『易』, 因陰陽之實體, 爲卦爻
之法象. 莊周所謂“『易』以道陰陽”, 此之謂也.

‘하늘과 땅’은 음(陰)·양(陽)과 형(形)·기(氣)의 실체이고, ‘건(乾)
과 곤(坤)’은 『역』 가운데 순양(純陽)과 순음(純陰)의 괘 이름이다.
‘낮은 것과 높은 것’은 천지만물의 높고 낮은 자리이고, ‘부귀와 빈
천’은 『역』 가운데 괘(卦)·효(爻)의 위·아래 자리이다. ‘움직임’은
양(陽)의 항상됨이고 ‘고요함’은 음(陰)의 항상됨이며, ‘굳셈[剛]과
부드러움[柔]’은 『역』 가운데 괘·효의 음(陰)·양(陽)의 명칭이다.
‘방향’은 일의 실정이 향하는 곳으로 사물의 선·악이 각각 ‘부류’로
써 나누어지는 것을 말하며, ‘길(吉)과 흉(凶)’은 『역』 가운데 괘와
효로써 점을 쳐서 결단하는 말이다. ‘상(象)’은 일·월·성·신 등의
따위이고 ‘형(形)’은 산(山)·천(川)·동물·식물 등의 따위이며, ‘변
(變)과 화(化)’는 『역』 가운데 시초(蓍草)로 뽑은 괘와 효가 음(陰)
이 변하여 양(陽)이 되고 양(陽)이 화하여 음(陰)이 되는 것이다. 이
는 성인이 『역』을 지을 때, 음양의 실체에 기인하여 괘효의 법(法)
과 상(象)을 만들었음을 말한다. 장주(莊周)가 이른바 “『역(易)』으
로써 음양을 말했다”[1]는 것이 이를 말한다.

---

1) 역(易)으로써 음양을 말했다 : 『장자(莊子)』 「천하(天下)」.

● 韓氏伯曰 : "方有類, 物有群, 則有同有異, 有聚有分, 順其所同則吉, 乖其所趣則凶, 故吉·凶生矣' 象況日·月·星·辰, 形況山·川·草·木也, 懸象運轉以成昏明, '山澤通氣'而'雲行雨施', 故變·化見矣."2)

한백(韓伯)3)이 말했다. "방향에 부류가 있고 사물에 무리가 있으면, 같음과 다름이 있고 모임과 나누어짐이 있는데, 그 같음을 순조롭게 따르면 길하고 그 추세에 어그러지면 흉하기 때문에 길·흉이 생긴다. 상(象)은 해·달·별·별자리를 말하고 형(形)은 산(山)·하천[川]·풀·나무를 말하니, 하늘에 걸려 있는 상(象)이 운행하여 밝음과 어둠을 이루고, '산과 못이 기(氣)를 통하며'4) '구름이 떠다니고 비가 내리기 때문에'5) 변(變)·화(化)가 나타난다."

● 蘇氏軾曰 : "天地一物也, 陰陽一氣也. 或爲象, 或爲形, 所在之不同, 故在云者, 明其一也. 象者, 形之精華發於上者也; 形者, 象之體質留於下者也. 人見其上下, 直以爲兩矣, 豈知其未

---

2) 한백(韓伯), 『주역주소(周易註疏)』 권11.
3) 한백(韓伯) : 자는 강백(康伯)이고, 영천장사(潁川長社 : 현 하남성 장갈〈長葛〉) 사람이다. 동진(東晉) 간문제(簡文帝) 때 중서랑(中書郞), 예장태수(豫章太守), 시중(侍中), 이부상서(吏部尙書) 등 관직을 역임했다. 당대 저명한 현학가(玄學家), 훈고학자로서 왕필의 『주역』 상·하경 주석에, 「계사전」·「설괘전」·「서괘전」·「잡괘전」 등에 대한 주석을 덧붙였다.
4) 산과 못이 기(氣)를 통하며 : 『역』 「설괘(說卦)」 제3장.
5) 구름이 떠다니고 비가 내리기 때문에 : 『역』 「건(乾)·단전(象傳)」.

嘗不一耶? 由是觀之, 世之所謂變‧化者, 未嘗不出於一. 而兩
於所在也, 自兩以往, 有不可勝計者矣, 故在天成象, 在地成形,
變化之始也."6)

소식(蘇軾)7)이 말했다. "하늘과 땅은 하나의 사물이고 음과 양은
하나의 기(氣)이다. 어떤 것은 상(象)이 되고 어떤 것은 형(形)이
되어 있는 곳이 같지 않지만, 있는 곳이라고 말한 것은 그것이 하
나임을 밝힌 것이다. 상(象)은 형(形)의 정화(精華)가 위에서 발현
하는 것이고, 형은 상의 체질(體質)이 아래에 머물러 있는 것이다.
사람들은 그것이 위에 있고 아래에 있는 것을 보고 곧바로 두 가지
라고 여기니, 어찌 그것들이 하나가 아닌 적이 없었다는 것을 알겠
는가? 이로부터 살펴본다면, 세상에서 말하는 변(變)‧화(化)는 하
나에서 나오지 않은 적이 없다. 그렇지만 있는 곳이 둘이어서 그
둘부터 그 뒤로는 이루 헤아릴 수 없이 많은 것이 있기 때문에, 하
늘에서는 상(象)을 이루고 땅에서는 형(形)을 이루는 것이 변(變)
‧화(化)의 시작이 된다."

....

6) 소식(蘇軾), 『동파역전(東坡易傳)』 권7.
7) 소식(蘇軾, 1037~1101) : 자는 자첨(子瞻), 화중(和仲)이고, 호는 동파거
   사(東坡居士), 설당(雪堂), 단명(端明), 미산적선객(眉山謫仙客), 소염
   경(笑髥卿), 적벽선(赤壁仙) 등이며, 북송 미주 미산(眉州眉山 : 현 사천
   성 미산(眉山)) 사람이다. 소순(蘇洵)의 아들이고 소철(蘇轍)의 형으로
   대소(大蘇)라고도 불렸다. 송대 저명한 문필가로 당송팔대가(唐宋八大
   家)의 한 사람이다. 북송 인종(仁宗) 가우(嘉祐) 2년(1057) 진사에 급제
   하여, 벼슬은 중서사인(中書舍人), 한림학사겸시독(翰林學士兼侍讀),
   한림승지(翰林承旨), 예부상서(禮部尙書) 등을 역임했다. 저서에 『동파
   칠집(東坡七輯)』, 『동파역전(東坡易傳)』, 『동파서전(東坡書傳)』, 『동파
   악부(東坡樂府)』, 『논어설(論語說)』 등이 있다.

● 『朱子語類』, 問 : "第一章第一節, 蓋言聖人因造化之自然以作『易』." 曰 : "論其初, 則聖人是因天理之自然而著之於書. 此是後來人說話, 又是見天地之實體, 而知『易』之書如此."[8]

『주자어류』에서 물었다. "제1장 제1절은 성인이 조화(造化)가 저절로 그러한 것을 따라 『역』을 지었음을 말하는 것 같습니다."
(주자가) 대답했다. "그 처음을 논하면, 성인은 천리(天理)가 저절로 그러함에 따라 그것을 책에 기재하였다. 이는 후대사람들이 말하였고, 또 천지의 실체를 보고 『역』이라는 책이 이와 같음을 알았다."

● 又云 : "'天尊地卑', 上一截皆說面前道理, 下一截是說『易』書. 聖人作『易』, 與天地準處如此. 如今看面前, 天地便是乾坤, 卑高便是貴賤.[9] 若把下而一句, 說作未畫之『易』也不妨, 然聖人是從那有『易』後說來."[10]

(주자가) 또 말했다. "'하늘은 높고 땅은 낮다'라는 구절의 전반부는 모두 눈앞에 펼쳐진 도리를 말하였고, 후반부는 『역』이라는 책을 말하였다. 성인이 『역』을 지음에 하늘·땅과 더불어 기준을 삼은 것이 이와 같다. 이제 눈앞에 펼쳐진 것을 보면, 하늘과 땅은 바로 건과 곤이고, 높은 것과 낮은 것은 바로 부귀와 빈천이다. 만약 후반부를 하나의 구절로 삼는다면, 아직 획을 긋지 않은 『역』이라고

---

8) 주희,『주자어류』권74, 3조목.
9) 卑高便是貴賤 : 주희,『주자어류』권74, 3조목에는 "聖人只是見成說這箇, 見得『易』是準這箇.[성인은 단지 이것을 말하여 『역』은 이것의 기준이 됨을 보여주었다.]"라는 말이 더 있다.
10) 주희,『주자어류』권74, 6조목.

말해도 괜찮으나, 성인은 저 『역』이 있고 난 뒤부터 말하였다."

● 蔡氏淸曰:"此一節, 是夫子從有『易』之後, 而追論夫未有『易』之前, 以見畫前之有『易』也. 夫『易』有乾坤, 有剛柔, 有吉凶, 有變化. 然此等名物, 要皆非聖人鑿空所爲, 不過皆據六合中所自有者而模寫出耳."[11]

채청(蔡淸)[12]이 말했다. "이 구절은 공자가 『역』이 생겨난 뒤에 아직 『역』이 있기 이전을 추론하여 획을 긋기 전에 『역』이 있었음을 보인 것이다. 무릇 『역』에는 건과 곤, 강과 유, 길과 흉, 변과 화가 있다. 그러나 이러한 명칭과 특징들은 요컨대 모두 성인이 근거 없이 천착하여 만들어 낸 것이 아니라 모두 천지사방에 본래 있는 것들에 의거하여 묘사해 낸 것에 지나지 않는다."

● 又曰:"定者, 有尊卑各安其分之意; 位者, 有卑高以序而列

---

11) 채청(蔡淸), 『역경몽인(易經蒙引)』 권9상(上).
12) 채청(蔡淸, 1453~1508): 자는 개부(介夫)이고 별호는 허재(虛齋)이다. 명(明)대 진강(晉江) 사람으로, 31세에 진사에 급제하여 벼슬은 남경문선랑중(南京文選郎中), 강서제학부사(江西提學副使) 등을 역임하였다. 명대의 저명한 이학가(理學家)로서 주로 이정(二程)과 주희(朱熹)의 저술 연구를 통해 그들의 사상을 계승하였다. 특히 천주(泉州) 개원사(開元寺)에서 역학연구단체를 결성하여 90여 책을 출간하면서 청원학파(淸源學派)를 이루었다. 이정기(李廷機), 장악(張嶽), 임희원(林希元), 진침(陳琛) 등의 학자들이 그 학파의 주요 구성원이었다. 저술로는 『사서몽인(四書蒙引)』, 『역경몽인(易經蒙引)』, 『허재문집(虛齋文集)』 등이 있다.

之意; 斷者, 有判然不相混淆之意."[13]

(채청이) 또 말했다. "정해진다는 것은 높은 것과 낮은 것이 각각 그 분수에 편안하다는 뜻이 있고, 자리 잡는다는 것은 낮은 것과 높은 것이 차례대로 진열되었다는 뜻이 있으며, 단정한다는 것은 뚜렷하게 서로 뒤섞이지 않는다는 뜻이 있다."

● 又曰："以天地言之, 天尊地卑, 其卑高固昭然不易也. 以萬物言之, 如山川陵谷之類, 其卑高亦昭然可睹也."[14]

(채청이) 또 말했다. "하늘과 땅으로 말하면, 하늘은 높고 땅은 낮아서 그 높음과 낮음이 본디 확연하여 바뀔 수 없다. 만물로 말하면, 예컨대 산과 하천, 언덕과 계곡 따위는 그 높음과 낮음이 또한 확연하여 눈으로 볼 수 있다."

案

此節, 是說作『易』源頭. 總涵乾坤六子在內. 蓋天尊地卑, 是天地定位也. 卑高以陳, 則兼山・澤等皆是. 天動地靜, 山靜水動, 固有常矣. 然雖至於有精氣而無形質之物, 其聚散作息亦有時, 其流止晦明亦有度, 則又兼雷・風・水・火等皆是.

이 구절은 『역』을 지은 근원을 설명하였다. 건곤과 육자(六子 : 8괘 가운데 震・巽・坎・離・艮・兌를 가리킴)[15]를 그 안에 총괄하여 포

---

13) 채청(蔡淸), 『역경몽인(易經蒙引)』 권9상(上).
14) 채청(蔡淸), 『역경몽인(易經蒙引)』 권9상(上).
15) 건곤과 육자(六子 : 8괘 가운데 震・巽・坎・離・艮・兌를 가리킴) : 『역』

함하고 있다. 대개 하늘이 높고 땅이 낮은 것은 하늘과 땅이 자리를 정한 것이다. 높음과 낮음으로 진열하면 산(山:艮)과 택(澤:兌) 등을 겸한 것이 모두 이것이다. 하늘이 움직이고 땅이 고요하며 산이 고요하고 물이 움직이는 것은 본디 항상됨이 있는 것이다. 그러나 비록 정기(精氣)는 있지만 형질(形質)이 없는 사물의 경우는 그 모임과 흩어짐, 작용과 멈춤에 또한 때가 있고, 그 유행과 그침, 어두움과 밝음에 또한 도수가 있으니, 또 뇌(雷:震)·풍(風:巽)·수(水:坎)·화(火:離)를 겸한 것이 모두 이것이다.

'類聚'·'群分', 總上通言之. 在天有方焉, 春·秋·冬·夏, 應乎南·北·東·西者是也. 其生殺之氣, 則以類聚. 在地有物焉, 高下燥濕, 別爲浮沈升降者是也. 其淸濁之品, 則以群分. 以上皆言造化之體. 至於天之象, 地之形, 其陰陽互根, 則交易者也; 其陰陽迭運, 則變易者也. 此三句, 又因體及用, 以起下文之意.

'부류로써 모아지고' '무리로써 나누어진다'는 위의 것을 총괄해서

「설괘(說卦)」 제10장에서, "건(乾)은 하늘이므로 부(父)라고 일컫고, 곤(坤)은 땅이므로 모(母)라 일컬으며, 진(震)은 첫 번째로 구하여 남(男)을 얻었으므로 장남(長男)이라 이르고, 손(巽)은 첫 번째로 구하여 여(女)를 얻었으므로 장녀(長女)라 이르며, 감(坎)은 두 번째로 구하여 남(男)을 얻었으므로 중남(中男)이라 이르고, 리(離)는 두 번째로 구하여 여(女)를 얻었으므로 중녀(中女)라 이르며, 간(艮)은 세 번째로 구하여 남(男)을 얻었으므로 소남(少男)이라 이르고, 태(兌)는 세 번째로 구하여 여(女)를 얻었으므로 소녀(少女)라 이른다.[乾, 天也, 故稱乎父; 坤, 地也, 故稱乎母; 震, 一索而得男, 故謂之長男; 巽, 一索而得女, 故謂之長女; 坎, 再索而得男, 故謂之中男; 離, 再索而得女, 故謂之中女; 艮, 三索而得男, 故謂之少男; 兌, 三索而得女, 故謂之少女.]"라고 했다.

말하였다. 하늘에서는 방향이 있으니 춘·추·동·하(春·秋·冬·夏)가 남·북·동·서(南·北·東·西)와 호응하는 것이 이것이다. 그 죽이거나 살리는 기(氣)는 부류로써 모이는 것이다. 땅에서는 사물이 있으니 높은 것·낮은 것·마른 것·젖은 것이 따로 떠오르고 가라앉으며 올라가고 내려가게 되는 것이 이것이다. 그 맑거나 흐린 품별은 무리로써 나누는 것이다. 이상은 모두 조화(造化)의 본체를 말했다. 하늘의 상(象)과 땅의 형(形)에 이르러, 그 음과 양이 서로 뿌리를 두는 것은 교역(交易)이고 음과 양이 번갈아 운행하는 것은 변역(變易)이다. 이 세 구절은16) 또 본체에 따라 작용에 미친 것으로써 아래 글을 일으키는 뜻이 있다.

---

16) 이 세 구절은 : 『역』「계사상」제1장 본문의 "하늘에서는 상(象)이 이루어지고 땅에서는 형(形)이 이루어지니 변(變)·화(化)가 나타난다.[在天成象, 在地成形, 變化見矣.]"라는 구절을 가리킨다.

是故剛柔相摩, 八卦相盪.

이 때문에 강(剛)과 유(柔)가 서로 마찰하고 8괘(八卦)가 서로 요동치며 이동한다.

本義

此言『易』卦之變化也. 六十四卦之初, 剛柔兩畫而已. 兩相摩而爲四, 四相摩而爲八, 八相盪而爲六十四.

이는 『역』 괘의 변화를 말한 것이다. 64괘의 시초는 강(剛)과 유(柔) 두 획일 뿐이다. 두 개가 서로 마찰하여 4개가 되고, 4개가 서로 마찰하여 8개가 되며, 8개가 서로 요동치며 이동하여 64개가 되었다.

集說

● 韓氏伯曰 : "相切摩, 言陰陽之交感; 相推盪, 言運化之推移."[17]

한백(韓伯)이 말했다. "서로 마찰한다는 것은 음과 양의 교감을 말하고, 서로 요동치며 이동한다는 것은 운행변화의 추이(推移)를 말

---

17) 한백(韓伯), 『주역주소(周易註疏)』 권11.

한다."

● 『朱子語類』云 : "摩是那兩個物事相摩戛, 蕩則是圍轉推蕩將
出來. 摩是八卦以前事, 蕩是八卦以後爲六十四卦底事. 蕩是有
那八卦了, 團旋推蕩那六十四卦出來."[18]

『주자어류』에서 말했다. "'마찰한다[摩]'는 것은 그 두 개의 사물이
서로 비비고 부딪히는 일이며, '요동치며 이동한다[蕩]'는 것은 빙빙
돌면서 추이(推移)해 내는 일이다. 마찰한다는 것은 8괘 이전의 일
이고, 요동치며 이동한다는 것은 8괘 이후 64괘가 되는 일이다. 요
동치며 이동한다는 것은 그 8괘를 가지고 빙빙 돌면서 그 64괘를
추이(推移)해 내는 일이다."

● 吳氏澄曰 : "畫卦之初, 以一剛一柔, 與第二畫之剛柔相摩而
爲四象; 又以二剛二柔, 與第三畫之剛柔相摩而爲八卦. 八卦旣
成, 則又各以八悔卦蕩於一貞卦之上, 而一卦爲八卦, 八卦爲六
十四卦也."[19]

오징(吳澄)이 말했다. "애초에 괘를 그을 때, 하나의 강(剛)과 하나
의 유(柔)를 가지고 제2획의 강·유와 서로 마찰하여 4상(四象)이
되었고, 두 개의 강과 두 개의 유를 가지고 제3획의 강·유와 서로
마찰하여 8괘(八卦)가 되었다. 8괘가 이미 이루어지고 나면 또 각
각 8개의 회괘(悔卦 : 外卦)를 가지고 하나의 정괘(貞卦 : 內卦) 위
에 요동치며 이동해서, 하나의 괘가 8개의 괘가 되니 8괘는 64괘

---

18) 주희, 『주자어류』 권74, 16조목.
19) 오징(吳澄), 『역찬언(易纂言)』 권7.

가 된다.”

案

此節, 雖切畫卦言之, 然是天地間自有此理. 蓋相摩者, 以一交一, 如天與地交, 水與火交, 山與澤交, 雷與風交是也. 相蕩者, 以一交八, 如天與地交矣, 而與水火山澤雷風無不交; 地與天交矣, 而亦與水火山澤雷風無不交之類是也, 唯天地之理如此, 故聖人畫卦以體象之.

이 구절은 비록 괘를 긋는 것을 잘라서 말했지만, 천지간에는 저절로 이러한 이치가 있다. 대개 서로 마찰한다는 것은 하나를 가지고 하나와 교류하는 것이니, 예컨대 하늘이 땅과 교류하고, 물이 불과 교류하며, 산이 못과 교류하고, 우레가 바람과 교류하는 것이 이것이다. 서로 요동치며 이동한다는 것은 하나를 가지고 8개와 교류하는 것이니, 예컨대 하늘이 땅과 교류하면서 물·불·산·못·우레·바람과도 교류하지 않음이 없으며, 땅이 하늘과 교류하면서 또한 물·불·산·못·우레·바람과도 교류하지 않음이 없는 것과 같은 따위가 이것이다. 오직 하늘과 땅의 이치가 이와 같기 때문에 성인이 괘를 그을 때 이 점을 체득하여 본떴다.

[계사상 1-3]

鼓之以雷霆, 潤之以風雨, 日月運行, 一寒一暑.

우레와 번개로 고무시키고 바람과 비로 적셔주며, 해와 달이 운행(運行)하고 한 번 춥고 한 번 덥다.

本義

此變化之成象者.

이는 변·화가 상(象)을 이룬 것이다.

集說

● 孔氏穎達曰 : "重明上 '變·化見矣',[20] 及 '剛柔相摩, 八卦相蕩' 之事. 八卦旣相推蕩, 各有功之所用也. 鼓動之以震雷離電, 滋潤之以巽風坎雨, 離日坎月,[21] 運動而行, 一節爲寒, 一節爲暑, 不云乾·坤·艮·兌者,[22] 乾·坤上下備言,[23] 雷電風雨亦出山澤

---

20) 重明上 '變·化見矣' : 공영달 소(孔穎達 疏), 『주역주소(周易註疏)』 권 11에는 "重明上經 '變·化見矣.'[위 경문의 '변·화가 나타난다'라는 구절 을 거듭 밝혔다.]"라고 되어 있다.

21) 離日坎月 : 공영달 소, 『주역주소』 권11에는 "或離日坎月[혹 리괘인 해 와 감괘인 달이]"라고 되어 있다.

22) 不云乾·坤·艮·兌者 : 공영달 소, 『주역주소』 권11에는 이 구절 앞에

也.[24]

공영달(孔穎達)이 말했다. "위의 '변·화가 나타난다'라는 구절 및 '강과 유가 서로 마찰하고 8괘가 서로 요동치며 이동한다'는 일을 거듭 밝혔다. 8괘가 이미 서로 추이(推移)하면서 요동치면 각각 공효를 쓰는 것이 있다. 진(震☳)괘인 우레와 리(離☲)괘인 번개로 고무시켜 움직이고, 손(巽☴)괘인 바람과 감(坎☵)괘인 비로 적시고 불어나게 하며, 리(離)괘인 해와 감(坎)괘인 달이 운동하고 유행하여 한 시기는 추위가 되고 한 시기는 더위가 되는데, 건(乾☰)·곤(坤☷)·간(艮☶)·태(兌☱)를 말하지 않은 것은 건·곤은 위아래를 갖추어 말했고 우레·번개·바람·비도 또한 산과 못에서 나왔기 때문이다."

● 張氏浚曰 : "鼓以雷霆而有氣者作, 潤以風雨而有形者生."[25]

장준(張浚)[26]이 말했다. "우레와 번개로 고무시켜 기(氣)를 가진 것

"直云震·巽·離·坎[다만 진·손·리·감만을 말한 것임]"이라는 말이 더 있다.

23) 乾·坤上下備言 : 공영달 소, 『주역주소』 권11에는 이 구절 뒤에 "艮·兌非鼓動運行之物, 故不言之, 其實亦一焉.[간괘와 태괘는 고무시켜 움직이고 운행하는 것이 아니기 때문에 말하지 않았는데, 사실은 또한 한 가지이다.]"이라는 말이 더 있다.

24) 공영달 소(孔穎達 疏), 『주역주소(周易註疏)』 권11.

25) 장준(張浚), 『자암역전(紫巖易傳)』 권7.

26) 장준(張浚, 1097~1164) : 자는 덕원(德遠)이고, 세칭 자암선생(紫巖先生)으로 불렸으며, 시호는 충헌(忠獻)이다. 송대 한주 면죽(漢州綿竹 : 현 사천성 소속) 사람이다. 휘종(徽宗) 정화(政和) 8년(1118)에 진사(進士)에 급제하여, 벼슬은 추밀원편수관(樞密院編修官), 시어사(侍禦

이 일어나고, 바람과 비로 적셔 형(形)을 가진 것이 생겨난다."

● 邱氏富國曰 : "前以乾坤·貴賤·剛柔·吉凶·變化言,　是對待之陰陽, 交易之體也. 此以摩·蕩·鼓·潤·運行言, 是流行之陰陽, 變易之用也. 至下文則言乾坤之德行, 而繼以人體乾坤者終之."

구부국(丘富國)[27]이 말했다. "앞에서 건곤·귀천·강유·길흉·변화로 말한 것은 대대(對待)하는 음양이고 교역(交易)의 본체이다. 여기에서 마찰함, 요동치며 이동함, 고무시킴, 적심, 운행함으로 말한 것은 유행(流行)하는 음양이고 변역(變易)의 작용이다. 아래 글에 이르면 건곤의 덕행을 말하고 이어서 사람이 건곤을 체인하는 것으로 끝맺는다."

....

史), 예부시랑(禮部侍郎), 지추밀원사(知樞密院事), 상서우복야(尙書右僕射) 등을 지냈다. 남송 시대 금(金)나라의 침입에 대항한 명장이며 명재상으로도 유명하다. 학문적으로는 주희와 교류한 장식(張栻)의 아버지고, 초정(譙定)의 문인이며, 정이(程頤)와 소식(蘇軾)의 재전제자(再傳弟子)로서 특히 『역』에 정통하였다. 저서에는 『자암역전(紫巖易傳)』, 『역해(易解)』, 『서해(書解)』, 『시해(詩解)』, 『춘추해(春秋解)』, 『중용해(中庸解)』, 『장위공집(張魏公集)』 등이 있다.

27) 구부국(丘富國) : 자는 행가(行加)이고, 남송 건안(建安 : 현 복건성 건구〈建甌〉) 사람이다. 주자의 문인으로 주자의 역학사상을 주로 계승 발전시켰다. 이종(理宗) 순우(淳祐) 7년(1247)에 진사에 급제하여 벼슬은 단주첨판(端州僉判)을 역임했다. 남송이 망하자 은거하고 벼슬하지 않았다. 저서에는 『주역집해(周易輯解)』, 『역학설약(易學說約)』, 『경세보유(經世補遺)』가 있다.

● 吳氏澄曰：“章首但言乾坤, 蓋舉父母以包六子, 此先言六子, 而後總之以乾坤也. 震爲雷, 離爲也, 霆卽電也. 『春秋穀梁傳』曰, ‘震者何? 雷也; 電者何? 霆也.’ 巽爲風, 坎爲雨. 「羲皇卦圖」, 左起震而次以離, 鼓之以雷霆也; 右起巽而次以坎, 潤之以風雨也. 風而雨, 故通言潤. 離爲日, 坎爲月. 艮山在西北嚴凝之方爲寒, 兌澤在東南溫熱之方爲暑. 左離次以兌者, 日之運行而爲暑也; 右坎次以艮者, 月之運行而爲寒也. 邵子曰, ‘日爲暑, 月爲寒.’『書』曰, ‘日月之行, 有冬有夏.’”28)

오징(吳澄)이 말했다. “장(章)의 첫머리에서 다만 건곤만을 말한 것은 부모를 들어 여섯 자식을 포함했기 때문이고, 여기에서는 우선 여섯 자식을 말한 뒤 건곤으로 그것을 총괄했다. 진(震)괘가 우레가 되는 것은 리(離)괘가 그렇게 하는 것이고 정(霆)은 곧 번개이다. 『춘추곡량전』에서 ‘진(震)은 무엇인가? 우레이다. 번개는 무엇인가? 정(霆)이다’라고 하였다. 손(巽)괘는 바람이고 감(坎)괘는 비이다. 「복희팔괘방위도(伏羲八卦方位圖)」에서, 왼쪽에서는 진(震)괘에서 일으켜 그 다음이 리(離)괘이니 우레와 번개로 고무시키는 것이고, 오른쪽에서는 손(巽)괘에서 일으켜 그 다음이 감(坎)괘이니 바람과 비로 적시는 것이다. 바람이 불고 비가 내리기 때문에 통틀어서 적신다고 말했다. 리(離)괘는 해이고 감(坎)괘는 달이다. 간(艮)괘인 산이 서북쪽 매우 추운 방위에 있어 추위가 되고, 태(兌)괘인 못이 동남쪽 따뜻한 방위에 있어 더위가 된다. 「복희팔괘방위도」 왼쪽에서 리(離)괘 다음이 태(兌)괘인 것은 해가 운행하여 더위가 되고, 오른쪽에서 감(坎)괘 다음이 간(艮)괘인 것은 달이 운행하여 추위가 된다. 소자(邵子 : 邵雍)는 ‘해는 더위가 되고, 달은

---

28) 오징(吳澄),『역찬언(易纂言)』권7.

추위가 된다'29)라고 했고,『서경』에서는 '해와 달이 운행하면 겨울
이 되고 여름이 된다'30)라고 했다."

29) 해는 더위가 되고, 달은 추위가 된다 : 소옹,『황극경세서(皇極經世書)』권
    11.
30) 해와 달이 운행하면 겨울이 되고 여름이 된다 :『서경』「주서(周書)·홍범
    (洪範)」.

乾道成男, 坤道成女.

건도(乾道)는 남성(男姓)을 이루고, 곤도(坤道)는 여성(女姓)을
이룬다.

本義

此變化之成形者. 此兩節, 又明『易』之見於實體者, 與上文相
發明也.

이는 변화가 형체를 이룬 것이다. 이 두 구절은 또『역』이 실체(實
體)에 나타난 것을 밝혔으니, 윗글과 서로 드러내 밝혔다.

集說

● 『朱子語類』云 : "天地父母,[31] 分明是一理. 乾道成男, 坤道成
女, 則凡天下之男皆乾之氣, 天下之女皆坤之氣, 從這裏便徹上
徹下, 卽是一個氣都透了.[32]"[33]

---

31) 天地父母 : 주희, 『주자어류』 권98, 94조목에는 "而今道天地不是父母,
   父母不是天地, 不得.[이제 천지가 부모가 아니고 부모가 천지가 아니라
   고 말할 수 없다.]"라고 되어 있다.

32) 卽是一箇氣都透了 : 주희, 『주자어류』 권98, 94조목에는 "都卽是一箇
   氣, 都透過了.[모두 곧 하나의 기이니, 모두 꿰뚫었다.]"라고 되어 있다.

『주자어류』에서 말했다. "천지와 부모는 분명히 하나의 이치이다. 건도(乾道)가 남성(男姓)을 이루고, 곤도(坤道)가 여성(女姓)을 이루면 천하의 모든 남성은 모두 건의 기(氣)이고 천하의 여성은 모두 곤의 기이니, 여기에서 아래위로 관통함은 곧 하나의 기가 모두 꿰뚫은 것이다."

● 又云 : "'乾道成男, 坤道成女', 通人物言之. 在動物如牝牡之類,34) 在植物亦有男女, 如麻有牡麻, 及竹有雌雄之類. 皆離陰陽·剛柔不得."35)

(주자가) 또 말했다. "'건도(乾道)는 남성(男姓)을 이루고, 곤도(坤道)는 여성(女姓)을 이룬다'는 사람과 사물을 통틀어서 말한 것이다. 동물에서는 예컨대 암컷과 수컷과 같은 따위이고, 식물에서도 역시 남녀가 있으니, 예컨대 마(麻)에 숫마[牡麻]가 있고, 대나무에 암수가 있는 것과 같은 따위이다. 모두 음양과 강유를 떠날 수 없다."

● 吳氏澄曰 : "乾成男者, 父道也; 坤成女者, 母道也. 左起震, 歷離歷兌而終於乾; 右起巽, 歷坎歷艮以終於坤. 故以'乾道成男, 坤道成女'二句, 總之於後也."36)

---

33) 주희, 『주자어류』권98, 94조목.
34) 在動物如牝牡之類 : 주희, 『주자어류』권74, 20조목에는 "如牝馬之類. [예컨대 암말과 같은 따위이다.]"라고 되어 있다.
35) 주희, 『주자어류』권74, 20조목.
36) 오징(吳澄), 『역찬언(易纂言)』권7.

오징(吳澄)이 말했다. "건이 남성을 이루는 것은 아버지의 도이고, 곤이 여성을 이루는 것은 어머니의 도이다. (「복희팔괘방위도」) 왼쪽에서는 진(震)괘에서 일으켜 리(離)괘와 태(兌)괘를 거쳐 건(乾)괘에서 끝나고, 오른쪽에서는 손(巽)괘에서 일으켜 감(坎)괘와 간(艮)괘를 거쳐 곤(坤)괘에서 끝난다. 그러므로 '건도(乾道)는 남성(男姓)을 이루고, 곤도(坤道)는 여성(女姓)을 이룬다'라는 두 구절로 그 뒤를 총괄하였다."

● 何氏楷曰 : "自'天尊地卑'至'變化見矣', 是因乾坤而推極於變化; 自'剛柔相摩'至'坤道成女', 是又因變化而溯源於乾坤."[37]

하해(何楷)[38]가 말했다. "'하늘은 높고 땅은 낮다'에서부터 '변·화가 나타난다'까지는 건곤에 따라 변화를 끝까지 미루어 간 것이고, '강과 유가 서로 마찰한다'에서부터 '곤도가 여성을 이룬다'까지는 또 변화에 따라 건곤을 근원으로 거슬러 간 것이다."

....

37) 하해(何楷), 『고주역정고(古周易訂詁)』 권11.
38) 하해(何楷) : 자는 현자(玄子)이고 호는 황여(黃如)이다. 명말청초 때 장주 진해위(漳州鎭海衛 : 현 복건성 용해시〈龍海市〉) 사람이다. 천계(天啓) 5년(1625)에 진사에 급제하여 벼슬은 호부주사(戶部主事), 공과급사중(工科給事中), 호부상서(戶部尙書) 등을 역임했다. 직언과 직간으로 유명했는데, 말년에 정성공(鄭成功)의 부친인 정지룡(鄭芝龍)과 뜻이 어긋나서 사직하고 귀향했다. 저서에는 『고주역정고(古周易訂詁)』, 『시경세본고의(詩經世本古義)』 등이 있다.

乾知大始, 坤作成物.

건(乾)은 큰 시작을 주관하고 곤(坤)은 사물을 이루어 낸다.

本義

'知', 猶主也. 乾主始物, 而坤作成之, 承上文男·女而言乾·坤之理. 蓋凡物之屬乎陰陽者, 莫不如此. 大抵陽先陰後, 陽施陰受, 陽之輕淸未形, 而陰之重濁有跡也.

'지(知)'는 주관하다는 뜻과 같다. 건(乾)은 만물을 만들기 시작하는 것을 주관하고 곤(坤)은 이것을 이루어 내니, 윗글의 남(男)·여(女)를 이어서 건(乾)·곤(坤)의 이치를 말했다. 음(陰)·양(陽)에 속하는 모든 사물들은 이와 같지 않음이 없기 때문이다. 대개 양이 먼저이고 음이 뒤이며, 양은 베풀고 음은 받아들이며, 양의 가볍고 맑음은 나타나지 않고 음의 무겁고 탁함은 자취가 있다.

集說

● 胡氏瑗曰 : "乾言'知'·坤言'作'者, 蓋乾之生物, 起於無形, 未有營作; 坤能承於天氣, 已成之物, 事可營爲. 故乾言'知'而坤言'作'也."[39]

호원(胡瑗)[40)]이 말했다. "건은 '주관한다'고 말하고 곤은 '해낸다'고 말한 것은, 건이 만물을 낳음은 형체가 없는 데서 일으키니 아직 꾀하여 만들어 내는 것이 없지만, 곤이 천(天)의 기(氣)를 받들어 이미 만들어낸 사물은 그 일이 꾀하여 그렇게 한 것이라 할 수 있기 때문이다. 그러므로 건은 '주관한다'고 말하고 곤은 '해낸다'고 말했다."

● 『朱子語類』云 : "'知'訓'管'字, 不當解作'知見'之'知.' 大始未有形, 知之而已; 成物乃流行之時, 故有爲.[41)]"[42)]

....

39) 호원(胡瑗), 『주역구의(周易口義)』「계사상(繫辭上)」.

40) 호원(胡瑗, 993~1059) : 자는 익지(翼之)이고 시호는 문소(文昭)로서, 북송시대 태주 해릉(泰州海陵 : 현 강소성 태주시) 사람이다. 13살에 오경(五經)을 통독하고, 20세에 손복(孫復)과 석개(石介)를 산동성 태산(泰山) 서진관(棲眞觀)에서 배알하고 10년 동안 사사하였다. 30세에 귀향하여 7번 과거에 응시했으나 낙방하여, 안정서원(安定書院)을 짓고 후학배양에 힘썼다. 이에 세칭 안정선생으로 불렸다. 42세에 범중엄(范仲淹)의 천거로 교서랑(校書郎)이 되고, 태자중사(太子中舍), 광록시승(光祿寺丞), 천장각시강(天章閣侍講), 태상박사(太常博士) 등을 역임하였다. 특히 관직 생활 중에도 강학에 힘을 쏟아 손복(孫復)·석개(石介)와 함께 송초삼선생(宋初三先生)으로 추숭되어 송대 리학의 선구가 되었다. 저서에 『주역구의(周易口義)』, 『홍범구의(洪範口義)』, 『춘추구의(春秋口義)』, 『논어설(論語說)』 등이 있다.

41) 大始未有形, 知之而已, 成物乃流行之時, 故有爲 : 웅량보(熊良輔), 『주역본의집성(周易本義集成)』 권7에서 『주자어류』의 글로 기재되어 있다. 그러나 『주자어류』 권74, 22조목에는 "大始是萬物資始, 乾以易, 故管之; 成物是萬物資生, 坤以簡, 故能之.[크게 시작하는 것은 '만물이 그것에 의지하여 시작하니 건은 쉽게 하므로 그것을 주관한다. 사물을 이루는 것은 만물이 그것에 의지하여 생겨나니 곤은 간단하게 하므로 그것을

『주자어류』에서 말했다. "'지(知)'자는 '관(管 : 주관하다)'자로 풀이 해야지 '지견(知見 : 알다)'이라고 할 때의 '지(知 : 안다)'로 해석해서는 안 된다. 큰 시작은 아직 나타남이 있지 않으니 그것을 주관함이 있을 뿐이고, 사물을 이룸은 곧 유행할 때이기 때문에 그렇게 하는 것이 있다."

● 柴氏中行曰 : "一氣之動, 則自有知覺, 而生意所始, 乾實爲之. 一氣旣感, 則妙合而凝, 其形乃著, 有作成之意, 坤實爲之."[43]

시중행(柴中行)[44]이 말했다. "하나의 기(氣)가 움직이면 저절로 지각이 있어 생의(生意)가 시작되니, 건이 실제로 그렇게 한다. 하나의 기가 이미 감동하면 오묘하게 결합하고 응결하여 그 형체가 이에 드러나 이루어 내는 의미가 있으니, 곤이 실제로 그렇게 한다."

....

잘 할 수 있다.]"로 되어 있다.

42) 『주자어류』 권74, 22조목.

43) 풍의(馮椅), 『후재역학(厚齋易學)』 권43, 「역외전(易外傳)」제11에 시중행(柴中行)의 글로 실려 있다.

44) 시중행(柴中行) : 자는 여지(與之)고, 호는 남계(南溪)며, 시호는 헌숙(獻肅)이다. 남송 여간(餘干 : 현 강서성 만년현 남계향〈萬年縣南溪鄕〉) 사람이다. 소희(紹熙) 원년(1190)에 진사에 급제하여 벼슬은 강주교수(江州敎授), 서경전운사(西京轉運使), 호남제형(湖南提刑), 숭정전설서(崇政殿說書), 우문전수찬(右文殿修撰)을 역임했다. 주자를 사숙했고 『정씨역전(程氏易傳)』을 깊이 연구했다. 남계서원(南溪書院)에서 강학하여 요로(饒魯)·탕간(湯幹)·탕건(湯巾)·탕중(湯中)·탕한(湯漢) 등의 문인을 배출했다. 저서에는 『역계집전(易繫集傳)』, 『서집전(書集傳)』, 『시강의(詩講義)』, 『논어동몽설(論語童蒙說)』 등이 있다.

● 吳氏澄曰：“上言八卦而總之以乾坤，此又接成男·成女二句，而專言乾坤也. 乾男爲父者，以其始物也; 始，謂始其氣也. 坤女爲母者，以其成物也; 成，謂成其質也. ‘知’者，主之而無心也; ‘作’者，爲之而有跡也.”[45]

오징(吳澄)이 말했다. “위에서는 8괘를 말하는 데 건곤으로 총괄했고, 여기에서 또 남성을 이루고 여성을 이룬다는 두 구절로 연결하는 데 오로지 건곤을 말했다. 건괘인 남성이 아버지가 되는 것은 만물을 비롯하게 만들기 때문이니, 비롯함은 그 기(氣)를 비롯한다는 뜻이다. 곤괘인 여성이 어머니가 되는 것은 사물을 이루기 때문이니, 이룸은 그 형질을 이룬다는 뜻이다. ‘지(知)’는 그것을 주관하되 사사로운 마음이 없다는 말이고, ‘해낸다’는 것은 그것을 만들어 내는 데 자취가 있다는 말이다.”

案

自‘鼓之以雷霆’至此二句，當總爲一段，六子分生成之職，乾坤專生成之功也. 下文則就功化而推原於易簡，自爲一段.

‘우레와 번개로 그것을 고무시킨다’에서부터 이 두 구절에 이르기까지는 하나의 단락으로 총괄해야 되니, 여섯 자식은 생성하는 직분을 나누어 가지고, 건곤은 생성하는 공효를 오로지 한다. 아래 글은 공효와 교화에서 쉬움과 간단함으로 근원을 미루어 가니 그 자체로 하나의 단락이 된다.

---

45) 오징(吳澄), 『역찬언(易纂言)』 권7.

[계사상 1-6]

乾以易知, 坤以簡能.

건(乾)은 쉬움으로 주관하고 곤(坤)은 간단함으로 잘 해낸다.

本義

乾健而動, 卽其所知, 便能始物而無所難. 故爲以易而知大始. 坤順而靜, 凡其所能, 皆從乎陽而不自作. 故爲以簡而能成物.

건(乾)은 강건하여 움직이니 곧 그 주관하는 것이 바로 만물을 시작함에 어려운 점이 없다. 그러므로 쉽게 하되 큰 시작을 주관한다. 곤(坤)은 순응하여 고요하니 무릇 그 잘 해내는 것이 모두 양(陽)을 따르고 스스로 만들지 않는다. 그러므로 간단하게 하되 사물을 이룰 수 있다.

集說

● 虞氏翻曰 : "乾'縣象著明',[46] 坤陰陽動闢,[47] '不習无不利, 地

---

46) 乾'縣象著明' : 이정조(李鼎祚), 『주역집해(周易集解)』 권13에는 이 구절 뒤에 "故易知.[그러므로 알기 쉽다.]"라는 말이 더 있다.

47) 坤陰陽動闢 : 이정조, 『주역집해』 권13에는 이 구절 뒤에 "故易從.[그러므로 따르기 쉽다.]"라는 말이 더 있다.

道光也.'"48)

우번(虞翻)이 말했다. "건괘는 '상(象)을 매달아 분명하게 드러나
고',49) 곤괘는 음양이 움직여 열리며,50) '익히지 않아도 이롭지 않
음이 없다는 땅의 도가 빛나는 것이다.'51)"

---

48) 이정조(李鼎祚), 『주역집해(周易集解)』권13에 우번(虞翻)의 말로 기재
되어 있다.

49) 상(象)을 매달아 분명하게 드러나고 :『역』「계사상」제11장에서 "그러므
로 법(法)과 상(象)은 천지보다 큰 것이 없고, 변(變)과 통(通)은 사계절
보다 큰 것이 없으며, 상(象)을 매달아 분명하게 드러낸 것은 일월(日月)
보다 큰 것이 없고, 숭고함은 부귀보다 큰 것이 없으며, 사물을 구비하여
그 쓰임을 다하고 기물을 이루어 천하의 이로움을 삼는 것은 성인보다
큰 것이 없고, 번잡한 것을 탐구하고 은미한 것을 밝히며 심오한 것을
찾아내고 요원한 것을 불러 천하의 길흉을 정하며 천하 사람들이 힘써야
할 것을 이루는 것은 시초와 귀갑보다 큰 것이 없다.[是故, 法象, 莫大乎
天地, 變通, 莫大乎四時, 縣(懸)象著明, 莫大乎日月, 崇高, 莫大乎富
貴, 備物致用, 立成器以爲天下利, 莫大乎聖人, 探賾索隱, 鉤深致遠,
以定天下之吉凶, 成天下之亹亹者, 莫大乎蓍龜.]"라고 하였다.

50) 음양이 움직여 열리며 :『역』「계사상」제6장에서 "건(乾)은 고요할 때는
전일(專一)하고 그 움직일 때는 곧으니, 이 때문에 크게 낳는다. 곤(坤)
은 고요할 때는 닫히고 움직일 때는 열리니, 이 때문에 넓게 낳는다.[夫
乾, 其靜也專, 其動也直, 是以大生焉. 夫坤, 其靜也翕, 其動也闢, 是
以廣生焉.]"라고 하였다.

51) 익히지 않아도 이롭지 않음이 없다는 땅의 도가 빛나는 것이다 : 곤(坤)
괘 육이(六二)「상전(象傳)」에서, "「상전」에 말했다. '육이(六二)의 움직
임이 곧고 방정하니 익히지 않아도 이롭지 않음이 없다는 땅의 도가 빛
나는 것이다.'[象曰, '六二之動, 直以方也, 不習无不利, 地道光也.']"라
고 하였다.

● 韓氏伯曰 : "天地之道, 不爲而善始, 不勞而善成, 故曰易簡."[52]

한백(韓伯)이 말했다. "하늘과 땅의 도(道)는 의도적으로 하지 않지만 잘 시작하고 수고롭지 않지만 잘 이루기 때문에 '쉽고 간단하다'고 했다."

● 楊氏萬里曰 : "此贊乾坤之功, 雖至溥而無際, 而乾坤之德, 實至要而不繁也."[53]

양만리(楊萬里)[54]가 말했다. "이는 건곤의 공효가 비록 지극히 넓어 끝이 없지만, 건곤의 덕은 실로 지극히 요약되어 번거롭지 않음을 찬양한 것이다."

●『朱子語類』, 問 : "如何是易簡?" 曰 : 它行健, 所以易, 易是知阻難之謂. 人有私意便難. 簡, 只是順從而已, 若外更生出一分, 如何得簡? 今人都是私意,[55] 所以不能簡易."[56]

....

52) 한백(韓伯),『주역주소(周易註疏)』권11.

53) 양만리(楊萬里),『성재역전(誠齋易傳)』권17.

54) 양만리(楊萬里, 1127~1206) : 자는 정수(廷秀)이고, 호는 성재誠齋이며, 시호는 문절(文節)이다. 남송대 길주 길수(吉州吉水 : 현 강서성 길수현 황교진〈吉水縣黃橋鎭〉) 사람이다. 소흥(紹興) 때 진사에 급제하여 보모각직학사(寶謨閣直學士), 영릉승(零陵丞)을 역임하였다. 영주(永州)에 귀양된 장준(張浚)에게 성리학을 사사하였다. 시문에 뛰어나 평생 2만 여 수의 시를 지었다고 한다. 저서에는『성재역전(誠齋易傳)』,『당언(唐言)』,『천려책(千慮策)』,『성재시화(誠齋詩話)』,『성재집(誠齋集)』등이 있다.

55) 今人都是私意 :『주자어류』권74, 25조목에는 "今人多是私意[요즘 사람

『주자어류』에서 물었다. "어떻게 하는 것이 쉽고 간단한 것입니까?"

(주자가) 대답했다. "그것의 운행이 강건하기 때문에 쉬우니, 쉬운 것은 험난함을 안다는 뜻이다. 사람들은 사사로운 생각이 있기 때문에 곧 어렵다. 간단함은 다만 순종하는 것일 따름이니, 만약 그 이외에 다시 조금이라도 생겨난다면 어찌 간단할 수 있겠는가? 요즘 사람들은 모두 사사로운 생각이 많기 때문에 간단하고 쉬울 수 없다."

● 問 : "'乾以易知, 坤以簡能', 若以學者分上言之, 則廓然大公者, 易也; 物來順應者, 簡也.57) 不知是否." 曰 : "然. 乾之易, 知之事也, 坤之簡, 行之事也.58)"59)

물었다. "'건(乾)은 쉬움으로 주관하고 곤(坤)은 간단함으로 잘 해낸다'라고 하였는데, 만약 배우는 사람의 입장에서 말하면, 확연(廓然)하여 크게 공평한 것은 쉬움이고, 대상이 오면 순응하는 것이 간단함인 것 같습니다. 이렇게 보는 것이 옳은지 모르겠습니다."

....

들은 대부분 사사로운 생각을 하기 때문에]"로 되어 있다.

56) 『주자어류』 권74, 25조목.

57) 廓然大公者, 易也; 物來順應者, 簡也 : 양시(楊時) 편(編) 『이정수언(二程粹言)』 권하(下), 「심성편(心性篇)」에서 "君子之學, 莫若廓然而大公, 物來而順應.[군자의 학문은 확연(廓然)하여 크게 공평하고, 대상이 오면 순응함 만한 것이 없다.]"라고 하였다.

58) 乾之易, 知之事也; 坤之簡, 行之事也 : 『주자어류』 권74, 35조목에는 "乾之易, 致知之事也; 坤之簡, 力行之事也.[건의 쉬움은 앎을 끝까지 다하는 일이고, 곤의 간단함은 힘써 실천하는 일이다.]"로 되어 있다.

59) 주희, 『주자어류』 권74, 35조목.

(주자가) 대답했다. "그렇다. 건의 쉬움은 앎에 관한 일이고, 곤의 간단함은 실천에 관한 일이다."

● 吳氏澄曰 : "易簡者, 以乾坤之理言. 始物者, 乾之所知, 然乾之性健, 其知也, 宰物而不勞心, 故易而不難. 成物者, 坤之所作, 然坤之性順, 其作也, 從陽而不造事, 故簡而不繁. 此乾坤皆指天地, 而『易』之乾坤二卦象之者也."[60]

오징(吳澄)이 말했다. "쉽다와 간단하다는 것은 건곤(乾坤)의 이치로 말하였다. 만물을 시작하는 것은 건이 주관하는 일이지만, 건의 성질은 강건하여 그 주관함이 만물을 주재하되 마음을 수고롭게 하지 않기 때문에, 쉬워서 어렵지 않다. 사물을 이루는 것은 곤이 만들어내는 일이지만, 곤의 성질은 순응하여 그 만들어냄이 양(陽)을 따르되 일을 만들지 않기 때문에, 간단하여 번거롭지 않다. 이 건곤은 모두 천지를 가리키는데, 『역』의 건곤 두괘는 그것을 상징하는 것이다."

● 張氏振淵曰 : "乾知大始, 似乎甚難矣; 坤作成物, 似乎甚煩矣. 乃乾坤則以易知以簡能耳, 所謂'天地無心而成化也.'"

장진연(張振淵)이 말했다. "건이 큰 시작을 주관하는 것은 마치 매우 어려운 것 같고, 곤이 사물을 이루어 내는 것은 마치 매우 번거로운 것 같다. 그렇지만 건곤은 쉽게 주관하고 간단하게 해낼 뿐이니, 이른바 '천지는 마음 씀이 없지만 조화(造化)를 이룬다'[61]는 것이다."

---

60) 오징(吳澄), 『역찬언(易纂言)』권7.
61) 천지는 마음 씀이 없지만 조화(造化)를 이룬다 : 정이(程頤), 『하남정씨

● 吳氏日愼曰 : "乾健體而動用, 故易; 坤順體而靜用, 故簡. 動靜以陰陽之分言, 然乾知大始而事付於坤, 則始動而終靜; 坤從乎陽而作成物, 則始靜而終動. 又乾知坤能, 皆用之動也; 乾易坤簡, 皆體之靜也. 又四德坤承乎乾, 元亨皆動, 利貞皆靜, 不可專以動屬乾, 以靜屬坤也."

오왈신(吳曰愼)[62]이 말했다. "건은 강건함이 본체이고 움직임이 작용이기 때문에 쉽고, 곤은 순응함이 본체이고 고요함이 작용이기 때문에 간단하다. 움직임과 고요함은 음·양의 나뉨으로 말한 것이지만, 건이 큰 시작을 주관하여 일을 곤에 부여하면 처음에는 움직이지만 끝에는 고요하고, 곤이 양을 따라 사물을 이루어 내면 처음에는 고요하지만 끝에는 움직인다. 또 건이 주관하고 곤이 해내는 것은 모두 작용의 움직임이고, 건이 쉽고 곤이 간단한 것은 모두 본체의 고요함이다. 또 사덕(四德)은 원·형·이·정)은 곤이 건에게서 이어 받은 것인데, 그 가운데 원(元)·형(亨)은 모두 움직이는 것이고 이(利)·정(貞)은 모두 고요한 것이니, 오로지 움직이는 것을 건에 소속시키고 고요한 것을 곤에 소속시켜서는 안 된다."

경설(河南程氏經說)』 권1, 「계사(繫辭)」.

62) 오왈신(吳曰愼) : 자는 휘중(徽仲)이고 흡현(歙縣 : 현 안휘성 黃山市) 사람으로 제생(諸生 : 명(明)·청(淸) 시대 성(省)에서 실시하는 각종 고시에 합격한 다음 부(府), 주(州), 현(縣)의 학교에 들어가 공부하는 자들)을 지냈다. 북송5자의 책에 마음을 다 쏟았고, 학문을 논함에 경(敬)을 주로 하기 때문에 정암(靜菴)이라고 스스로 호를 붙였다. 초년에 양계(梁溪)를 유람하다가 동림(東林)서원에서 강학을 했다. 얼마 뒤 흡현으로 돌아와 자양서원과 환고서원 두 서원에서 제자들을 모아 강학했는데, 흥기하는 자들이 많았다.

易則易知, 簡則易從. 易知則有親, 易從則有功. 有
親則可久, 有功則可大. 可久則賢人之德, 可大則
賢人之業.

쉬우면 알기 쉽고, 간단하면 따르기 쉽다. 알기 쉬우면 친함이 있고,
따르기 쉬우면 공로가 있다. 친함이 있으면 오래할 수 있고, 공로가
있으면 크게 할 수 있다. 오래할 수 있는 것은 현명한 사람의 덕이고,
크게 할 수 있는 것은 현명한 사람의 공업(功業 : 공효와 업적)이다.

本義

人之所爲, 如乾之易, 則其心明白而人易知; 如坤之簡, 則其
事要約而人易從. 易知, 則與之同心者多, 故有親; 易從, 則
與之協力者衆, 故有功. 有親則一於內, 故可久, 有功則兼於
外, 故可大. 德, 謂得於己者; 業, 謂成於事者. 上言乾·坤之
德不同, 此言人法乾·坤之道, 至此則可以爲賢矣.

사람이 하는 일이 건의 쉬움과 같으면 그 마음이 명백하여 남들이
알기 쉽고, 곤의 간단함과 같으면 그 일이 요약되어 남들이 따르기
쉽다. 알기 쉬우면 더불어 마음을 같이 하는 사람이 많기 때문에 친
함이 있고, 따르기 쉬우면 더불어 협력하는 사람이 많기 때문에 공
로가 있다. 친함이 있으면 안으로 한결같기 때문에 오래할 수 있고,
공로가 있으면 밖으로 겸하기 때문에 크게 할 수 있다. 덕은 자기에

게 얻은 것을 말하고, 공업(功業)은 일을 이루는 것을 말한다. 위에
서는 건·곤의 덕이 같지 않음을 말하였고, 여기서는 사람이 건·곤
의 도를 본받음을 말하였으니, 이에 이르면 현명하다고 할 수 있다.

集說

● 范氏長生曰 : "以其易知, 故物親而附之; 以其易從, 故物法
而有功也."[63]

범장생(范長生)[64]이 말했다. "그것이 알기 쉽기 때문에 남들이 친
하게 여겨 가까이 하고, 그것이 따르기 쉽기 때문에 남들이 본보기
로 삼아서 공로가 있다."

● 孔氏穎達曰 : "初始無形, 未有營作, 故但云'知'也; 已成之物,
事可營爲, 故云'作'也. '易'謂易略, 無所造爲, 以此爲知, 故曰'乾
以易知.' '簡'謂簡省, 不須繁勞, 以此爲能, 故曰'坤以簡能.' 若於
物艱難, 則不可以知; 若於事繁勞, 則不可能也. '易知則有親'者,

---

63) 이정조(李鼎祚), 『주역집해(周易集解)』 권13에 촉재(蜀才 : 范長生)의
　　말로 실려 있다.
64) 범장생(范長生, 218~318) : 일명 연구(延久), 중구(重久)로 불리며, 부릉
　　단심(涪陵丹心 : 현 중경시〈重慶市〉 검강〈黔江〉) 사람으로, '촉지팔선
　　(蜀之八仙)' 가운데 한 사람이다. 토착호족 출신으로 서진(西晉) 시대에
　　성도(成都) 일대의 천사도(天師道) 수령으로 명망이 높았으며, 벼슬은
　　5호16국 시대에 16국의 하나인 대성정권(大成政權)의 승상을 역임하였
　　다. 장생술과 천문에 뛰어났고, 술수 방면으로 『역』을 깊이 연구하여,
　　『촉재역기(蜀才易技)』를 저술하였다.

性意易知, 心無險難, 則相和親. '易從則有功'者, 於事易從不有
繁勞, 其功易就. '有親則可久'者, 物既和親, 無相殘害, 故'可久'
也. '有功則可大'者, 事業有功, 則積漸可大. '可久則賢人之德'
者, 使物長久, 是賢人之德; '可大則賢人之業'者, 功業既大, 則是
賢人事業."[65]

공영달(孔穎達)이 말했다. "처음 시작할 때는 형체가 없어 아직 작
위함이 없기 때문에 다만 '지(知 : 주관하다)'라 하였고, 이미 이루어
진 사물은 일을 영위할 수 있기 때문에 '작(作 : 해낸다)'이라고 하였
다. '이(易 : 쉽다)'는 쉽고 간략함을 말하는데 지어내는 것이 없지만
이것으로 주관하기 때문에 '건(乾)은 쉬움으로 주관한다'라고 하였
다. '간(簡 : 간단하다)'은 간략히 줄임을 말하는데 번거롭게 수고할
필요가 없지만, 이것으로 잘 해내기 때문에 '곤(坤)은 간단함으로
잘 해낸다'라고 하였다. 만약 사물에 대하여 어려움이 있다면 그것
으로 주관할 수 없고, 만약 일에 대하여 번거롭게 수고함이 있다면
그것으로 잘 해낼 수 없다. '알기 쉬우면 친함이 있다'라는 것은 성
(性)의 의미가 알기 쉽고 마음에 험난함이 없으면 서로 화친한다는
뜻이다. '따르기 쉬우면 공로가 있다'는 것은 일에 대하여 쉽게 따
라 번거롭게 수고함이 있지 않다면 그 공로가 쉽게 성취된다는 뜻
이다. '친함이 있으면 오래할 수 있다'라는 것은 사물이 이미 화친
하여 서로 해치는 일이 없기 때문에 오래 할 수 있는 말이다. '공로
가 있으면 크게 할 수 있다'라는 것은 사업에 공로가 있으면 점점
크게 될 수 있다는 말이다. '오래할 수 있는 것은 현명한 사람의 덕
이다'라는 것은 사물이 장구할 수 있도록 하는 것이 현명한 사람의
덕이라는 뜻이다. '크게 할 수 있는 것은 현명한 사람의 공업(功業)

----

65) 공영달 소(孔穎達 疏), 『주역주소(周易註疏)』 권11.

이다'라는 것은 공업(功業)이 이미 크게 되는 것은 현명한 사람의 사업이라는 말이다."

● 蘇氏軾曰 : "簡易者, 一之謂也.(66) 一故有信, 信故物知之也, 易而從之也不難."(67)

소식(蘇軾)이 말했다. "간단하고 쉬운 것은 한결같다는 말이다. 한결같기 때문에 믿음이 있고, 믿기 때문에 사물이 그것을 알 수 있으며, 쉬워서 따르는 것이 어렵지 않다."

● 『朱子語類』云 : "'乾以易知, 坤以簡能'以上, 是言乾坤之德; '易則易知'以下, 是就人而言, 言人兼體乾坤之德也. '乾以易知'者, 乾健不息, 唯主於生物, 都無許多艱難險阻, 故能以易而知大始. 坤順承天, 唯以成物, 都無許多繁擾作爲, 故能以簡而作成物. 大抵陽施陰受, 乾之生物, 如甁施水, 其道至易, 坤唯承天以成物, 別無作爲, 故其理至簡. 其在人, 則無艱阻而白直, 故人易知; 順理而不繁擾, 故人易從. 易知則人皆同心親之, 易從則人皆協力而有功矣. 有親可久, 則爲賢人之德, 是就存主處言; 有功可大, 則爲賢人之業, 是就作事處言. 蓋自'乾以易知', 便是

....

66) 一之謂也 : 소식(蘇軾), 『동파역전(東坡易傳)』 권7에는 이 구절 뒤에 "凡有心者, 雖欲一不可得也. 不一則无信矣. 夫无信者, 豈不難知難從哉? 乾·坤惟无心故一.[무릇 사심이 있는 자는 비록 한결 같으려 해도 그렇게 할 수 없다. 한결같지 못하면 믿음이 없다. 믿음이 없는 자는 어찌 알기 어렵고 따르기 어렵지 않겠는가? 건·곤은 사심이 없기 때문에 한결같다.]"라는 말이 더 있다.

67) 소식(蘇軾), 『동파역전(東坡易傳)』 권7.

指存主處; '坤以簡能', 便是指作事處."[68]

『주자어류』에서 말했다. "'건(乾)은 쉬움으로 주관하고 곤(坤)은 간
단함으로 잘 해낸다'라는 구절 앞은 건곤의 덕을 말한 것이고, '쉬
우면 알기 쉽다'라는 구절 뒤는 사람의 입장에서 말하여 사람이 건
곤의 덕을 겸하여 체득함을 말하였다. '건은 쉬움으로 주관한다'는
것은 건의 강건함은 쉬지 않고 오직 만물을 낳는 일을 주관하는데,
수많은 어려움과 험난함이 전혀 없기 때문에 쉬움으로 큰 시작을
주관할 수 있다는 뜻이다. 곤은 하늘을 순조롭게 이어받아 오직 사
물을 이루는데, 수많은 번잡함과 의도적인 행위가 전혀 없기 때문
에 간단함으로 사물을 이루어낼 수 있다는 말이다. 대개 양은 베풀
고 음은 받아들이는데, 건이 만물을 낳는 것은 마치 병에서 물을
따르듯이 그 도리가 지극히 쉬우며, 곤은 오직 하늘을 이어받아 사
물을 이루는 것이 따로 의도적인 행위가 없기 때문에 그 이치는 지
극히 간단하다. 그것이 사람에게서는 어려움 없이 명쾌하기 때문에
사람들이 알기 쉬우며, 이치를 따라 번잡하지 않기 때문에 사람들
이 따르기 쉽다. 알기 쉬우니 사람들이 모두 마음을 함께 하여 친
하게 하고, 따르기 쉬우니 사람들이 모두 힘을 합쳐 공로가 있다.
친함이 있어 오래할 수 있는 것은 현명한 사람의 덕이 되니, 이를
주관하는 것을 보존하는 측면으로 말하였고, 공로가 있어 크게 할
수 있다는 것은 현명한 사람의 공업(功業)이 되니, 이는 일을 하는
측면으로 말한 것이다. 본래 '건이 쉬움으로 주관한다'는 것은 곧
주관함을 보존하는 측면을 가리키고, '곤이 간단함으로 잘 해낸다'
는 것은 곧 일을 하는 측면을 가리킨다."

---

68) 주희, 『주자어류』 권74, 34조목.

● 林氏希元曰：“易簡只是因此理而立心處事爾，固非於此理之外有所加，亦非於此理之內有所減也．但以其無險阻而謂之易，無煩擾而謂之簡．孟子曰，‘禹之行水也，行其所無事也．如智者亦行其所無事，則智亦大矣.’ 此易簡之說也.”[69]

임희원(林希元)[70]이 말했다. “쉬움과 간단함은 다만 이 이치로 인해서 마음을 정립하여 일을 처리할 뿐이니, 본디 이 이치 밖에 더 보탤 것이 있지 않고, 또한 이 이치 속에서 더 덜어낼 것도 있지 않다. 단지 그것이 험난함이 없기 때문에 쉽다고 했고, 번잡함이 없기 때문에 간단하다고 했다. 맹자는 ‘우(禹)임금이 물을 소통시킨 것은 그 일삼음 없이 실행하였다. 만약 지혜로운 자가 또한 그 일삼음 없이 실행한다면 지혜가 또한 클 것이다’[71]라고 말했다. 이것

---

69) 임희원(林希元), 『역경존의(易經存疑)』 권9.

70) 임희원(林希元, 1481~1565) : 명(明)대 동안 신점(同安新店) 사람으로, 자는 무정(茂貞)이고 호는 차애(次崖)이다. 명(明) 정덕(正德)11년(1516)에 진사에 급제하여 남경대리사평사(南京大理寺評事), 광서사주판관(廣西泗州判官), 흠주지주(欽州知州) 등을 역임했다. 학문으로는 정주학과 채청(蔡淸)의 『역경몽인(易經蒙引)』을 중시했다. 특히 『주역』을 다른 경전에 비해 극히 높게 평가하여, 오경 가운데 『역경』을 뺀 나머지는 강물과 같고 『역경』은 바다와 같다고 했다. 저술로는 『역경존의(易經存疑)』, 『사서존의(四書存疑)』, 『임차애선생문집(林次崖先生文集)』 등이 있다.

71) 우(禹)임금이 물을 소통시킨 것은 … 실행한다면 지혜가 또한 클 것이다 : 『맹자』「이루하(離婁下)」. 주자는 『맹자집주』에서 “우(禹)임금이 물을 소통시킨 것은 자연적인 추세에 따라 유도한 것이지, 일찍이 사사로운 지혜로 천착하여 일삼은 적이 없다. 이 때문에 물이 그 아래로 적셔 내려가는 성질을 얻어 방해를 받지 않았다.[禹之行水, 則因其自然之勢而導之, 未嘗以私智穿鑿而有所事. 是以, 水得其潤下之性而不爲害也.]”라고 주석하였다.

은 쉬움과 간단함에 대한 말이다."

● 趙氏光大曰 : "'易從則有功', 有功不是人來助我作事, 是我能
使人如此, 便是我之功."

조광대(趙光大)가 말했다. "'따르기 쉬우면 공로가 있다'는 말에서,
공로가 있다는 것은 남이 와서 나를 도와 일을 한다는 것이 아니라,
내가 남이 이와 같이 하도록 할 수 있는 것이니, 곧 나의 공로이다."

[계사상 1-8]

> 易簡而天下之理得矣, 天下之理得, 而成位乎其
> 中矣.

> 쉬움과 간단함에 천하의 이치가 얻어지니, 천하의 이치가 얻어짐
> 에 그 가운데 자리 잡는 것을 이룬다.

本義

'成位', 謂成人之位, '其中', 謂天地之中. 至此則體道之極功,
聖人之能事, 可以與天地參矣.

'자리 잡는 것을 이룬다[成位]'는 사람의 지위를 이루는 일이고, '그
가운데[其中]'는 천(天)·지(地)의 가운데이다. 여기에 이름은 도(道)
를 체득하는 지극한 공효이고 성인이 잘 해내는 일이니, 천지와 더
불어 참여할 수 있는 것이다.

此第一章, 以造化之實, 明作經之理, 又言乾·坤之理, 分見
於天·地, 而人兼體之也.

이는 제1장이니, 조화(造化)의 실제로써 경(經 :『易』)을 지은 이치
를 밝히고, 또 건·곤의 이치가 천·지에 나뉘어 나타나는데 사람이
그것을 겸하여 체득함을 말했다.

● 孔氏穎達曰 : "聖人能行天地易簡之化, 則天下萬事之理, 並得其宜矣."[72)]

공영달이 말했다. "성인은 천지의 쉬움과 간단함의 조화(造化)를 잘 실행할 수 있으니, 천하의 온갖 일의 이치는 모두 그 마땅함을 얻을 것이다."

● 『朱子語類』云 : "易簡理得, 是淨淨潔潔,[73)] 無許多勞擾委曲."[74)]

『주자어류』에서 말했다. "쉬움과 간단함으로 이치를 얻는 일은 깔끔하고 깨끗한 것이니 수없이 번잡한 수고로움과 곡절이 없다."

● 鄭氏維嶽曰 : "易簡原是一理, 依易之理而作之, 則爲簡."[75)]

정유악(鄭維嶽)이 말했다. "쉬움과 간단함은 원래 하나의 이치이니, 쉬움의 이치에 의거하여 지어내면 간단하게 된다."

● 何氏楷曰 : "乾坤一陰陽也, 陰陽一太極也.[76)] 易簡者, 乾坤

---

72) 공영달 소(孔穎達 疏), 『주역주소(周易註疏)』 권11.

73) 是淨淨潔潔 : 주희, 『주자어류』 권74, 47조목에는 "只是淨淨潔潔.[다만 깔끔하고 깨끗한 것일 뿐이다.]"라고 하였다.

74) 주희, 『주자어류』 권74, 47조목.

75) 안사성(晏斯盛), 『역익설(易翼說)』 권1에 정유악의 말로 실려 있다.

之所以知始而作成者也.77) 人之所知, 如乾之易, 則所知皆性分
所固有, 無一豪人欲之艱深, 豈不易知? 人之所能, 如坤之簡, 則
所能皆職分之當爲, 無一豪人欲之紛擾, 豈不易從? 易知則不遠
人以爲道, 故有親; 易從則夫婦皆可與能, 故有功. 有親則有人
傳繼其心, 千百世上下, 心同理同也, 故可久; 有功則有人擴充
其事, 人能弘道, 非道弘人也, 故可大. '可久則賢人之德', 與天
同其悠久矣; '可大則賢人之業', 與地同其廣大矣.78) 所以然者,
則以我之易簡與乾坤之易簡同原故也.

하해(何楷)가 말했다. "건곤은 하나의 음양이고 음양은 하나의 태
극이다. 쉬움과 간단함은 건곤이 시작을 주관하고 이루어 내는 것
이다. 사람이 아는 것이 건의 쉬움과 같으면 그 앎이 모두 본성[性

....

76) 陰陽一太極也 : 하해(何楷), 『고주역정고(古周易訂詁)』 권11에는 이 구
절 뒤에 "太極本无極也. 乾以本无極也, 故易; 坤以本无極也, 故簡.[태
극은 본래 무극이다. 건은 무극에 근본하기 때문에 쉬우며, 곤도 무극에
근본하기 때문에 간단하다.]"이라는 말이 더 있다.

77) 乾坤之所以知始而作成者也 : 하해(何楷), 『고주역정고(古周易訂詁)』
권11에는 이 구절 뒤에 "然豈專屬之乾坤哉? 人心之良本自易簡, 孟子
所謂不學不慮是也. 本易矣而乃險不可知, 本簡矣而乃阻不可從者, 以
其累于人欲之私故耳.[그러나 어찌 오로지 건곤에만 소속시킬 수 있겠는
가? 사람의 마음이 훌륭한 점은 본래 쉬움과 간단함에 근본하니, 맹자의
이른바 배우지 않고도 할 수 있고 생각하지 않고도 알 수 있는 것이 이것
이다. 쉬움에 근본하는데도 험난해서 알 수 없는 것과 간단함에 근본하
는데도 어려워서 따를 수 없는 것은 그것이 인욕의 사사로움에 얽매이기
때문일 뿐이다.]"라는 말이 더 있다.

78) 與地同其廣大矣 : 하해(何楷), 『고주역정고(古周易訂詁)』 권11에는 이
구절 뒤에 "此亦如乾坤之竝包六子, 以亭毒萬象者然.[이 또한 건곤이
여섯 자식을 함께 감싸서 만상을 화육시키는 것과 같다.]"이라는 말이
더 있다.

分]에 고유한 것이므로 조금이라도 인욕(人欲)의 알기 어려움이 없을 것이니, 어찌 알기 쉽지 않겠는가? 사람이 잘 해낼 수 있는 것이 곤의 간단함과 같으면 잘 해낼 수 있는 것이 모두 직분으로 마땅히 하는 것이므로 조금이라도 인욕의 혼란이 없을 것이니, 어찌 따르기 쉽지 않겠는가? 알기 쉬우면 사람을 멀리하지 않는 것을 도(道)로 삼으니79) 친함이 있고, 따르기 쉬우면 평범한 부부도 모두 참여하여 잘 해낼 수 있으니80) 공로가 있다. 친함이 있으면 사람이 그 마음을 계승하여 아래위 수천 년 동안 마음이 같고 이치가 같으니 오래할 수 있고, 공로가 있으면 사람이 그 일을 확충하여 사람이 도(道)를 넓힐 수 있지 도가 사람을 넓히는 것은 아니니81) 크게 할 수 있다. '오래할 수 있는 것은 현명한 사람의 덕이다'라는 말은 하늘과 함께 그 유구함을 같이하는 것이고, '크게 할 수 있는 것은 현

....

79) 사람을 멀리하지 않는 것을 도(道)로 삼으니 : 『중용』 제13장에서 "공자가 말했다. '도는 사람을 멀리하지 않으니, 사람이 도를 실행하면서 사람을 멀리 한다면 도라고 할 수 없다.'[子曰, '道不遠人, 人之爲道而遠人, 不可以爲道.']"라고 하였다.

80) 따르기 쉬우면 평범한 부부도 … 잘 해낼 수 있으니 : 『중용』 제12장에서 "부부(夫婦)의 어리석음으로도 참여하여 알 수 있지만 그 지극함에 이르러는 비록 성인이라도 또한 알지 못하는 것이 있으며, 부부의 못남으로도 잘 실행할 수 있지만 그 지극함에 이르러는 비록 성인이라도 또한 잘 해내지 못하는 것이 있으며, 천지의 위대함에도 사람이 오히려 유감으로 느끼는 것이 있다.[夫婦之愚, 可以與知焉, 及其至也, 雖聖人亦有所不知焉; 夫婦之不肖, 可以能行焉, 及其之也, 雖聖人亦有所不能焉; 天地之大也, 人猶有所憾.]"라고 하였다.

81) 사람이 도(道)를 넓힐 수 있지 도가 사람을 넓히는 것은 아니니 : 『논어』 「위령공(衛靈公)」에서 "공자가 말했다. '사람이 도(道)를 넓힐 수 있지, 도가 사람을 넓히는 것은 아니다.'[子曰, 人能弘道, 非道弘人.]"라고 하였다.

명한 사람의 공업(功業)이다'라는 말은 땅과 함께 그 광대함을 같이
하는 것이다. 그러한 까닭은 나의 쉬움과 간단함이 건곤의 쉬움과
간단함과 함께 근원을 같이하기 때문이다.

夫'易簡而天下之理得矣', 天之所以爲天, 地之所以爲地, 人之
所以爲人, 一易簡之理焉盡之, 所謂天下之公理也. 得天下之公
理, 以成久大之德業, 則是天有是易, 吾亦有是易; 地有是簡, 吾
亦有是簡, 與天地參而爲三矣."[82]

'쉬움과 간단함에 천하의 이치가 얻어진다'는 것은 하늘이 하늘다운
까닭과 땅이 땅다운 까닭 및 사람이 사람다운 까닭이 하나의 쉬움
과 간단함의 이치에서 그것을 다 발휘하니, 이른바 천하의 공리(公
理)이다. 천하의 공리를 얻어 오래하고 크게 하는 덕과 공업(功業)
을 이루면, 하늘이 이 쉬움을 가지고 나 또한 이 쉬움을 가지며, 땅
이 이 간단함을 가지고 나 또한 이 간단함을 가지니, 천지와 더불
어 참여하여 셋이 된다."

總論

● 程子曰 : "天尊地卑. 尊卑之位定, 而乾坤之義明矣; 尊卑旣
判, 貴賤之位分矣. 陽動陰靜, 各有其常, 則剛柔判矣. 事有理
也, 物有形也, 事則有類, 形則有群, 善惡分而吉凶生矣. 象見於
天, 形成於地, 變化之跡見矣. 陰陽之交相摩軋, 八方之氣相推
蕩, 雷霆以動之, 風雨以潤之, 日月運行, 寒暑相推, 而成造化之
功. 得乾者成男, 得坤者成女. 乾當始物, 坤當成物, 乾坤之道,

---

82) 하해(何楷), 『고주역정고(古周易訂詁)』 권11.

易簡而已. 乾始物之道易, 坤成物之能簡; 平易故人易知, 簡直
故人易從. 易知則可親就而奉順, 易從則可取法而成功. 親合則
可以常久, 成事則可以廣大. 聖賢德業久大, 得易簡之道也, 天
下之理, 易簡而已. 有理而後有象, 成位在乎·中也."[83]

정자(程子 : 程頤)가 말했다. "하늘은 높고 땅은 낮다. 높고 낮은 자
리가 정해지니 건곤의 의미가 밝아졌고, 높고 낮음이 판별된 뒤 부
귀와 빈천의 지위가 나누어졌다. 양이 움직이고 음이 고요하여 각
각 그 일정함이 있게 되면, 굳셈과 부드러움이 판별된다. 일에는
이치가 있고 사물에는 형체가 있으니, 일이 있으면 부류가 있게 되
고 형체가 있으면 무리지음이 있게 되어, 선악이 나누어지고 길흉
이 생겨난다. 모습[象]이 하늘에서 나타나고 형체가 땅에서 이루어
져 변화의 자취가 드러난다. 음양의 사귐이 서로 마찰하고 밀치며,
팔방(八方)의 기가 서로 추이(推移)하며 요동치고, 우레와 번개로
그것을 움직이고 바람과 비로 그것을 적시며, 해와 달이 운행하고
추위와 더위가 서로 바뀌어 조화(造化)의 공효를 이룬다. 건을 얻
은 것은 수컷을 이루고 곤을 얻은 것은 암컷을 이룬다. 건은 만물
을 시작하는 것을 담당하고 곤은 만물을 이루는 것을 담당하니, 건
곤의 도는 쉬움과 간단함일 뿐이다. 건이 만물을 시작하는 도는 쉽
고, 곤이 만물을 이루는 능력은 간단하다. 공평하고 쉽기 때문에
사람들이 알기 쉽고, 간단하고 곧기 때문에 사람들이 따르기 쉽다.
알기 쉬우면 친근하게 여겨 받들어 순응할 수 있고, 따르기 쉬우면
본보기로 취하여 공효를 이룰 수 있다. 친하여 합치면 불변하게 오
래갈 수 있고, 일을 이루면 광대해질 수 있다. 성현의 덕과 공업(功
業)이 오래가고 큰 것은 쉬움과 간단함의 도를 얻었기 때문이니,
천하의 이치는 쉬움과 간단함일 뿐이다. 이치가 있은 뒤에 상(象)

---

83) 정이(程頤), 『하남정씨경설(河南程氏經說)』 권1.

이 있으니 그 가운데 자리 잡는 것을 이룬다."

● 張氏振淵曰 : "易道盡於乾坤, 乾坤盡於易簡, 易簡卽在人身.
學者求易於天地, 又求天地之易於吾身, 則易在是矣. 通章之意,
總是論『易』書之作, 無非發明乾坤之理, 要人爲聖賢以與天地參
耳."

장진연(張振淵)이 말했다. "역(易)의 도는 건곤에 다 발휘되어 있
고, 건곤은 쉬움과 간단함에 다 발휘되어 있으며, 쉬움과 간단함은
곧 사람의 몸에 있다. 배우는 사람이 천지에서 역을 찾고, 또 우리
몸에서 천지의 역을 찾으면 역은 여기에 있을 것이다. 모든 장(章)
을 통괄하는 뜻은, 결국『역』이라는 책을 지은 것은 건곤의 이치를
밝게 드러내어 사람들이 성현이 되어 천지와 더불어 참여하도록 하
지 않은 것이 없다."

● 何氏楷曰 : "此一章, 乃孔子首明『易』始乾坤之理, 至第二章
'設卦觀象'方言『易』."84)

하해(何楷)가 말했다. "이 1장(章)은 공자가 맨 먼저『역』이 건곤의
이치에서 시작함을 밝히고, 제2장의 '괘를 만들어 상(象)을 살펴본
다'는 구절에 이르러 비로소『역』을 말하였다."

案

天地·卑高·動靜·方物·象形, 造化之實體也; 乾坤·貴賤·剛柔

---

84) 하해(何楷),『고주역정고(古周易訂詁)』권11.

·吉凶·變化,『易』卦之定名也. 因造化之實體, 起『易』卦之定名,
故自造化之體立, 而卦之理具矣. 體立則用必行焉, 是故剛柔則
一與一相摩, 八卦則一與八相蕩, 造化之情, 所以交而不離也.

하늘과 땅, 높음과 낮음, 움직임과 고요함, 방향과 사물, 상(象)과
형(形)은 조화(造化)의 실체이다. 건과 곤, 부귀와 빈천, 굳셈과 부
드러움, 길과 흉, 변과 화는 『역』괘의 정해진 명칭이다. 조화의 실
체로 인하여 『역』괘의 정해진 명칭이 발생하기 때문에 조화의 실체
가 정립되는 것으로부터 괘의 이치가 갖추어진다. 본체가 정립되면
작용이 반드시 행해지니, 이 때문에 굳셈[剛]과 부드러움[柔]은 하나
가 하나와 서로 마찰하고 8괘는 하나가 8개와 서로 요동치며 이동
하여, 조화의 실정[情]이 교류하여 분리되지 않는 것이다.

畫卦之序, 蓋象此也. 雷霆者震離, 風雨者巽坎, 暑以說物者兌,
寒以止物者艮, 成男而職大始者乾, 成女而職成物者坤, 造化之
機, 所以變而無窮也. 建圖之位, 蓋象此也. 然而造化之理, 則一
以易簡爲歸. 心一而不貳, 故易也; 事順而無爲, 故簡也. 天地之
盛德大業, 易簡而已矣; 賢人之進德修業, 聖人之崇德廣業, 亦
唯易簡而已矣.

괘를 그은 순서는 대개 이것을 상징한다. 우레와 번개는 진(震)과
리(離)이고 바람과 비는 손(巽)과 감(坎)이며, 더위로 만물을 기쁘
게 하는 것은 태(兌)이고 추위로 만물을 멈추게 하는 것은 간(艮)이
며, 남성을 이루어 크게 시작하는 일을 맡은 것은 건(乾)이고 여성
을 이루어 만물을 이루는 일을 맡은 것은 곤(坤)이니, 조화의 기틀
이 변하여 끝이 없는 것이다. 도(圖)를 건립하는 자리는 대개 이것
을 상징한다. 그러나 조화의 이치는 한결같이 쉬움과 간단함을 귀
결로 삼는다. 마음이 하나이고 둘이 아니기 때문에 쉽고, 일이 순

조로워 의도적으로 하지 않기 때문에 간단하다. 천지의 융성한 덕과 큰 공업(功業)은 쉬움과 간단함일 뿐이고, 현명한 사람이 덕을 진전시키고 공업을 닦는 일과 성인이 덕을 높이고 공업을 넓히는 일도 오직 쉬움과 간단함일 뿐이다.

「設卦」繫辭所以'順性命之理'者此也. 諸儒言易有四義 : 不易也, 交易也, 變易也, 易簡也. 故'天尊地卑'一節, 言不易者也; '剛柔相摩'二句, 言交易者也; '鼓以雷霆'至'坤作成物', 言變易者也; '乾以易知'以下, 言易簡者也. 易道之本原盡乎此, 故爲「繫傳」之首章焉.

「설괘전」에 설명을 붙여 '성명(性命)의 이치를 순조롭게 한다'[85]라고 한 것이 이것이다. 여러 학자들이 역(易)에 4가지 의미가 있다고 하는데, 불역(不易 : 바뀌지 않음), 교역(交易 : 사귀면서 바뀜), 변역(變易 : 변하면서 바뀜), 이간(易簡 : 쉽고 간단함)이다. 그러므로 '하늘은 높고 땅은 낮다'라는 한 구절은 불역(不易)을 말하는 것

---

85) 성명(性命)의 이치를 순조롭게 한다 : 「설괘전」 제2장에서 "옛날에 성인이 『역(易)』을 지은 것은 장차 성명(性命)의 이치를 순조롭게 하려는 것이었다. 이 때문에 하늘의 도(道)를 세워 음(陰)과 양(陽)이라 했고, 땅의 도(道)를 세워 유(柔)와 강(剛)이라 했으며, 사람의 도(道)를 세워서 인(仁)과 의(義)라고 했으니, 삼재(三才)를 겸하여 두 번씩 했다. 그러므로 역(易)은 여섯 번 그어서 괘를 이루고, 음(陰)으로 나뉘고 양(陽)으로 나뉘며 유(柔)와 강(剛)을 번갈아 썼다. 그러므로 역(易)은 여섯 개의 자리에 문장(文章)을 이룬 것이다.[昔者聖人之作『易』也, 將以順性命之理. 是以立天之道曰陰與陽, 立地之道曰柔與剛, 立人之道曰仁與義, 兼三才而兩之. 故易六畫而成卦, 分陰分陽, 迭用柔剛. 故易六位而成章.]"라고 하였다.

이고, '강과 유가 서로 마찰하고, 8괘(八卦)가 서로 요동치며 이동한다'라는 두 구절은 교역(交易)을 말하는 것이며, '우레와 번개로 고무시킨다'에서부터 '곤이 사물을 이루어낸다'라는 구절까지는 변역(變易)을 말하는 것이고, '건이 쉬움으로써 주관한다'라는 구절 이하는 이간(易簡)을 말하는 것이다. 역의 도의 본원이 여기에서 다 발휘되기 때문에 「계사전」의 제1장이 되었다."

계사상 2

[계사상 2-1]

> 聖人設卦觀象, 繫辭焉而明吉凶.
>
> 성인이 괘를 만들어 상(象)을 살펴보고, 설명을 붙여 길(吉)·흉(凶)을 밝혔다.

本義

'象'者, 物之似也. 此言聖人作『易』, 觀卦·爻之象, 而繫以辭也.

'상(象)'은 사물 가운데 유사한 것이다. 이는 성인이 『역』을 지을 때 괘(卦)·효(爻)의 상을 살펴보고 설명을 붙였다는 것을 말한다.

集說

● 孔氏穎達曰 : "設之卦象, 則有吉有凶, 故下文云'吉凶者, 失得之象; 悔吝者, 憂虞之象; 變化者, 進退之象; 剛柔者, 晝夜之象.'

是施設其卦, 有此諸象也. 此'設卦觀象', 總爲下而言, 卦象爻象, 有吉有凶, 若不繫辭, 其理未顯, 故繫屬吉凶之文辭於卦爻之下, 而顯明此卦爻吉凶也. 案吉凶之外, 猶有悔吝憂虞, 擧吉凶則包之."[1]

공영달이 말했다. "괘의 상을 만들면 길한 것도 있고 흉한 것도 있기 때문에 아래 글에서 '길·흉은 득·실의 상(象)이고, 후회[悔]와 유감[吝]은 근심[憂]과 우려[虞]의 상이며, 변·화는 나아감과 물러남의 상이고, 강(剛)·유(柔)는 낮과 밤의 상이다'라고 말했다. 이는 그 괘를 만들 때 이러한 여러 상이 있다는 말이다. 이 '괘를 만들어 상(象)을 살펴본다'라는 말은 결국 아래를 위해서 한 말이니, 괘의 상과 효의 상에 길한 것도 있고 흉한 것도 있는데, 만약 설명을 붙이지 않으면 그 이치가 드러나지 않기 때문에, 괘와 효의 아래에 길·흉이라는 설명을 붙여 이 괘와 효의 길·흉을 분명하게 드러낸 것이다. 생각건대 길·흉이라는 말 외에 또 후회와 유감이라는 근심과 우려가 있지만, 길·흉을 들면 그것도 포괄된다."

● 朱氏震曰 : "聖人設卦, 本以觀象,[2] 自伏羲至於文王一也.[3] 聖人憂患後世, 懼觀者智不足以知此, 於是繫之卦辭, 又繫之爻

----

1) 공영달 소(孔穎達 疏), 『주역주소(周易註疏)』 권11.
2) 本以觀象 : 주진(朱震), 『한상역전(漢上易傳)』 권7에는 이 구절 뒤에 "不言而見吉凶[말을 하지 않고도 길흉을 보였으니]"라는 말이 더 있다.
3) 自伏羲至於文王一也 : 주진(朱震), 『한상역전(漢上易傳)』 권7에는 "自伏羲至於堯舜文王, 近者同時遠者萬有千歲, 其道如出乎一人觀象而自得也.[복희로부터 요·순·문왕에 이르기까지 가까이는 동시대에 멀리는 천여 년이나 되지만, 그 도(道)가 마치 한 사람이 상을 살펴보고 자득한 데서 나온 것 같았다.]"라고 되어 있다.

辭, 以吉凶明告之."4)

주진(朱震)5)이 말했다. "성인이 괘를 만들 때 상(象)을 살펴보는 일에 근본하였으니, 복희로부터 문왕에 이르기까지 한결 같았다. 성인이 후세를 걱정하여 관찰하는 사람이 그 지혜가 이를 알기에 충분하지 못할까 염려하였다. 이에 괘사를 붙이고 또 효사를 붙여 분명하게 알려주었다."

● 『朱子語類』云 : "『易』當初只是爲卜筮而作.「文言」·「彖」·「象」, 却是推說作義理上去, 觀乾·坤二卦便可見. 孔子曰, '聖人設卦觀象, 繫辭焉而明吉凶', 不是卜筮, 如何明吉凶?6)"7)

『주자어류』에서 말했다. "『역』은 애당초 다만 점을 치기 위해 만든 것이었다.「문언전」·「단전」·「상전」은 도리어 추론하여 의리로 말한 것이니, 건·곤 두 괘를 살펴보면 알 수 있다. 공자는 '성인이 괘를 만들어 상(象)을 살펴보고, 설명을 붙여 길·흉을 밝혔다'라고 말했으니, 점을 치지 않으면 어떻게 길흉을 밝히겠는가?'

---

4) 주진(朱震), 『한상역전(漢上易傳)』권7.
5) 주진(朱震, 1072~1138) : 자는 자발(子發)이고, 세칭 한상선생(漢上先生)이라 불리었다. 송대 형문군(荊門軍 : 현 호북성 소속) 사람으로 1115년에 진사에 급제하여 벼슬은 예부원외랑(禮部員外郎), 비서소감 겸임시경연(秘書少監兼任侍經筵), 중서사인(中書舍人), 한림학사(翰林學士)등을 역임하였다. 『역』과 『춘추』에 해박하였고 저서에는 『한상역전(漢上易傳)』이 있다.
6) 如何明吉凶 : 주희, 『주자어류』권66, 19조목에는 "如何說明吉凶?(어떻게 길흉을 밝혔다고 말했겠는가?)"라고 되어 있다.
7) 주희, 『주자어류』권66, 19조목.

● 王氏申子曰："『易』之初也，有象而未有卦，及八卦既設而象寓焉．及八重而六十四，聖人又觀是卦有如是之象，則繫之以如是之辭．蓋卦以象而立，象又以卦而見也．'明吉凶'者，有是象而吉凶之理已具，繫之辭而吉凶之象始明也．陰陽奇偶，相交相錯，順則吉，逆則凶，當則吉，否則凶，因其順逆當否而繫之辭，吉凶明矣．"[8]

왕신자(王申子)[9]가 말했다. "처음 『역』을 지을 때, 상(象)은 있었지만 괘는 없었는데, 8괘가 만들어지니 상이 거기에 의탁하게 되었다. 8괘를 거듭하여 64괘가 되자, 성인은 또 이 괘에는 이와 같은 상이 있다는 것을 살펴보아 이와 같은 설명을 붙였다. 대개 괘는 상으로 세워지고, 상은 또 괘로 나타난다. '길흉을 밝힌다'는 것은 이 상이 있어 길흉의 이치가 이미 갖추어지니, 설명을 붙여 길흉의 상이 비로소 밝혀진다는 뜻이다. 음과 양, 홀[奇]과 짝[偶]이 서로 교착함에, 순조로우면 길하고 거스르면 흉하며, 합당하면 길하고 합당하지 않으면 흉하니, 그 순조로움과 거스름, 합당함과 합당하지 않음에 따라 설명을 붙이면 길흉이 밝혀진다."

----

8) 왕신자(王申子), 『대역집설(大易緝說)』 권9.
9) 왕신자(王申子) : 자는 손경(巽卿)이다. 원나라 공주(邛州, 사천성 공래〈邛崍〉) 사람이다. 인종(仁宗) 황경(皇慶) 연간(1311~1320)에 무창로(武昌路) 남양서원(南陽書院)의 산장(山長)을 지냈다. 나중에 30여 년 동안 자리주(慈利州) 천문산(天門山)에 은거했다. 저서에 『춘추류전(春秋類傳)』, 『대역집설(大易集說)』, 『주례정의(周禮正義)』 등이 있다.

[계사상 2-2]

剛柔相推而生變化.

강(剛)과 유(柔)가 서로 추이(推移)하여 변·화를 낳는다.

本義

言卦·爻陰陽迭相推蕩, 而陰或變陽, 陽或化陰. 聖人所以觀
象而繫辭, 衆人所以因蓍而求卦者也.

괘(卦)·효(爻)의 음·양이 번갈아 서로 추이(推移)하며 요동쳐, 음
이 간혹 양으로 변하기도 하고 양이 간혹 음으로 변하기도 하는 것
을 말한다. 성인은 그것으로 상(象)을 살펴보아 설명을 붙이고, 보
통 사람들은 그것으로 시초(蓍草)를 헤아려 괘를 구하는 것이다.

集說

● 張氏振淵曰 : "剛柔相推之中, 或當位, 或失位, 而吉凶·悔吝
之源正起於此. 聖人之所觀, 觀此也; 聖人之所明, 明此也. 蓋吉
凶悔吝雖繫於辭, 而其原實起於變."

장진연(張振淵)이 말했다. "강(剛)과 유(柔)가 서로 추이(推移)하는
가운데 어떤 것은 제자리에 얻고 어떤 것을 제자리를 잃으니, 길흉
·회린의 근원이 바로 여기에서 기인한다. 성인이 살펴보는 것은

이를 살펴보고, 성인이 밝히는 것도 이를 밝히는 것이다. 대개 길흉·회린이 비록 설명에 붙어있지만, 그 근원은 실제로 변(變)에서 일어난다."

是故吉凶者, 失得之象也. 悔吝者, 憂虞之象也.

그러므로 길·흉은 득·실의 상(象)이고, 후회[悔]와 유감[吝]은 근심[憂]과 우려[虞]의 상이다.

本義

吉凶·悔吝者, 『易』之辭也; 失得·憂虞者, 事之變也. 得則吉, 失則凶, 憂虞雖未至凶, 然已足以致悔而取羞矣. 蓋吉凶相對, 而悔吝居其中間, 悔自凶而趨吉, 吝自吉而向凶也, 故聖人觀卦·爻之中, 或有此象, 則繫之以此辭也.

길(吉)·흉(凶)과 회(悔 : 후회)·린(吝 : 유감)은 『역』의 말이고, 득(得)·실(失)과 우(憂 : 근심)·우(虞 : 우려)는 일의 변(變)이다. 이치를 얻으면 길하고 이치를 잃으면 흉하며, 근심과 우려는 비록 흉함에 이르지는 않았으나 이미 후회를 초래하고 부끄러움을 취하기에 충분한 것이다. 대개 길과 흉은 상대가 되지만 회와 린은 그 중간에 위치하니, 회(悔)는 흉함으로부터 길함으로 나아가는 것이고, 린(吝)은 길함으로부터 흉함으로 향하는 것이다. 그러므로 성인이 괘(卦)·효(爻)를 살펴보는 가운데 간혹 이러한 상(象)이 있으면 이러한 설명을 붙였다.

● 虞氏翻曰 : "吉則象得, 凶則象失, 悔則象憂, 吝則象虞也."[10]

우번이 말했다. "길함은 얻음을 상징하고 흉함은 잃음을 상징하며, 후회는 근심을 상징하고 유감은 우려를 상징한다."

● 干氏寶曰 : "憂虞未至於失得, 悔吝不入於吉凶, 事有小大, 故辭有緩急, 各象其意也."[11]

간보(干寶)[12]가 말했다. "근심과 우려는 아직 얻음과 잃음에 이르지 않았고, 후회와 유감은 길함과 흉함에 들어가지 않았다. 일에

---

10) 이정조(李鼎祚), 『주역집해(周易集解)』 권13에 우번(虞翻)의 말로 기재되어 있다.

11) 이정조(李鼎祚), 『주역집해(周易集解)』 권13에 간보(干寶)의 말로 기재되어 있다.

12) 간보(干寶, ?~336) : 자는 영승(令升)이고, 동진(東晉)의 신채(新蔡 : 현 하남성 신채현) 사람이다. 역사·음양·산수를 연구했고, 원제(元帝) 때 저작랑(著作郞)이 된 뒤 역사찬집(歷史撰集)에 종사했다. 특히 역학(易學)에 조예가 깊어 『진서(晉書)』에서 "간보가 『주역』을 주석했다."고 했으며, 『수서(隋書)』「경적지(經籍志)」에는 "『주역』 10권을 진(晉)의 산기상시(散騎常侍)인 간보가 주석했고, 또한 『주역효의(周易爻義)』 1권을 간보가 지었으며, 양(梁)나라에는 『주역종도(周易宗塗)』 4권이 있는데 간보가 지었다."라고 기재되어 있다. 저서에는 『주역주(周易注)』, 『오기변화론(五氣變化論)』, 『진기(晉記)』, 『주관례주(周官禮注)』, 『춘추좌자의외전(春秋左子義外傳)』, 『수신기(搜神記)』 등이 있으며, 특히 『수신기』는 괴이전설(怪異傳說)을 집대성한 것으로 육조(六朝) 소설의 뛰어난 작품일 뿐만 아니라, 당·송시대(唐宋時代) 전기물(傳奇物)의 선구가 되었다.

크고 작음이 있기 때문에 말에 느슨함과 급박함이 있으니, 각각 그 뜻을 상징한다."

● 『朱子語類』云 : "吉·凶·悔·吝,[13] 四者循環, 周而複始, 悔了便吉, 吉了便吝, 吝了便凶, 凶了又悔. 正如'生於憂患, 死於安樂'相似. 蓋憂苦患難中必悔, 悔便是吉之漸. 及至吉了, 少間便安意肆志, 必至作出不好·可羞吝底事出來, 吝便是凶之漸矣. 及至凶矣, 又卻悔, 只管循環不已. 正如剛·柔·變·化, 剛了化, 化便是柔, 柔了變, 變便是剛, 亦循環不已."[14]

『주자어류』에서 말했다. "길·흉·회·린 네 가지는 서로 순환하여 한 바퀴 돌아 다시 시작하니, 후회를 하고 나면 바로 길하고, 길하고 나면 바로 유감을 느끼며, 유감을 느끼고 나면 바로 흉하고, 흉하고 나면 또 후회한다. 이는 바로 '우환(憂患)에서 살고 안락(安樂)에서 죽는다'[15]는 말과 비슷하다. 대개 걱정스러운 고뇌와 환난 가운데서는 반드시 후회하니, 후회는 곧 길함이 점점 일어나는 것이다. 길함에 이르고 나면 얼마 뒤 안락한 생각과 방자한 뜻이 생겨 반드시 좋지 않고 부끄러워 유감을 느낄 만한 일을 저지르게 되니, 유감은 곧 흉함이 점점 일어나는 것이다. 흉함에 이르게 되면 또 후회하여 줄곧 순환이 끊이지 않는다. 이는 바로 강(剛)·유(柔)·변(變)·화(化)에 강하고 나면 화하고, 화는 곧 유이며, 유하고 나

----

13) 吉凶悔吝 : 주희, 『주자어류』 권74, 53조목에는 "吉·凶·悔·吝四者, 正如剛·柔·變·化相似.[길·흉·회·린 네 가지는 바로 강·유·변·화와 비슷하다.]"라고 되어 있다.

14) 주희, 『주자어류』 권74, 53조목.

15) 우환(憂患)에서 살고 안락(安樂)에서 죽는다 : 『맹자』「고자하(告子下)」.

면 변하고, 변은 곧 강이어서 또한 순환이 끊이지 않는 것과 같다."

● 又云 : "悔屬陽, 吝屬陰. 悔是逞快作出事來, 有錯失處, 這便生悔, 所以屬陽. 吝是那隈隈衰衰, 不分明底, 所以屬陰. 亦猶'驕是氣盈, 吝是氣歉.'"[16]

(주자가) 또 말했다. "후회는 양에 속하고 유감은 음에 속한다. 후회는 방종하게 일을 하다가 잘못된 곳이 있게 되면 여기에서 바로 후회가 생기는 것이기 때문에 양에 속한다. 유감은 왜곡되고 쇠퇴하여 명확하지 않은 것이기 때문에 음에 속한다. 또한 '교만[驕]은 기가 가득한 것이고 인색[吝]은 기가 부족한 것'[17]과 같다."

● 又云 : "'吉凶者失得之象, 悔吝者憂虞之象, 變化者進退之象, 剛柔者晝夜之象.' 四句皆互換往來.[18] 吉凶與悔吝相貫, 悔自凶而趨吉, 吝自吉而趨凶; 進退與晝夜相貫, 進自柔而趨乎剛, 退自剛而趨乎柔."[19]

16) 주희, 『주자어류』 권67, 121조목.

17) 교만[驕]은 기가 가득한 것이고 인색[吝]은 기가 부족한 것 : 정호·정이, 『하남정씨유서』 권18. 『논어』「태백(泰伯)」에서 "공자가 말했다. '만일 주공(周公)과 같은 아름다운 재예(才藝)를 가지고 있더라도 만약 교만하고 인색하다면, 그 나머지는 볼 것이 없다.'[子曰 : '如有周公之才之美, 使驕且吝, 其餘不足觀也已.']"라고 한 말에 대한 정자의 설명이다.

18) 四句皆互換往來 : 주희, 『주자어류』 권74, 51조목에는 이 구절 뒤에 "乍讀似不貫穿, 細看來, 不勝其密.[언뜻 읽으면 일관되게 통하지 않는 것 같지만, 자세히 보면 그 엄밀함을 넘어서는 것이 없다.]"라는 말이 더 있다.

(주자가) 또 말했다. "'길·흉은 얻음과 잃음을 상징하고, 회·린은 근심과 우려를 상징한다. 변·화는 나아감과 물러남을 상징하고, 강·유는 밤과 낮을 상징한다'라고 한 네 구절은 모두 서로 바뀌며 왕래한다. 길·흉과 회·린은 서로 관통하니, 후회는 흉함에서 길함으로 향해 가고 유감은 길함에서 흉함으로 향해 가며, 나아감·물러남은 밤·낮과 서로 관통하니, 나아감은 부드러움에서 굳셈으로 향해 가고, 물러남은 굳셈에서 부드러움으로 향해 가는 것이다."

● 趙氏玉泉曰 : "吉卽順理而得之象也, 凶卽逆理而失之象也. 悔卽旣失之後, 困於心, 衡於慮, 而爲憂之象也; 吝卽未失之先, 狃於安, 溺於樂, 而爲虞之象也."

조옥천(趙玉泉)이 말했다. "길함은 이치에 순응하여 얻는 상(象)이고, 흉함은 이치를 거슬러서 잃는 상이다. 후회는 이미 잃은 뒤에 마음에 괴롭고 생각에 걸려서[20] 근심하는 상이며, 유감은 아직 잃기 전에 편안함에 습관이 배고 안락함에 빠져서 우려하는 상이다."

● 何氏楷曰 : "吉·凶·悔·吝, 以卦辭言; 失·得·憂·虞, 以人事言. 上文所謂觀象繫辭以明吉凶者此也."[21]

....

19) 주희, 『주자어류』 권74, 51조목.

20) 마음에 괴롭고 생각에 걸려서 : 『맹자』 「고자하(告子下)」에서 "사람은 항상 잘못한 뒤에 고치니, 마음에 괴롭고 생각에 걸린 뒤에 분발하여 얼굴빛에 징험되고 음성에 나타난 뒤에 깨닫는다.[人恒過然後能改, 困於心, 衡(橫)於慮而後作, 徵於色, 發於聲而後喻.]"라고 하였다.

21) 하해(何楷), 『고주역정고(古周易訂詁)』 권11.

하해(何楷)가 말했다. "길·흉·회·린은 괘사로 말한 것이고, 얻음·잃음·근심·우려는 사람의 일로 말한 것이다. 윗글에서 이른바 상을 살펴보고 설명을 붙여 길흉을 밝혔다는 것이 이것이다."

[계사상 2-4]

> 變·化者, 進退之象也; 剛·柔者, 晝夜之象也.
> 六爻之動, 三極之道也.

변·화는 나아감과 물러남의 상이고, 강(剛)·유(柔)는 낮과 밤의 상이다. 여섯 효의 움직임은 삼극(三極: 천·지·인)의 도이다.

本義

柔變而趨於剛者, 退極而進也; 剛化而趨於柔者, 進極而退也. 旣變而剛, 則晝而陽矣, 旣化而柔, 則夜而陰矣. 六爻初·二爲地, 三·四爲人, 五·上爲天. '動', 卽變·化也. 極, 至也; '三極', 天·地·人之至理, 三才各一太極也. 此明剛·柔相推以生變·化, 而變·化之極, 複爲剛·柔, 流行於一卦六爻之間, 而占者得因所値以斷吉·凶也.

유(柔)가 변하여 강(剛)으로 향해 가는 것은 물러남이 지극하여 나아가는 것이고, 강이 화(化)하여 유로 향해 가는 것은 나아감이 지극하여 물러나는 것이다. 이미 변하여 강(剛)이 되면 낮이고 양(陽)이며, 이미 화(化)하여 유(柔)가 되면 밤이고 음(陰)이다. 여섯 효에서 초효(初爻)와 제2효는 땅[地]이 되고 제3효와 제4효는 사람[人]이 되며 제5효와 상효(上爻)는 하늘[天]이 된다. '움직임'은 곧 변·화이다. 극(極)은 지극함이니, '삼극(三極)'은 천(天)·지(地)·인(人)의 지극한 이치로, 삼재(三才)가 각각 하나의 태극(太極)을 가지고 있다. 이는 강·유가 서로 추이하여 변·화를 낳고, 변·화가 지극해지면 다시 강·유가 되어 한 괘 여섯 효의 사이에 유행하니, 점치는 자가 만나는 것에 따라 길·흉을 판단할 수 있음을 밝힌 것이다.

集說

● 韓氏伯曰 : "始總言吉凶·變化, 而下別明悔吝·晝夜者, 悔吝則吉凶之類, 晝夜亦變化之道."[22]

한백(韓伯)이 말했다. "처음에는 길·흉과 변·화를 총괄하여 말했지만 뒤에서 회·린과 주·야를 분별하여 밝힌 것은, 회·린은 길·흉의 부류이고 주·야는 또한 변·화의 도(道)이기 때문이다."

● 孔氏穎達曰 : "六爻遞相推動, 而生變·化, 是天·地·人三才至極之道."[23]

공영달이 말했다. "여섯 효가 번갈아 추이하면서 움직여 변·화를 낳는 것은 천(天)·지(地)·인(人) 삼재(三才)의 지극한 도(道)이다."

● 蔡氏淵曰 : "'動', 變易也; '極'者, 太極也. 以其變易無常, 乃太極之道也. '三極', 謂三才各具一太極也, 變至六爻, 則一卦之體具, 而三才之道備矣."

----

22) 한백(韓伯), 『주역주소(周易註疏)』 권11.
23) 공영달 소(孔穎達 疏), 『주역주소(周易註疏)』 권11.

채연(蔡淵)24)이 말했다. "'움직임'은 변역(變易)이고, '극'은 태극이다. 그 변역하여 항상됨이 없는 것이 바로 태극의 도이기 때문이다. '삼극(三極)'은 삼재(三才)가 각각 하나의 태극을 갖추었다는 것을 말하니, 변(變)이 여섯 효에 이르면 한 괘의 체(體)가 온전하게 갖추어지고 삼재의 도가 채워서 갖추어진다."

● 吳氏澄曰 : "吉凶·悔吝, 象人事之失得·憂虞; 變化·剛柔, 象天地陰陽之晝夜·進退, 是六爻兼有天·地·人之道也.25)"26)

오징(吳澄)이 말했다. "길·흉과 회·린은 인간사의 얻음·잃음과 근심·우려를 상징하고, 변·화와 강·유는 천지 음양의 밤·낮과 나아감·물러남을 상징하니, 이는 여섯 효가 천·지·인의 도를 겸해서 가지고 있다는 뜻이다."

● 胡氏炳文曰 : "此曰'三極', 是卦爻已動之後, 各具一太極; 後曰'易有太極'者, 則卦爻未生之先, 統體一太極也."27)

....

24) 채연(蔡淵, 1156~1236) : 자는 백정(伯靜)이고, 호는 절재(節齋)이다. 송대 건양(建陽 : 현 복건성 건양) 사람으로 채원정의 맏아들이다. 부친의 뜻을 이어 주경야독하여, 특히 『역』에 조예가 깊었고 그에 관한 저술이 많다. 저서는 『주역훈해(周易訓解)』, 『역상의언(易象意言)』, 『괘효사지(卦爻辭旨)』 등이 있다.

25) 是六爻兼有天·地·人之道也 : 오징(吳澄), 『역찬언(易纂言)』 권7에는 "是六爻所言人事之動, 兼有天·地·人之道也.[이는 여섯 효에서 말하는 인간사의 움직임이 천·지·인의 도를 겸해서 가지고 있다는 것이다.]"라고 되어 있다.

26) 오징(吳澄), 『역찬언(易纂言)』 권7.

호병문(胡炳文)[28]이 말했다. "여기에서 '삼극(三極)'이라 한 것은 괘
효가 이미 움직인 뒤에 각각 하나의 태극을 갖추었다는 것이고, 뒤
에서 '역에 태극이 있다'라고 한 것은 괘효가 아직 생기기 전에 만
물의 통체(統體)가 하나의 태극이라는 말이다."[29]

27) 호병문(胡炳文), 『주역본의통석(周易本義通釋)』 권5.
28) 호병문(胡炳文, 1250~1333) : 자는 중호(仲虎)이고, 호는 운봉(雲峰)이
   다. 원(元)대 휘주(徽州) 무원(婺源) 사람으로, 주희(朱熹)의 종손(宗孫)
   에게 『주역』과 『서경』을 배워 주자학에 잠심했으며, 특히 『주역』에 뛰어
   났다. 신주(信州) 도일서원(道一書院) 산장(山長)을 지내고, 난계주학
   정(蘭溪州學正)이 되었는데 취임하지 않았다. 저서에 『주역본의통석(周
   易本義通釋)』, 『서집해(書集解)』, 『춘추집해(春秋集解)』, 『예서찬술(禮
   書纂述)』, 『사서통(四書通)』, 『대학지장도(大學指掌圖)』, 『오경회의(五
   經會義)』, 『이아운어(爾雅韻語)』 등이 있다.
29) 각각 하나의 태극을 갖추었다 … 만물의 통체(統體)가 하나의 태극이라
   는 말이다 : 주희는 『태극도설해(太極圖說解)』에서 "남성과 여성의 측면
   에서 보면 남성과 여성이 각각 그 성을 하나씩 가지고 있으니 남성과
   여성은 하나의 태극이다. 만물의 측면에서 보면 만물이 각각 그 성을
   하나씩 가지고 있으니 만물은 하나의 태극이다. 종합해서 말하면 만물의
   통체는 하나의 태극이며, 나누어서 말하면 하나의 사물마다 각각 하나의
   태극을 구비하고 있다. 이른바 세상에는 성을 벗어난 사물이 없고 성은
   있지 않은 곳이 없다는 말이 여기에서 더욱 그 전모를 볼 수 있다. 자사
   (子思)가 '군자는 큰 것을 말하면 세상 어느 것도 그것을 싣지 못하고,
   작은 것을 말하면 세상 어느 것도 그것을 깨뜨리지 못한다'라고 한 것이
   이를 말한다.[自男女而觀之, 則男女各一其性, 而男女一太極也. 自萬
   物而觀之, 則萬物各一其性, 而萬物一太極也. 蓋合而言之, 萬物統體
   一太極也, 分而言之, 一物各具一太極也. 所謂天下無性外之物, 而性
   無不在者, 於此尤可以見其全矣. 子思子曰, '君子語大, 天下莫能載焉,
   語小, 天下莫能破焉,' 此之謂也..]"라고 하였다.

● 俞氏琰曰 : “三極之道, 言道之體; 三才之道, 言道之用.”[30]

유염(俞琰)[31]이 말했다. “삼극(三極)의 도는 도의 본체를 말하고, 삼재(三才)의 도는 도의 작용을 말한다.”

● 何氏楷曰 : “變化·剛柔, 以卦畫言; 進退·晝夜, 以造化言. ‘六爻之動’二句, 推言變·化之故, 上文所謂‘剛·柔相推而生變· 化’者此也.”[32]

하해(何楷)가 말했다. “변·화와 강·유는 괘획(卦畫)으로 말했고, 나아감·물러남과 낮·밤은 조화(造化)로 말했다. ‘여섯 효의 움직임은 삼극(三極 : 천·지·인)의 도이다’라는 구절은 미루어서 변·화의 까닭을 말한 것이니, 윗글에서 이른바 ‘강(剛)과 유(柔)가 서로 추이(推移)하여 변·화를 낳는다’라고 한 말이 이것이다.”

....

30) 유염(俞琰), 『주역집설(周易集說)』 권28.
31) 유염(俞琰) : 자는 옥오(玉吾)이고, 호는 전양자(全陽子), 임옥산인(林屋山人), 석간도인(石澗道人) 등이다. 남송 말 원대 초기에 활동한 학자로 송대 오군(吳郡 : 현 강소성 소주(蘇州)) 사람이다. 어려서 가학을 익히고 젊어서는 기서(奇書)를 즐겨 연구하다가, 뒤늦게 과거시험 준비를 했다. 남송이 멸망하고 원대 조정이 들어서자 과거응시를 포기하고 은거하여 역학 연구에 전념하였다. 역학 관련 저술이 특히 많았는데, 대표적인 것으로 『주역집설(周易集說)』, 『독역거요(讀易舉要)』, 『역외별전(易外別傳)』 등이 있다.
32) 하해(何楷), 『고주역정고(古周易訂詁)』 권11.

> 是故君子所居而安者, 易之序也; 所樂而玩者, 爻
> 之辭也.

그러므로 군자가 거처하여 편안히 여기는 것은 역(易)의 차례이
고, 즐거워하여 완미하는 것은 효의 말이다.

本義

'易之序', 謂卦爻所著事理當然之次第; '玩'者, 觀之詳.

'역(易)의 차례'는 괘효에 드러난 것으로 사리(事理)의 당연한 순서
를 말한다. '완미하다'는 말은 자세히 살펴보는 것이다.

集說

● 孔氏穎達曰 : "若居在乾之初九, 而安在'勿用'; 若居在乾之九
三, 而安在'乾乾'. 是以所居而安者, 由觀易位之次序也."[33]

공영달이 말했다. "만약 건괘 초구에 거처하면 편안함이 '쓰지 말아
야 한다'[34]라는 데 있고, 만약 건괘 구삼에 거처하면 편안함이 '힘

---

33) 공영달 소(孔穎達 疏), 『주역주소(周易註疏)』 권11.
34) 쓰지 말아야 한다 : 건괘 초구 효사에서 "초구(初九)는 못에 잠겨 있는
용(龍)이니, 쓰지 말아야 한다.[初九, 潛龍勿用.]"라고 했다.

쓰고 힘쓴다'35)라는 데 있다. 이 때문에 거처하여 편안히 여기는 것은 역의 자리의 순서를 살펴보는 것에 말미암는다."

● 王氏宗傳曰 : "所謂'易之序'者, 消息盈虛之有其時是也. 居之而安, 則盛行不加, 窮居不損, 而與易爲一矣.36) 所謂'爻之辭'者, 是非當否之有所命是也. 樂之而玩, 則'默而成之, 不言而信'而與爻爲一矣."37)

왕종전(王宗傳)38)이 말했다. "이른바 '역(易)의 차례'는 줄어듦과 불어남, 채워짐과 비워짐이 그 때가 있다는 말이 이것이다. 거기에 거처하여 편안하면 융성하게 시행하여 더 보탤 것이 없고 궁핍하게 거처하여 덜어낼 것이 없으니, 역의 도리와 하나가 된다. 이른바 '효의 말'은 옳음과 그름, 마땅함과 그렇지 않음이 천명(天命)이 되는 바가 있다는 말이 이것이다. 그것을 즐거워하여 완미하면 '묵묵히 이루고 말하지 않아도 믿게 되니',39) 효(爻)의 도리와 하나가 된다."

....

35) 힘쓰고 힘쓴다 : 건괘 구삼 효사에서 "구삼(九三)은 군자가 종일토록 힘쓰고 힘써 저녁까지 두려워하니, 위태롭지만 허물이 없다.[九三, 君子終日乾乾, 夕惕若, 厲无咎.]"라고 했다.

36) 而與易爲一矣 : 왕종전(王宗傳), 『동계역전(童溪易傳)』 권27에는 이 구절 뒤에 "苟爲居而不安, 則其去也必速, 猶不居也.[만약 거처하여 편안하지 않으면 그것을 떠나가는 것이 반드시 신속해야 하니, 마치 거처하지 않는 것과 같다.]"라는 말이 더 있다.

37) 왕종전(王宗傳), 『동계역전(童溪易傳)』 권27.

38) 왕종전(王宗傳) : 자는 경맹(景孟)이고, 송대 영덕(寧德 : 현 복건성 영덕시) 사람이다. 1181년에 진사에 급제하여 소주교수(韶州敎授)를 역임하였다. 왕필의 의리역학을 추종하여 상수역학을 배척하였다. 저서에는 『동계역전(童溪易傳)』이 있다.

● 『朱子語類』, 問 : "'所居而安者, 易之序也', 與'居則觀其象'之 '居'不同. 上'居'字是總就身之所處而言, 下'居'字則靜對動而言." 曰 : "然."[40]

『주자어류』에서 물었다. "'거처하여 편안히 여기는 것은 역(易)의 차례이다'라고 한 것과 '자리 잡으면 그 형상을 관찰한다'의 '거(居)' 는 같지 않습니다. 위의 '거'자는 대개 몸이 거처하는 곳에서 말한 것이고, 아래의 '거'자는 고요함으로써 움직임에 대비하여 말한 것 입니다."
(주자가) 대답했다. "그렇다."

● 問"所居而安者, 易之序也." 曰 : "序是次序, 謂卦爻之初終, 如'潛·見·飛·躍', 循其序則安."
又問"所樂而玩者, 爻之辭." 曰 : "橫渠謂, '每讀每有益,[41] 所以可 樂.' 蓋有契於心, 則自然樂."[42]

"거처하여 편안히 여기는 것은 역(易)의 차례이다."라는 구절에 대

---

39) 묵묵히 이루고 말하지 않아도 믿게 되니 : 『역』「계사상」제12장에서 "화 (化)하여 재제(裁制)하는 것은 변(變)에 있고, 미루어 행하는 것은 통 (通)에 있으며, 신묘하게 하여 밝히는 것은 사람에 있고, 묵묵히 이루며 말하지 않아도 믿는 것은 덕행(德行)에 있다.[化而裁之, 存乎變; 推而行 之, 存乎通; 神而明之, 存乎其人; 黙而成之, 不言而信, 存乎德行.]"라 고 하였다.

40) 주희, 『주자어류』권74, 66조목.

41) 每讀每有益 : 장재(張載), 『횡거역설(橫渠易說)』권3에는 "每讀, 則每 有益.[매번 읽으면 매번 보탬이 있다.]"이라고 되어 있다.

42) 주희, 『주자어류』권74, 67조목.

해 물었다.

(주자가) 대답했다. "차례는 순서이니 괘효의 처음과 끝을 말한다. 예컨대 '잠겨 있다, 나타나다, 날다, 뛰어오르다'[43]라는 것과 같으니, 그 순서를 따르면 편안하다."

또 "즐거워하여 완미하는 것은 효의 말이다."라는 구절에 대해 물었다.

(주자가) 대답했다. "횡거(橫渠 : 張載)는 '매번 읽으면 매번 보탬이 있으므로 즐길 만하다'[44]라고 하였다. 마음에 맞으면 저절로 즐거운 것이다."

● 俞氏琰曰 : "居以位言, 安謂安其分也. 樂以心言, 玩謂繹之而不厭也. 君子觀易之序而循是理故安, 觀爻之辭而達是理故樂."[45]

유염(俞琰)이 말했다. "거처한다는 것은 자리로 말하고, 편안하다는 것은 그 분수에 편안함을 말한다. 즐겁다는 것은 마음으로 말하고, 완미한다는 것은 그 실마리를 찾아 싫증내지 않음을 말한다. 군자는 역(易)의 차례를 살펴보아 이 이치를 따르기 때문에 편안하고, 효의 말을 살펴보아 이 이치에 통달하기 때문에 즐겁다."

----

43) 잠겨 있다, 나타나다, 날다, 뛰어오르다 : 건(乾)괘에서 '초구(初九)는 못에 잠겨 있는 용(龍)이니, 쓰지 말아야 한다'라 하였고, '구이(九二)는 나타난 용(龍)이 밭에 있으니, 대인을 만나봄이 이롭다'라 하였으며, '구사(九四)는 혹 뛰어오르거나 연못에 있으니 허물이 없을 것이다'라 하였고, '구오(九五)는 나는 용(龍)이 하늘에 있으니, 대인을 만나봄이 이롭다'라고 한 것을 가리킨다.
44) 장재(張載), 『횡거역설(橫渠易說)』 권3.
45) 유염(俞琰), 『주역집설(周易集說)』 권28.

是故君子居則觀其象而玩其辭, 動則觀其變而
玩其占. 是以自天祐之, 吉無不利.

그러므로 군자는 자리 잡으면 그 상(象)을 살펴보고 그 말을 완미
하며, 움직이면 그 변(變)을 살펴보고 그 점을 완미한다. 이 때문에
하늘에서 도와주니 길하여 이롭지 않음이 없다.[46]

本義

象·辭·變已見上, 凡單言變者, 化在其中. 占謂其所值吉·
凶之決也.

상(象)·사(辭)·변(變)은 이미 위에서 나왔다. 다만 변(變)만을 말
한 것은 화(化)가 그 가운데 들어 있기 때문이다. 점은 그 만난 것
에서 길·흉을 결단함을 말한다.

此第二章, 言聖人作『易』, 君子學『易』之事.

....

46) 하늘에서 도와주니 길하여 이롭지 않음이 없다 : 대유(大有)괘 상구(上
九)의 효사이다. 주자는 『주역본의(周易本義)』에서 "대유(大有)의 세상
에 강(剛)으로 위에 자리 잡아 아래로 육오(六五)를 따르니, 이는 신의를
이행하고 순응을 생각하며 현자를 높이는 일이다. 가득하지만 넘치지 않
으므로 그 점이 이와 같다.[大有之世, 以剛居上而能下從六五, 是能履
信思順而尙賢也. 滿而不溢, 故其占如此.]"라고 하였다.

이는 제2장이니, 성인이 『역』을 만들고 군자가 『역』을 배우는 일을 말했다.

集說

● 虞氏翻曰 : "'以動者尙其變', 占事知來, 故'玩其占'也."[47]

우번(虞翻)이 말했다. "'역(易)으로 움직이는 사람은 그 변(變)을 숭상한다'[48]라고 하였으니, 점치는 일은 앞으로 올 것을 아는 것이기 때문에 '그 점을 완미한다'라고 하였다."

● 『朱子語類』, 問 : "'居則觀其象玩其辭, 動則觀其變玩其占', 如何?" 曰 : "若是理會不得, 如何占得? 必是閑常理會得此道理, 到用時便占."[49]

『주자어류』에서 물었다. "'자리 잡으면 그 상(象)을 살펴보고 그 말을 완미하며, 움직이면 그 변(變)을 살펴보고 그 점을 완미한다'라

---

47) 이정조(李鼎祚), 『주역집해(周易集解)』 권13에 우번(虞翻)의 말로 기재되어 있다.

48) 역(易)으로 움직이는 사람은 그 변(變)을 숭상한다 : 『역』「계사상」 제10장에서 "역(易)에 성인의 도 네 가지가 있으니, 역(易)으로 말하는 사람은 그 설명을 숭상하고, 그것으로 움직이는 사람은 그 변(變)을 숭상하고, 그것으로 기물(器物)을 만드는 사람은 그 상(象)을 숭상하고, 그것으로 복서(卜筮)하는 사람은 그 점(占)을 숭상한다.[易有聖人之道四焉 : 以言者尙其辭, 以動者尙其變, 以制器者尙其象, 以卜筮者尙其占.]"라고 하였다.

49) 주희, 『주자어류』 권74, 68조목.

는 말은 어떻습니까?"

(주자가) 대답했다. "만약 이 말을 이해할 수 없다면 어떻게 점을
칠 수 있겠는가? 반드시 평상시 이 도리를 이해하여, 사용할 때가
되면 점을 친다."

● 蔡氏淵曰 : "觀象玩辭, 學『易』也; 觀變玩占, 用『易』也. 學
『易』則無所不盡其理, 用『易』則唯盡乎一爻之時. 居旣盡乎天之
理, 動必合乎天之道, 故曰'自天枯之, 吉無不利也.'"

채연(蔡淵)이 말했다. "상(象)을 살펴보고 그 말을 완미함은 『역
(易)』을 배우는 것이고, 변(變)을 살펴보고 그 점을 완미함은 『역』
을 사용하는 것이다. 『역』을 배우면 그 이치를 다 발휘하지 못함이
없고, 『역』을 사용하면 오직 한 효의 시기를 다 발휘할 뿐이다. 자
리 잡으면 하늘의 이치를 다 발휘하고 움직이면 반드시 하늘의 도
에 합치되기 때문에 '하늘에서 도와주니 길하여 이롭지 않음이 없
다'라고 말했다."

● 王氏申子曰 : "平居無事, 觀卦爻之象而玩其辭, 則可以察吉·
凶·悔·吝之故; 及動而應事, 觀卦之變而玩其占, 則可以決吉·
凶·悔·吝之幾. 故有不動, 動無不吉也."[50]

왕신자(王申子)가 말했다. "평상시 일이 없을 때 괘·효의 상을 살
펴보고 그 말을 완미하면 길·흉·회·린의 원인을 자세히 살펴볼
수 있고, 움직여서 일에 대응할 때 이르러 괘의 변(變)을 살펴보고

----

50) 왕신자(王申子), 『대역집설(大易緝說)』 권9.

그 점을 완미하면 길·흉·회·린의 기미를 결단할 수 있다. 그러므
로 움직이지 않을 때가 있고, 움직이면 길하지 않음이 없다."

● 胡氏炳文曰: "天地間, 剛·柔·變·化, 無一時間; 人在大化
中, 吉·凶·悔·吝, 無一息停. 吉一而已, 凶·悔·吝三焉. 上文
示人以吉·凶·悔·吝者, 作『易』之事,51) 此獨吉而無凶·悔·吝
者, 學『易』之功也. 52)"53)

호병문(胡炳文)이 말했다. "천지간에는 강·유·변·화가 잠시도 틈
이 벌어진 적이 없고, 사람은 살아가는 가운데 길·흉·회·린이 한
순간도 멈춘 적이 없다. 길함은 하나일 뿐인데 흉·회·린은 셋이
다. 윗글에서 사람들에게 길·흉·회·린을 제시한 것은54) 『역』을
만드는 일이고, 여기에서 유독 길함만 제시하고 흉·회·린이 없는
것은55) 『역』을 배우는 공효이다."

....

51) 作『易』之事 : 호병문(胡炳文), 『주역본의통석(周易本義通釋)』권5에는
   "聖人作『易』之事[성인이 『역』을 만드는 일이고]"라고 되어 있다.
52) 學『易』之功也 : 호병문, 『주역본의통석』권5에는 "君子學『易』之功也.
   [군자가 『역』을 배우는 공효이다.]"라고 되어 있다.
53) 호병문(胡炳文), 『주역본의통석(周易本義通釋)』권5.
54) 윗글에서 사람들에게 길·흉·회·린을 제시한 것은 : 몇 구절 앞의 「계사
   전」의 글 "그러므로 길·흉은 득·실의 상(象)이고, 후회[悔]와 유감[吝]은
   근심[憂]과 우려[虞]의 상이다.[是故吉凶者, 失得之象也. 悔吝者, 憂虞
   之象也.]"를 가리킨다.
55) 여기에서 유독 길함만 제시하고 흉·회·린이 없는 것은 : 바로 위「계사
   전」의 글 "그러므로 군자는 자리 잡으면 그 상(象)을 살펴보고 그 말을
   완미하며, 움직이면 그 변(變)을 살펴보고 그 점을 완미한다. 이 때문에
   하늘에서 도와주니 길하여 이롭지 않음이 없다.[是故君子居則觀其象而

● 俞氏琰曰: "觀象玩辭, 如蔡墨云'在乾之姤', 知莊子云'在師之臨', 謂之'在'者是也. 觀變玩占, 如陳侯遇觀之否, 晉侯遇大有之睽, 謂之'遇'者是也."[56]

유염(俞琰)이 말했다. "상(象)을 살펴보고 그 말을 완미하는 것은 예컨대 채묵(蔡墨)이 '건(乾䷀)괘가 구(姤䷫)괘로 가는 것이 있다'라고 한 것[57]과 지장자(知莊子)가 사(師䷆)괘가 임(臨䷒)괘로 가는 것이 있다'라고 한 것[58]에서 '있다'라고 한 말이 이것이다. 변(變)을 살펴보고 그 점을 완미하는 것은 예컨대 '진후(陳侯 : 陳敬仲)가 관(觀䷓)괘가 비(否䷋)괘로 간 것을 만났다'라고 한 것[59]과 '진후(晉侯

....

玩其辭, 動則觀其變而玩其占. 是以自天祐之, 吉無不利.]'를 가리킨다.

56) 유염(俞琰), 『주역집설(周易集說)』 권28.

57) 채묵(蔡墨)이 '건(乾䷀)괘가 구(姤䷫)괘로 가는 것이 있다'라고 한 것 : 『춘추좌전』 소공(昭公) 29년 가을에, 용이 강(絳 : 진〈晉〉나라 도읍 : 현 산서성 강현〈絳縣〉)의 교외에 나타났다. 위헌자(魏獻子)가 채묵(蔡墨)에게 물으니, 채묵이 "건(乾䷀)괘가 구(姤䷫)괘로 가는 것이 있으니, 잠겨있는 용은 쓰지 않는다는 것입니다."라고 말했다고 한다.

58) 지장자(知莊子)가 사(師䷆)괘가 임(臨䷒)괘로 가는 것이 있다'라고 한 것 : 『춘추좌전』 선공(宣公) 12년 진(晉)나라가 정(鄭)나라를 구하기 위해 초(楚)나라와 싸우러 갔는데, 도중에 정나라와 초나라가 화평을 하였다. 이에 진나라 장수 사이에 회군하자는 논의가 나오자 이를 반대한 부장(副將) 선곡(先穀)이 자신의 군대를 거느리고 먼저 황하를 건너는 바람에 어쩔 수 없이 진군(晉軍)이 모두 황하를 건너 초군(楚軍)과 대치하게 되었다. 이에 지장자가 "이번 전쟁은 위험하다!『주역』에 사(師)괘가 임(臨)괘로 변하는 점이 있으니, '군대의 출동은 군율로 통제해야 하는데 잘 되지 못하면 흉하다.'라고 하였다."라고 말했다고 한다.

59) '진후(陳侯 : 陳敬仲)가 관(觀䷓)괘가 비(否䷋)괘로 간 것을 만났다'라고 한 것 : 『춘추좌전』 장공(莊公) 22년에, 진 여공(陳厲公)이 경중(敬仲)을 낳고 주(周)나라의 사관(史官)에게 산가지로 점을 치도록 하니, 관(觀

: 晉文公)가 대유(大有䷍)괘가 규(睽䷥)괘로 간 것을 만났다'라고
한 것(60)에서 '만났다'라고 한 말이 이것이다."

● 孔氏穎達曰 : "前章言天地成象 · 成形簡易之德,　明乾 · 坤之
大旨; 此章明聖人設卦觀象, 爻辭吉 · 凶 · 悔 · 吝之細別."(61)

공영달(孔穎達)이 말했다. "앞장(제1장)은 천지가 상(象)을 이루고
형(形)을 이룸에 간단함과 쉬움으로 하는 덕을 말하여 건·곤의 큰
뜻을 말했고, 이 장(제2장)은 성인이 괘를 만들어 상(象)을 살펴보
고, 효사로 길·흉·회·린의 세세한 분별을 밝혔다."

● 程子曰 : "聖人旣設卦, 觀卦之象而繫以辭, 明其吉 · 凶之理;
以剛 · 柔相推, 而知變 · 化之道. 吉 · 凶之生, 由失 · 得也; 悔 · 吝
者, 可憂 · 虞也. 進退消長, 所以成變 · 化也. 剛 · 柔相易而成晝 ·
夜, 觀晝 · 夜則知剛 · 柔之道矣. '三極', 上中下也. 極, 中也, 皆

....

䷈괘가 비(否䷋)괘로 가는 것을 얻어 "이것은 나라의 풍광을 보는 것인
데 왕의 손님이 되는 것이 이롭다는 것을 말하니, 경중(敬仲)이 진(陳)나
라를 대신하여 나라를 소유하게 될 것입니다."라고 말했다고 한다.
60) '진후(晉侯 : 晉文公)가 대유(大有䷍)괘가 규(睽䷥)괘로 간 것을 만났다'
라고 한 것 :『춘추좌전』희공(僖公) 25년에, 진문공(晉文公)이 주양왕
(周襄王)을 왕위에 앉히려고 하여 복관(卜官) 언(偃)에게 산가지로 점을
치게 하였는데, 대유(大有䷍)괘가 규(睽䷥)괘로 가는 것을 얻어 말하기
를, "공후(公侯)가 천자에게 대접 받을 괘이므로 전쟁에서 이겨 왕이 향
연을 베푸니, 무엇이 이것보다 크게 길하겠습니까?"라고 했다고 한다.
61) 공영달 소(孔穎達 疏),『주역주소(周易註疏)』권11.

其時中也. '三才'以物言也, '三極'以位言也. 六爻之動, 以位爲
義, 乃其序也. 得其序則安矣. 辭以明義, 玩其辭義, 則知其可樂
也. 觀象玩辭而通其意, 觀變玩占而順其時, 動不違於天矣."[62]

정자(程子 : 程頤)가 말했다. "성인이 이미 괘를 만들고 나서, 괘의
상(象)을 살펴보고 설명을 붙여 길·흉의 이치를 밝혔으며, 강·유
를 서로 추이하여 변·화의 도를 알았다. 길·흉이 생겨나는 것은
득·실에서 말미암고, 후회와 유감은 근심하고 우려할 만하다. 나아
감과 물러남, 줄어듦과 불어남은 그것으로 변·화를 이룬다. 강·유
가 서로 바뀌어 밤과 낮이 이루어지니, 밤·낮을 살펴보면 강·유의
도를 안다. '삼극(三極)'은 상·중·하이다 극은 중(中)이니, 삼극은
모두 그 시중(時中)이다. '삼재(三才)'는 사물로 말한 것이고, '삼극'
은 자리로 말한 것이다. 여섯 효의 움직임은 자리로써 의미를 두니
그것이 바로 차례이다. 그 차례를 얻으면 편안하다. 말로 그 의미
를 밝히고 그 말의 의미를 완미하면 그것이 즐거워할 만한 것인지
를 알 수 있다. 상(象)을 살펴보고 말을 완미하여 그 뜻에 통하고,
변(變)을 살펴보고 점을 완미하여 그 때에 순응하면, 움직여도 하
늘에 위배되지 않는다."

● 何氏楷曰 : "上章言造化自然之易, 爲作『易』之本, 此章乃言
作『易』之旨.[63]"[64]

....

62) 정이(程頤), 『하남정씨경설(河南程氏經說)』 권1.
63) 此章乃言作『易』之旨 : 하해(何楷), 『고주역정고(古周易訂詁)』 권11에
　　는 "此章乃言『周易』繫辭之旨(이 장은 곧 『주역』에서 설명을 붙인 취지
　　를 말했다.)"라고 되어 있다.
64) 하해(何楷), 『고주역정고(古周易訂詁)』 권11.

하해(何楷)가 말했다. "윗 장(제1장)은 조화(造化)의 저절로 그러한 역(易)이 『역』을 만든 근본임을 말했고, 이 장(제2장)은 곧 『역』을 만든 취지를 말했다."

案

上章雖言作『易』之源本, 然實以明在造化者, 無非自然之易書. 故先儒以爲畫前之『易』者此也. 此章乃備言作『易』・學『易』之事, 蓋承上章言之, 而爲後諸章之綱也. '設卦觀象', 先天之聖人也; '繫辭而明吉凶', 後天之聖人也; '剛・柔相推而生變・化', 申言設卦觀象之事. 所象者, 或爲人事之失得・憂虞, 或爲天道之進退・晝夜, 極而至於天・地・人之至理, 莫不包涵統具於其中, 此辭所由繫而占所由生也. '居而安'者, 以身驗之; '樂而玩'者, 以心體之. 在平時則爲觀象玩辭之功, 在臨事則爲觀變玩占之用. 此所謂奉明命以周旋, 述天理而時措者也. '自天祐之, 吉無不利', 學『易』之效, 至於如此.

윗 장(제1장)에서 비록 『역』을 만든 본원을 말했지만, 실제로는 그 것으로 조화(造化)에 있는 것이 저절로 그러한 『역』이라는 책이 아 님이 없음을 밝혔다. 그러므로 선배 학자들이 획을 긋기 전의 『역』 이라고 여긴 것이 바로 이것이다. 이 장(제2장)은 이에 『역』을 만 드는 일과 『역』을 배우는 일을 갖추어 말했으니, 윗 장을 이어서 말하고 뒤에 오는 모든 장의 강령이 되었다. '괘를 만들고 상(象)을 살펴보는' 것은 하늘보다 앞서 성인이 하는 일이고, '설명을 붙이고 길흉을 밝히는' 것은 하늘보다 뒤에 성인이 하는 일이며, '강・유를 서로 추이하여 변・화를 낳는다'는 것은 괘를 만들고 상을 살펴보는 일을 거듭 말한 것이다. 상으로 삼는 것은 혹은 사람 일의 얻음과 잃음, 근심과 우려가 되기도 하고 혹은 천도(天道)의 나아감과 물러남, 낮과 밤이 되기도 하여, 끝까지 가서는 천·지·인의 지극한 이치까지도 그 가운데 포함하여 총괄적으로 갖추지 않음이 없으니, 이는 설명이 그것에 말미암아 붙여지고 점이 그것에 말미암아 생겨났다는 것이다. '자리 잡아서 편안하다'는 것은 몸으로 체험하는 일이고, '즐거워하여 완미한다'는 것은 마음으로 체인하는 일이다. 평상시에는 상을 살펴보고 말을 완미하는 공효가 되고, 일에 임해서는 변(變)을 살펴보고 점을 완미하는 작용이 된다. 이것이 이른바 밝은 명(命)을 받들어 두루 교류하고 천리(天理)를 서술하여 때에 맞게 조처하는 일이다. '하늘에서 도와주니 길하여 이롭지 않음이 없다'는 것은 『역』을 배우는 효험이 이와 같은 데까지 이른다는 뜻이다.

[계사상 3-1]

> 象者, 言乎象者也; 爻者, 言乎變者也.
>
> 단(象)은 상(象)을 말하는 것이고, 효(爻)는 변(變)을 말하는 것
> 이다.

本義

'象', 謂卦辭, 文王所作者. '爻', 謂爻辭, 周公所作者. '象', 指
全體而言; '變', 指一節而言.

'단(象)'은 괘사(卦辭)를 말하니 문왕(文王)이 지은 것이다. '효(爻)'
는 효사(爻辭)를 말하니 주공이 지은 것이다. '상(象)'은 전체를 가
리켜 말하였고, '변(變)'은 한 단락을 가리켜 말하였다.

集說

● 虞氏翻曰 : "'八卦以象告', 故言乎象也. 爻有六畫, 九·六變

化, 故言乎變者也."[1]

우번(虞翻)이 말했다. "'8괘(八卦)는 상(象)으로 알려주기'[2] 때문에
상을 말했다. 효(爻)는 여섯 개의 획이 있는데 구(九 : 양효)와 육
(六 : 음효)이 변화하기 때문에 변(變)을 말했다."

● 項氏安世曰 : "象辭所言之象, 卽下文所謂卦也; 爻辭所言之
變, 卽下文所謂位也."[3]

항안세(項安世)[4]가 말했다. "단사(象辭)에서 말하는 상(象)은 곧 아
래 글에서 말하는 괘이고, 효사(爻辭)에서 말하는 변(變)은 곧 아래

----

1) 이정조(李鼎祚), 『주역집해(周易集解)』 권13에 우번(虞翻)의 말로 기재
   되어 있다.
2) 8괘(八卦)는 상(象)으로 알려주기 : 『역』「계사하」 제12장에서 "8괘(八
   卦)는 상(象)으로 알려주고 효(爻)와 단(象)은 정(情)으로 말해주니, 강
   · 유가 뒤섞여 자리 잡음에 길·흉을 볼 수 있다.[八卦以象告, 爻象以情
   言, 剛柔雜居而吉凶可見矣.]"라고 하였다.
3) 항안세(項安世), 『주역완사(周易玩辭)』 권13.
4) 항안세(項安世, 1129~1208) : 자는 평부(平父)이고, 호는 평암(平庵)이
   며, 송대 강릉(江陵 : 현 호북성 소속) 사람이다. 효종(孝宗) 순희(淳熙)
   2년(1175) 진사에 급제하여 소흥부교수(紹興府教授)가 되었는데, 당시
   절동제거(浙東提舉)를 맡고 있던 주희(朱熹)를 만나 서로 강론하였다.
   주희가 간관(諫官)으로 조정에 추천한 적이 있으며, 비서성정자(秘書省
   正字), 교서랑(校書郎), 지주통판(池州通判) 등을 역임했다. 경원(慶元)
   연간에 상소를 올려 주희(朱熹)를 유임하라고 했다가 탄핵을 받고 위당
   (僞黨)으로 몰려 파직되었다. 나중에 복직되어 여러 벼슬을 거쳤다. 저
   서에는 『주역완사(周易玩辭)』, 『항씨가설(項氏家說)』, 『평암회고(平庵
   悔稿)』 등이 있다.

글에서 말하는 자리이다."

● 張氏振淵曰 : "『易』有實理而無實事, 故謂之象, 卦立而象形;『易』有定理而無定用, 故謂之變, 爻立而變著."

장진연(張振淵)이 말했다. "『역』에는 실질적인 이치가 있지만 실제적인 일이 없기 때문에 상(象)이라고 하니, 괘가 정립되고 나서 상이 나타났다. 『역』에는 정해진 이치가 있지만 정해진 작용이 없기 때문에 변(變)이라고 하니, 효가 정립되고 나서 변이 드러났다."

[계사상 3-2]

> 吉·凶者, 言乎其失·得也; 悔·吝者, 言乎其小
> 疵也. 無咎者, 善補過也.
>
> 길·흉은 그 얻음과 잃음을 말하고, 후회와 유감은 그 작은 결점을
> 말한 것이다. 허물이 없다는 것은 잘못을 잘 보완함이다.

本義

此卦·爻辭之通例.

이는 괘사와 효사(爻辭)의 통례(通例)이다.

集說

● 崔氏憬曰 : "繫辭著悔·吝之言, 則異凶咎,[5] 若疾病之與小
疵."[6]

최경(崔憬)이 말했다. "설명을 붙여 후회와 유감을 드러낸 말은 흉
함이나 허물과는 다르니, 마치 큰 질병과 잔병과의 관계와 같다."

....

5) 則異凶咎 : 이정조(李鼎祚), 『주역집해(周易集解)』 권13에는 이 구절 뒤
   에 "有其小病比於凶咎[그 작은 병통이 있는 것은 흉함과 허물에 비교하
   면]"라는 말이 더 있다.
6) 이정조(李鼎祚), 『주역집해(周易集解)』 권13에 최경의 말로 실려 있다.

● 楊氏萬里曰:"言動之間, 盡善之謂得, 不盡善之謂失. 小不善之謂疵, 不明乎善而誤入乎不善之謂過. 覺其小不善, 非不欲改, 而已無及, 於是乎有悔. 不覺其小不善, 猶及於改, 而不能改, 或不肯改, 於是乎有咎. 吾身之過, 猶吾衣之破也. 衣有破, 補之斯全. 身有過, 補之斯還. 還者何? 復之於善也. 補不善而復之於善, 何咎之有?"[7]

양만리(楊萬里)가 말했다. "말과 행동하는 사이에 선(善)을 다 발휘하는 것을 얻음[得]이라 하고, 선(善)을 다 발휘하지 못하는 것을 잃음[失]이라고 한다. 조금 불선(不善)한 것을 결점[疵]이라 하고, 선에 밝지 못해 불선에로 그릇되게 들어가는 것을 잘못[過]이라고 한다. 그 작은 불선을 깨달아 고치려 하지 않음이 없지만, 이미 미치지 못하면 이에 후회가 있게 된다. 그 작은 불선을 깨닫지 못하고도 여전히 고치는 데 미칠 수 있지만, 고칠 수 없거나 혹은 기꺼이 고치려 하지 않으면 이에 유감이 있게 된다. 우리 몸의 잘못은 마치 우리 옷이 헤진 것과 같다. 옷이 해질 때는 그것을 기우면 온전해지고, 몸에 잘못이 있을 때는 그것을 보완하면 돌이켜진다. 돌이키는 것은 어떻게 하는가? 선으로 돌아가는 일이다. 불선을 보완하여 선으로 돌아가는데 무슨 허물이 있겠는가?"

● 蔡氏淵曰:"吉凶·悔吝·無咎, 卽卦與爻之斷辭也. 失得者, 事之已成著者也. 小疵者, 事之得失未分, 而能致得失者也. 善補過者, 先本有咎, 修之則可免咎也."

채연(蔡淵)이 말했다. "길함과 흉함, 후회와 유감, 허물이 없음은

---

7) 양만리(楊萬里), 『성재역전(誠齋易傳)』 권17.

괘와 효에서 단정하는 말이다. 얻음과 잃음은 일이 이미 이루어져 드러난 것이다. 작은 결점은 일의 얻음과 잃음이 아직 나누어지지 않았지만 얻음과 잃음에 이를 수 있는 것이다. 잘못을 잘 보완함은 우선 허물이 있지만 그것을 다스리면 허물을 모면할 수 있는 것이다."

● 胡氏炳文曰:"前章言卦爻中吉·凶·悔·吝之辭, 未嘗及無咎之辭, 此章方及之, 大抵不貴無過而貴改過. '無咎者, 善補過也', 聖人許人自新之意切矣."[8]

호병문(胡炳文)이 말했다. "앞 장에서 괘와 효 가운데 있는 길·흉·회·린이라는 말을 언급하고 허물이 없다는 말은 언급하지 않았는데, 이 장에서 비로소 그것을 언급한 것은 대체로 잘못이 없음을 귀하게 여기지 않고 잘못을 고치는 일을 귀하게 여겼다. '허물이 없다는 것은 잘못을 잘 보완함이다'라고 한 말은 성인께서 사람들이 스스로 새로워지는 것을 허용하는 뜻이 절실하다."

● 張氏振淵曰:"失得, 指時有消息, 位有當否說. 小疵兼兩意:向於得而未得, 尙有小疵則悔; 向於失而未失, 已有小疵則吝."

장진연(張振淵)이 말했다. "얻음과 잃음은 시기에 줄어듦과 불어남이 있고 자리에 마땅함과 그렇지 않음을 가리켜 말한 것이다. 작은 결점은 두 가지 뜻을 겸하니, 얻음으로 향하는데 아직 얻지 못하고 여전히 작은 결점이 있으면 후회하는 것과 잃음으로 향하는데 아직 잃지 않았지만 이미 작은 결점이 있으면 유감을 느끼는 것이다."

---

8) 호병문(胡炳文), 『주역본의통석(周易本義通釋)』 권5.

> 是故列貴賤者存乎位, 齊小大者存乎卦, 辨吉凶
> 者存乎辭.

그러므로 귀(貴)·천(賤)을 나열해 놓는 것은 자리에 보존되어 있고, 소(小)·대(大)를 가지런히 해놓는 것은 괘에 보존되어 있으며, 길(吉)·흉(凶)을 변별해 놓는 것은 말에 보존되어 있다.

本義

'位', 謂六爻之位. '齊', 猶定也. 小謂陰, 大謂陽.

'자리'는 여섯 효의 자리를 말한다. '가지런히 해놓는다'는 정하는 것과 같다. 소(小)는 음(陰)을 말하고, 대(大)는 양(陽)을 말한다.

集說

● 王氏肅曰 : "'齊', 猶正也. 陽卦大, 陰卦小, 卦列則小大分, 故曰 '齊小大者存乎卦'也."9)

왕숙(王肅)10)이 말했다. "'가지런히 해놓는다'라는 말은 바르게 하

---

9) 이정조(李鼎祚), 『주역집해(周易集解)』 권13에 왕숙의 말로 실려 있다.
10) 왕숙(王肅, 195~256) : 자는 자옹(子雍)이고, 삼국시대 위(魏)나라 동해군 담현(東海郡 郯縣 : 현 산동성 소속) 사람이다. 삼국시대 조위(曹魏)

다라는 말과 같다. 양괘는 크고 음괘는 작아 괘를 벌려놓으면 크고
작음이 나누어지기 때문에 '소(小)·대(大)를 가지런히 해놓는 것은
괘에 보존되어 있다'라고 하였다."

● 張氏浚曰 : "卦之所設, 本乎陰·陽. 陰小陽大, 體固不同. 而
各以所遇之時爲正, 陽得位則陽用事, 陰得位則陰用事. 小·大
之理, 至卦而齊."[11]

장준(張浚)이 말했다. "괘를 만든 것은 음·양에 근본한다. 음은 작
고 양은 크니, 체(體)가 본디 같지 않다. 그렇지만 각각 그것을 만
난 때를 바른 것으로 삼으니, 양이 자리를 얻으면 양이 일을 하고
음이 자리를 얻으면 음이 일을 한다. 크고 작은 이치가 괘에 이르
러 가지런해 진다."

....

의 관리이자 경학자로 왕랑(王朗)의 아들이다. 사마소(司馬昭)의 장인
으로 진(晉)나라 무제(武帝)의 외조부이며, 벼슬은 산기황문시랑(散騎
黃門侍郎), 비서감(秘書監), 숭문관제주(崇文觀祭酒), 광평태수(廣平
太守), 시중(侍中), 하남윤(河南尹) 등을 역임했다. 사후에 위장군(衛將
軍)으로 추증되었고, 시호는 경후(景侯)이다. 부친인 왕낭(王朗)에게 금
문학(今文學)을 배우고, 당대 대유학자인 송충(宋忠)을 사사하여 고금경
전(今古經典)에 해박했다. 특히 고문학자(古文學者) 가규(賈逵), 마융
(馬融)의 현실주의적 해석을 계승해서, 정현(鄭玄)의 참위설(讖緯說)을
혼합한 경전해석을 반박하였다. 또한 정현의 예학(禮學) 체계에 반대하
여『성증론(聖證論)』을 지었다. 그의 학설은 모두 위나라의 관학(官學)
으로서 공인받았다. 저서로는『공자가어(孔子家語)』,『고문상서공굉국
전(古文尙書孔宏國傳)』등이 있다.

11) 장준(張浚),『자암역전(紫巖易傳)』권7.

● 『朱子語類』, 問 : "上下·貴賤之位, 何也?" 曰 : "二·四, 則四貴而二賤; 五·三, 則五貴而三賤; 上·初, 則上貴而初賤. 上雖無位, 然本是貴重, 所謂‘貴而無位, 高而無民.’ 在人君則爲天子父, 爲天子師; 在他人則淸高而在物外, 不與事者, 此所以爲貴也."12)

『주자어류』에서 물었다. "상하와 귀천의 자리라는 것은 무엇입니까?"
(주자가) 대답했다. "2효와 4효의 관계에서는 4효가 존귀하고 2효가 비천하며, 5효와 3효의 관계에서는 5효가 존귀하고 3효가 비천하며, 상효와 초효의 관계에서는 상효가 존귀하고 초효는 비천하다. 상효는 비록 지위가 없지만 본래 귀중한 것이니, 이른바 '귀하지만 지위가 없고, 높지만 백성이 없다'13)는 뜻이다. 군주에게는 천자의 아버지가 되고 천자의 스승이 되며, 다른 사람에게서는 맑고 높으며 세속의 밖에 있어 세간사에 관여하지 않는 사람이니, 이것이 귀하게 되는 까닭이다."

● 王氏申子曰 : "列, 分也. 陽貴陰賤, 上貴下賤, 亦有貴而無位, 有位而在下者. 故曰‘列貴賤者存乎位.’ 位者, 六爻之位也. 齊, 均也. 陽大陰小, 陽卦多陰, 則陽爲之主, 陰卦多陽, 則陰爲之

---

12) 주희, 『주자어류』 권76, 99조목.
13) 귀하지만 지위가 없고, 높지만 백성이 없다 :『역』「계사상」 제8장에서 "항룡(亢龍 : 지나치게 올라간 용)이니 뉘우침이 있다.' 공자가 다음과 같이 말했다. '귀하지만 지위가 없고 높지만 백성이 없으며, 현명한 사람이 아랫자리에 있어도 도와주는 사람이 없다. 이 때문에 움직이면 후회가 있다.'[亢龍有悔', 子曰, '貴而无位, 高而无民, 賢人在下位而无輔. 是以動而有悔也.']"라고 하였다.

主. 雖小大不齊, 而得時爲主則均也. 故曰'齊小大者存乎卦.' 卦
者, 全卦之體也. 辨, 明也. 辨一卦一爻之吉凶者, 辭也, 故曰'辨
吉凶者存乎辭.'"14)

왕신자(王申子)가 말했다. "나열하는 것은 나누는 일이다. 양이 존
귀하고 음이 비천하며 위가 존귀하고 아래가 비천한 데도, 또한 존
귀하지만 지위가 없는 것이 있고 지위가 있지만 아래에 있는 것도
있다. 그러므로 '귀(貴)·천(賤)을 나열해 놓는 것은 자리에 보존되
어 있다'라고 했다. 자리는 여섯 효의 자리이다. 가지런히 해놓는
것은 고르게 한다는 말이다. 양이 크고 음이 작지만, 양괘는 음이
많으니 양이 주인이 되고 음괘는 양이 많으니 음이 주인이 된다.
비록 크고 작음이 가지런하지는 않지만 때를 얻은 것이 주인이 되
니 고르다. 그러므로 '소(小)·대(大)를 가지런히 해 놓는 것은 괘에
보존되어 있다'라고 했다. 괘는 전체 괘의 체(體)이다. 변별한다는
것은 밝히는 일이다. 하나의 괘와 하나의 효에서 길흉을 변별해 놓
은 것이 말이기 때문에 '길(吉)·흉(凶)을 변별해 놓는 것은 말에 보
존되어 있다'라고 했다."

---

14) 왕신자(王申子), 『대역집설(大易緝說)』 권9.

[계사상 3-4]

> 憂悔・吝者存乎介, 震無咎者存乎悔.

후회와 유감을 근심하는 것은 개(介:작은 단서)에 보존되어 있고,
움직여 허물이 없어지는 것은 후회에 보존되어 있다.

本義

介, 謂辨別之端, 蓋善惡已動而未形之時也. 於此憂之, 則不
至於悔・吝矣. 震, 動也. 知悔, 則有以動其補過之心, 而可以
無咎矣.

개(介:작은 단서)는 변별하는 단서를 말하니, 선・악이 이미 움직
였지만 아직 나타나지 않은 때이다. 이때에 근심하면 후회와 유감
에 이르지 않는다. 진(震)은 움직이는 것이다. 후회할 줄 알면 잘못
을 보완하려는 마음을 움직여 허물이 없어질 수 있다.

集說

● 虞氏翻曰 : "震, 動也. 有不善未嘗不知之, 知之未嘗復行, 無
咎者善補過, 故存乎悔也."15)

---

15) 이정조(李鼎祚), 『주역집해(周易集解)』 권13에 우번(虞翻)의 말로 기재
되어 있다.

우번(虞翻)이 말했다. "진(震)은 움직이는 것이다. 불선이 있으면 그것을 알지 못한 적이 없고 알면 다시 행한 적이 없어서, 허물이 없어진 사람은 잘못을 잘 보완하기 때문에 후회에 보존되어 있다는 것이다."

● 韓氏伯曰：“介，纖介也．王弼曰‘憂悔·吝之時，其介不可慢也.’ 卽‘悔·吝者，言乎小疵也.’”16)

한백(韓伯)이 말했다. "개(介)는 미세함이다. 왕필이 '후회와 유감을 근심할 때 그 미세함은 업신여길 수 없다'17)라고 한 것은 곧 '후회와 유감은 그 작은 결점을 말한 것이다'라는 뜻이다."

● 程子曰：“以悔·吝爲防，則存意於微小，震懼而得無咎者以此.”18)

정자(程子 : 程頤)가 말했다. "후회와 유감으로 방비하면 미세한 데 뜻을 두니, 두려워하면서 허물이 없어질 수 있는 것은 이것으로 한다."

● 『朱子語類』，問：“‘憂悔·吝者存乎介’，悔·吝未至於吉·凶，是乃初萌動，可以向吉·凶之微處．介又是悔·吝之微處，‘介’字

---

16) 한백(韓伯), 『주역주소(周易註疏)』 권11.
17) 후회와 유감을 근심할 때 그 미세함은 업신여길 수 없다 : 왕필, 『주역주(周易註)』 권10, 「주역략례 상周易略例上)」.
18) 정이(程頤), 『하남정씨경설(河南程氏經說)』 권1.

如界至・界限之'界', 是善惡初分界處. 於此憂之, 則不至於悔・吝矣."
曰 : "然."19)

『주자어류』에서 물었다. "'후회와 유감을 근심하는 것은 개(介 : 작은 단서)에 보존되어 있다'라고 했는데, 후회와 유감은 아직 길함과 흉함에 이르지 않은 것으로 처음 싹이 틀 때이니 길함과 흉함의 미세한 곳으로 향할 수 있습니다. 개(介)는 또 후회와 유감이 미세한 곳이니, '개(介)'자는 마치 계지(界至 : 邊境)・계한(界限 : 限界)의 '계(界)'와 같은 것으로 선과 악이 처음 나누어지는 경계입니다. 여기에서 근심하면 후회와 유감에 이르지 않을 것입니다."
(주자가) 대답했다. "그렇다."

● 邱氏富國曰 : "此章就吉・凶・悔・吝上, 添入'無咎'說. 旣欲人於悔・吝上著力, 尤欲人於介上用功. 蓋人知悔, 則以善補過而無咎, 雖未至吉, 亦不至凶也. 若又於悔・吝之介憂之, 則但有吉而已. 所謂'幾者動之微, 而吉之先見者也', 並悔・吝亦皆無矣."

구부국(邱富國)이 말했다. "이 장(章)은 길・흉・회・린에 '허물이 없어진다'는 것을 덧붙여 말한 것이다. 이미 사람들에게 후회와 유감에 힘쓰도록 하고 게다가 또 작은 단서에도 노력하도록 했다. 대개 사람이 후회할 줄 알면 잘못을 잘 보완하여 허물이 없어질 수 있으니, 비록 아직 길함에 이르지는 못하지만 또한 흉함에 이르지는 않는다. 게다가 후회와 유감의 작은 단서에서 그것을 근심하면, 다만 길함이 있을 따름이다. 이른바 '기미는 움직임의 은미함으로 길함

---

19) 주희, 『주자어류』 권74, 72조목.

이 먼저 나타난 것이다'20)라고 하였으니, 후회와 유감마저도 모두
없어진다."

● 吳氏澄曰:"'列貴賤者存乎位', 覆說'爻者言乎變.'21) '齊小大
者存乎卦', 覆說'象者言乎象.' 分辨吉凶, 存乎象·爻之辭, 覆說
'言乎其失得也.' 悔·吝介乎吉·凶之間, 憂其介, 則趨於吉不趨
於凶矣, 覆說'言乎其小疵也.' 震者, 動心戒懼之謂. 有咎而能戒
懼, 則能改悔所爲, 而可以無咎, 覆說'善補過也.'"22)

오징(吳澄)이 말했다. "'귀(貴)·천(賤)을 나열해 놓은 것은 자리에

----

20) 기미는 움직임의 은미함으로 길함이 먼저 나타난 것이다 : 『역』「계사하」
제5장에서 "공자가 말했다. '기미를 알면 아마 신묘(神妙)할 것이다! 군
자는 위로 교제함에 아첨하지 않고 아래로 교제함에 모독하지 않으니,
아마 기미를 알았을 것이다! 기미는 움직임이 은미한 것으로서 길함이
먼저 나타난 것이다. 군자는 기미를 보고 떠나가니 하루가 다 끝나기를
기다리지 않는다. 『역』에서 「돌처럼 절개가 굳어 하루가 다 끝나기를
기다리지 않으니, 정(貞)하고 길(吉)하다」라고 하였다. 절개가 마치 돌과
같으니, 어찌 하루가 다 끝나기를 기다리겠는가? 결단력이 있는 것을 알
수 있다. 군자는 은미함을 알고 드러남을 알며, 유(柔)를 알고 강(剛)을
아니, 수많은 사람이 우러러 본다.'[子曰 : '知幾其神乎! 君子上交不諂,
下交不瀆, 其知幾乎! 幾者動之微, 吉之先見者也. 君子見幾而作, 不俟
終日. 『易』曰,「介于石, 不終日, 貞吉.」介如石焉, 寧用終日? 斷可識
矣. 君子知微知彰·知柔知剛, 萬夫之望.']"라고 하였다.
21) 覆說'爻者言乎變 : 오징(吳澄), 『역찬언(易纂言)』권7에는 이 구절 뒤에
"上貴下賤布列於六位, 而每位各繫以爻辭也.[위가 존귀하고 아래가 비
천한 것이 여섯 자리에 분포되어 진열되어 있고, 매 자리는 각각 효사를
붙였다.]"라는 말이 더 있다.
22) 오징(吳澄), 『역찬언(易纂言)』권7.

보존되어 있다'라는 구절은 '효(爻)는 변(變)을 말하는 것이다'라는 구절의 뜻을 뒤집어 말한 것이다. '소(小)·대(大)를 가지런히 해 놓는 것은 괘에 보존되어 있다'라는 구절은 '단(彖)은 상(象)을 말하는 것이다'라는 구절의 뜻을 뒤집어 말한 것이다. 길(吉)·흉(凶)을 변별해 놓는 것은 단사(彖辭)와 효사(爻辭)에 보존되어 있다는 구절은 '그 얻음과 잃음을 말한 것이다'라는 구절의 뜻을 뒤집어 말한 것이다. 후회와 유감은 길함과 흉함 사이에 있는 작은 단서인데, 그 단서를 근심하면 길함으로 향해가지 흉함으로 향해가지 않는다는 구절은 '그 작은 결점을 말한 것이다'라는 구절의 뜻을 뒤집어 말한 것이다. 진(震)은 마음을 움직여 경계하고 두려워하는 것을 말한다. 허물이 있을 때 경계하고 두려워할 수 있으면 저지른 일을 뉘우치고 고쳐서 허물이 없어질 수 있다는 것은 '잘못을 잘 보완한다'라는 것을 뒤집어 말한 것이다."

● 趙氏玉泉曰 : "介在事前, 悔在事後."

조옥천(趙玉泉)이 말했다. "작은 단서는 일 이전에 있고, 후회는 일 이후에 있다."

● 汪氏砥之曰 : "『易』凡言悔·吝, 卽寓介之意; 言無咎, 卽寓悔之意. 憂'盱豫'之悔, 存乎遲速之介也. 憂'卽鹿'之吝, 存乎往舍之介也. 震'甘臨'之無咎, 存乎憂而悔也. 震'頻復'之無咎, 存乎厲而悔也."

왕지지(汪砥之)가 말했다. "『역』에서 후회와 유감을 말한 것은 곧 작은 단서에 우거(寓居)하는 뜻이고, 허물이 없어진다고 말한 것은 후회에 우거하는 뜻이다. '올려보고 기뻐하는 것'을 근심하는 후회는23) 더디거나 빠른 작은 단서에 보존되어 있다. '사슴을 쫓는 것을' 근심하는 유감은24) 그대로 가거나 버리는 작은 단서에 보존되어 있다. '기쁨으로 임하는 것에' 움직여 허물이 없어지는 것은25) 근심하여 후회하는 일에 보존되어 있다. '돌아오기를 자주하는 것에' 움직여 허물이 없어지는 것은26) 위태하여 후회하는 일에 보존되어 있다."

---

23) '올려보고 기뻐하는 것'을 근심하는 후회는 : 예(豫▦)괘에서 "육삼(六三)은 올려 보고 기뻐하므로 후회할 것이니, 더디게 하면 후회가 있을 것이다.[六三, 盱豫, 悔, 遲有悔.]"라고 하였다.

24) '사슴을 쫓는 것을' 근심하는 유감은 : 준(屯▦)괘에서 "육삼(六三)은 사슴을 쫓되 우인(虞人)이 없어 길을 잃고 숲속으로 빠져 들어갈 뿐이니, 군자는 기미를 알아 버리는 것만 못하다. 그대로 가면 유감스러울 것이다.[六三, 卽鹿无虞, 惟入于林中, 君子幾, 不如舍. 往吝.]"라고 하였다.

25) '기쁨으로 임하는 것에' 움직여 허물이 없어지는 것은 : 임(臨▦)괘에서 "육삼(六三)은 기쁨으로 임(臨)하여 이로운 것이 없지만, 이미 근심했기 때문에 허물이 없어질 것이다.[六三, 甘臨, 无攸利, 旣憂之. 无咎.]"라고 하였다.

26) '돌아오기를 자주하는 것에' 움직여 허물이 없어지는 것은 : 복(復▦)괘에서 "육삼(六三)은 돌아오기를 자주하는 것이니, 위태롭지만 허물이 없어질 것이다.[六三, 頻復, 厲无咎.]"라고 하였다.

[계사상 3-5]

> 是故卦有小大, 辭有險易, 辭也者, 各指其所之.
>
> 그러므로 괘에는 소(小)와 대(大)가 있고, 말에는 험하고 평이함이
> 있으니, 말[辭]은 각각 그 향하는 것을 가리킨다.

本義

小險大易, 各隨所向.

소(小)의 험함과 대(大)의 평이함이 각각 향하는 것을 따른다.

此第三章, 釋卦爻辭之通例.

이는 제3장이니, 괘사와 효사의 통례(通例)를 풀이하였다.

集說

● 『朱子語類』云 : "'卦有小大', 看來只是好底卦, 便是大; 不好
底卦, 便是小. 如復·如泰·如大有·如夬之類, 盡是好底卦; 如
睽·如困·如小過之類, 盡是不好底.27) 所以謂'卦有小大, 辭有

....

27) 盡是不好底 : 주희, 『주자어류』 권74, 74조목에는 이 구절 뒤에 "譬如人,
    光明磊落底, 便是好人; 昏昧迷暗底, 便是不好人.[사람에 비유하면, 밝

險易.' 大卦辭易, 小卦辭險, 卽此可見."28)

『주자어류』에서 말했다. "'괘에는 소(小)와 대(大)가 있다'라는 말은, 생각건대 좋은 괘는 크고, 좋지 않은 괘는 작다는 말일 뿐이다. 예컨대 복(復)괘·태(泰)괘·대유(大有)괘·쾌(夬)괘와 같은 것들은 모두 좋은 괘이고, 규(睽)괘·곤(困)괘·소과(小過)괘와 같은 것들은 모두 좋지 않은 것이다. 그러므로 '괘에는 소(小)와 대(大)가 있고, 말에는 험함과 평이함이 있다'라고 한다. 큰 괘는 말이 평이하고, 작은 괘는 말이 험한 것을 바로 여기에서 알 수 있다."

● 項氏安世曰 : "貴賤以位言, 小大以材言. 卦各有主, 主各有材. 聖人隨其材之大小, 時之難易, 而命之辭, 使人之知所適從也."29)

항안세(項安世)가 말했다. "귀(貴)·천(賤)은 자리로 말하고, 소(小)·대(大)는 재질로 말한 것이다. 괘는 각각 주인이 있고 주인은 각각 재질이 있다. 성인은 그 재질의 크고 작음, 때의 쉬움과 어려움에 따라 말을 명명하여 사람들에게 좇아야 할 것을 알도록 했다."

● 潘氏夢旂曰 : "卦有小有大, 隨其消長而分; 辭有險有易, 因其安危而別. 辭者各指其所向, 凶則指其可避之方, 吉則指其可

....

게 빛나고 산처럼 우뚝 솟은 것은 좋은 사람이고, 어둡고 미혹된 사람은 좋지 않은 사람이다.]'라는 말이 더 있다.

28) 주희,『주자어류』권74, 74조목.
29) 항안세(項安世),『주역완사(周易玩辭)』권13.

趨之所, 以示乎人也."

반몽기(潘夢旂)가 말했다. "괘에 소(小)가 있고 대(大)가 있는 것은 그 줄어듦과 불어남에 따라 나눈 것이며, 말에 험함이 있고 평이함이 있는 것은 그 편안함과 위험함에 따라 구별한 것이다. 말은 각각 그 향하는 것을 가리키니, 흉한 것은 그 피할 수 있는 방향을 가리키고 길한 것은 그 쫓을 수 있는 곳을 가리켜서, 사람들에게 보인 것이다."

● 吳氏澄曰 : "上文有貴賤·小大, 此獨再提'卦有小大', 蓋卦·彖爲諸辭之總也."[30]

오징(吳澄)이 말했다. "윗글에는 귀(貴)·천(賤)과 소(小)·대(大)가 있었는데, 여기에서 다만 '괘에는 소(小)·대(大)가 있다'라고 다시 제시한 것은 괘사(卦辭)와 단사(彖辭)가 여러 말의 총괄이 되기 때문이다."

● 蔡氏淸曰 : "據本章通例看, 此條卦字·辭字, 皆兼爻說."[31]

채청(蔡淸)이 말했다. "이 장(章)의 통례(通例)에 의거해 보면, 이 구절의 괘(卦)자와 사(辭)자는 모두 효(爻)를 겸해서 말한 것이다."

案

此章申第二章'吉凶者, 失得之象也'一節之義. 首言象·爻者, 吉

30) 오징(吳澄), 『역찬언(易纂言)』 권7.
31) 채청(蔡淸), 『역경몽인(易經蒙引)』 권9상(上).

·凶·悔·吝之辭, 象·爻皆有之也. 吉·凶則已著, 故直言其失·得而已; 悔·吝則猶微, 故必推言其小疵也. 至四者之外, 又有所謂'無咎'者, 不圖吉利, 求免罪愆之名也. 其道至大, 而貫乎吉·凶·悔·吝之間, 故『易』之中有曰'吉, 無咎'者, 有曰'凶, 無咎'者, 有曰'吝, 無咎'者.

이 장(章)은 제2장의 '길·흉은 득·실의 상(象)이고, 후회[悔]와 유감[吝]은 근심[憂]과 우려[虞]의 상이다'라는 구절의 의미를 펼쳤다. 첫머리에 단사와 효사를 말한 것은 길·흉·회·린의 말이 단사와 효사가 모두 가지고 있기 때문이다. 길·흉은 이미 드러났기 때문에 곧바로 얻음과 잃음이라고 말했을 뿐이지만, 회·린은 아직 미세하기 때문에 반드시 그 작은 결점을 미루어 말했다. 길·흉·회·린 네 가지 외에 또 이른바 '허물이 없다[無咎]'는 것이 있는데, 길함과 이로움을 도모하지 않지만 죄와 과실을 모면하기를 구하는 것을 가리킨다. 그 도는 지극히 크지만 길·흉·회·린 사이에 관통해 있기 때문에 『역』 가운데 '길하여 허물이 없다'라는 말과 '흉하지만 허물이 없다'라는 말 및 '유감이 있지만 허물이 없다'라는 등의 말이 있다.

然其機皆在於"悔", 蓋唯能悔, 則吉而不狃於安也, 凶而能動於困也, 吝而不包其羞也. 是故『易』辭之敎人也, 於吉·凶辨之而已, 於悔·吝也則憂之, 謹其幾也. 憂之不已, 又從而震之, 曰誠能去吝而悔, 不徒悔而補過, 則可以無咎矣. 夫不貳過而'無祗悔'者, 至也. 衆人不貴無悔而貴能悔, 爲其爲改過遷善之路也. 故曰'懼以終始, 其要無咎, 此之謂易之道.'

그러나 그 기틀은 모두 후회함에 달려 있으니, 오직 후회할 수 있

으면 길해도 안일함에 친압하지 않고, 흉해도 곤궁함에서 움직일
수 있으며, 유감이 있어도 부끄러움을 포함하지 않기 때문이다. 이
때문에 『역』의 말이 사람들을 가르치는 것은 길·흉에 대해서는
변별할 뿐이고, 회·린에 대해서는 그것을 근심하여 그 기미를 삼
가도록 했다. 그것을 근심하기를 끊이지 않고 또 쫓아서 마음을
움직이게 하여, 진실로 유감을 버리고 후회하며, 한갓 후회만 하지
않고 잘못을 보완할 수 있으면 허물이 없어질 수 있다고 하였다.
무릇 잘못을 두 번 다시 저지르지 않고[32] 후회함에 이르지 않는
사람이[33] 지극하다. 보통사람들은 후회함이 없는 것을 귀하게 여
기지 않고 후회할 수 있는 것을 귀하게 여기니, 그것이 개과천선
하는 길이기 때문이다. 그러므로 '두려워하면서 시작하고 마치면
그 허물이 없는 데로 귀결될 것이니, 이것을 역(易)의 도라고 한
다'[34]라고 하였다.

....

32) 잘못을 두 번 다시 저지르지 않고 : 『논어』「옹야(雍也)」에서 "애공(哀公)
   이 '제자 가운데 누가 배우기를 좋아합니까?'하고 묻자, 공자가 대답했다.
   '안회(顔回)라는 자가 배우기를 좋아하여 노여움을 남에게 옮기지 않으
   며 잘못을 두 번 다시 저지르지 않았는데, 불행하게도 명이 짧아 죽었습
   니다. 그래서 지금은 없으니, 아직 배우기를 좋아한다는 자를 듣지 못하
   였습니다.'[哀公問 : '弟子孰爲好學?' 孔子對曰 : '有顔回者好學, 不遷
   怒, 不貳過, 不幸短命死矣. 今也則亡, 未聞好學者也.']라고 하였다.
33) 후회함에 이르지 않는 사람이 : 『역』「계사하」제5장에서 "공자가 말했다.
   '안씨(顔氏)의 아들은 거의 도에 가까울 것이다! 선하지 않은 것이 있으
   면 일찍이 알지 못한 적이 없고, 알면 다시 행한 적이 없다. 『역』(復卦
   초구)에서 「멀리 가지 않고 돌아와 후회함에 이르지 않으니, 크게 선하고
   길하다.」라고 하였다.'[子曰 : 顔氏之子, 其殆庶幾乎! 有不善, 未嘗不
   知; 知之, 未嘗復行也. 易曰,「不遠復, 无祗悔, 元吉.」]라고 하였다.
34) 두려워하면서 시작하고 마치면 … 이것을 역(易)의 도라고 한다 : 『역』
   「계사하」제11장에서 "역(易)이 흥기한 것은 은(殷)나라 말기와 주(周)

나라의 덕이 융성할 때였을 것이고, 문왕(文王)과 주(紂)의 일이 있었을 때였을 것이다! 그러므로 그 말은 위태로워서, 위태롭게 여기는 자를 평안하게 하고 쉽게 여기는 자를 기울어지게 하였다. 그 도(道)는 매우 커서, 온갖 것을 폐기하지 않았지만 두려워하여 마치고 시작하면 그 요지(要旨)는 허물이 없을 것이다. 이것을 일러 역(易)의 도(道)라 한다.[易之興也, 其當殷之末世, 周之盛德邪, 當文王與紂之事邪! 是故其辭危, 危者使平, 易者使傾. 其道甚大, 百物不廢, 懼以終始, 其要无咎. 此之謂易之道也.]"라고 하였다.

계사상 4

[계사상 4-1]

> 『易』與天地準, 故能彌綸天地之道.
>
> 『역(易)』은 천지와 더불어 준칙이 되기 때문에 천지의 도를 두루
> 통섭한다.

本義

『易』書卦·爻, 具有天地之道, 與之齊準. '彌', 如彌縫之彌,
有終竟聯合之意. '綸', 有選擇條理之意.

『역』의 괘·효는 천지의 도를 갖추고 있어 천지와 더불어 준칙이 된
다. '미(彌)'는 미봉(彌縫)의 미(彌)와 같으니, 끝까지 연합한다는 뜻
이 있다. '윤(綸)'은 선택하여 조리가 있게 한다는 뜻이 있다.

集說

● 韓氏伯曰 : "作『易』以準天地."[1]

한백(韓伯)이 말했다. "『역』을 만들면서 천지를 준칙으로 하였다."

● 孔氏穎達曰 : "言聖人作『易』, 與天地相準, 謂準擬天地, 則乾健以法天, 坤順以法地之類是也."[2]

공영달(孔穎達)이 말했다. "성인이 『역』을 만들 때 천지와 더불어 서로 준칙이 되었다고 말한 것은 천지를 본떴음을 일컬으니, 건(乾)은 강건함으로 하늘을 본받고, 곤(坤)은 순조로움으로 땅을 본받는 따위가 이것이다."

● 蘇氏軾曰 : "'準', 符合也. '彌', 周浹也. '綸', 經緯也. 所以與天地準者, 以能知幽明之故·死生之說·鬼神之情狀也."[3]

소식(蘇軾)이 말했다. "'준(準)'은 부절처럼 합함이다. '미(彌)'는 두루 미친침이다. '윤(綸)'은 가로 세로의 조리가 됨이다. 천지와 더불어 부합하는 자는 그것으로 유(幽)·명(明)의 원인과 사(死)·생(生)의 이론과 귀(鬼)·신(神)의 상황을 알 수 있다."

● 王氏宗傳曰 : "天地之道, 卽下文所謂'一陰一陽'是也. 是道也, 其在天地, 則爲幽·明; 寓於始終, 則爲生·死; 見於物變, 則爲鬼·神."[4]

----

1) 한백(韓伯), 『주역주소(周易註疏)』 권11.
2) 공영달 소(孔穎達 疏), 『주역주소(周易註疏)』 권11.
3) 소식(蘇軾), 『동파역전(東坡易傳)』 권7.
4) 왕종전(王宗傳), 『동계역전(童溪易傳)』 권27.

왕종전(王宗傳)이 말했다. "천지의 도(道)는 곧 아래(제5장) 글의 이른바 '한 번 음(陰)이 되고 한 번 양(陽)이 됨'이 이것이다. 이 도는 천지에서는 유(幽)·명(明)이 되고, 처음과 끝에 우거(寓居)해서는 사(死)·생(生)이 되며, 사물의 변화에 나타나서는 귀(鬼)·신(神)이 된다."

● 『朱子語類』云 : "凡天地間之物, 無非天地之道.5) 故『易』能彌綸天地之道.6) '彌'如封彌之'彌', 糊合使無縫罅. '綸'如綸絲之'綸', 自有條理. 言雖是彌得外面無縫罅, 而中則事事物物, 各有條理.7) 彌而非綸, 而空疏無物; 綸而非彌, 則判然不相干. 此二字, 見得聖人下字甚密也."8)

『주자어류』에서 말했다. "무릇 천지간의 사물은 『역』의 도가 아닌 것이 없다. 그러므로 『역』은 천지의 도를 두루 통섭할 수 있다. '미(彌)'는 봉미(封彌 : 봉인하다)의 미(彌)와 같으니, 봉합하여 틈이 없도록 하는 것이다. '윤(綸)'은 윤사(綸絲 : 명주실)의 윤(綸)과 같으니, 본래 조리가 있다. 비록 밖을 봉합하여 틈이 없지만 가운데는

---

5) 無非天地之道 : 주희, 『주자어류』 권74, 76조목에는 "無非『易』之道.[『역』의 도가 아닌 것이 없다.]"라고 되어 있다. 문맥상 번역문은 『주자어류』에 따른다.

6) 故『易』能彌綸天地之道 : 주희, 『주자어류』 권74, 76조목에는 "而聖人用之也.[성인은 그것을 사용한다.]"라는 말이 더 있다.

7) 各有條理 : 주희, 『주자어류』 권74, 76조목에는 "彌, 如'大德敦化'; 綸, 如'小德川流'.[봉합한다는 것은 마치 '큰 덕은 교화가 돈후하다'라는 말과 같고, 조리가 있다는 것은 마치 '작은 덕은 강물처럼 흐른다'라는 말과 같다.]"라는 말이 더 있다.

8) 주희, 『주자어류』 권74, 76조목.

매 사물마다 각각 조리가 있음을 말한다. 봉합했지만 조리가 없으면 방종하고 산만하여 사물이 없고, 조리가 있지만 봉합하지 않으면 판연히 서로 간여하지 않는다. 이 두 글자에서 성인이 글자를 선별하여 배치한 것이 매우 엄밀함을 볼 수 있다."

● 胡氏炳文曰 : "此 ‘易’字, 指『易』書而言. 書之中具有天地之道, 本自與天地相等. 故於天地之道, 彌之則是合萬爲一, 渾然無欠; 綸之則一實萬分, 粲然有倫."[9]

호병문(胡炳文)이 말했다. "여기에서 ‘역(易)’자는 『역』이라는 책을 가리킨다. 『역』이라는 책 가운데 천지의 도를 갖추고 있으니, 본래 천지와 더불어 서로 대등하다. 그러므로 천지의 도에 대해 그것을 봉합하면 만 가지를 합하여 하나가 되어 혼연히 흠결이 없고, 그것을 조리있게 하면 하나의 실체가 만 가지로 나뉘어 찬연히 질서가 있다."

案

此下三節, 朱子分爲‘窮理’·‘盡性’·‘至命’者極確. 然須知非有『易』以後, 聖人方用『易』以窮之·盡之·至之. 『易』是聖人窮理·盡性·至命之書. 聖人全體『易』理, 故言『易』窮理·盡性·至命, 卽是言聖人也. ‘『易』與天地準’, ‘與天地相似’, ‘範圍天地之化而不過’, 此三句當爲三節冠首, 第二·第三節不言『易』者, 蒙第一節文義.

---

9) 호병문(胡炳文), 『주역본의통석(周易本義通釋)』 권5.

이 아래 세 개의 구절에 대해 주자가 '궁리(窮理 : 이치를 궁구함)'·'진성(盡性 : 본성을 다 발휘함)'·'지명(至命 : 천명에 이름)'으로 나눈 것은 매우 정확하다. 그렇지만 『역』이 있은 뒤에 성인이 『역』을 사용하여 그것을 궁구하고, 다 발휘하며, 그것에 이른 것이 아님을 반드시 알아야 한다. 『역』은 성인이 궁리·진성·지명한 책이다. 성인은 『역』의 이치를 온전히 체득했기 때문에, 『역』의 궁리·진성·지명을 말함은 곧 성인을 말한다. 이 구절의 '『역(易)』은 천지와 더불어 준칙이 된다'라는 말과, 아래 구절의 '천지와 더불어 서로 비슷하다' 및 '천지의 화(化)를 모범으로 삼아 지나치지 않는다'라는 말에서, 이 세 마디 말이 각각 그 구절들의 첫머리가 되는데, 제2절과 제3절에서 『역』을 말하지 않은 것은 제1절의 문장 내용을 이어 받았기 때문이다.

仰以觀於天文, 俯以察於地理, 是故知幽明之
故. 原始反終, 故知死生之說. 精氣爲物, 遊魂爲
變, 是故知鬼神之情狀.

위로 우러러보아 천문(天文)을 관찰하고 아래로 굽어보아 지리(地
理)를 살피니, 이 때문에 유(幽)·명(明)의 원인을 안다. 시초를 추구
하여 끝을 돌이켜보기 때문에 사(死)·생(生)의 이론을 안다. 정(精)
과 기(氣)가 만물이 되고, 떠도는 혼(魂)이 변(變)이 되니, 이 때문에
귀(鬼)·신(神)의 상황을 안다.

本義

此窮理之事. '以'者, 聖人以『易』之書也. 易者, 陰陽而已, '幽
明'·'死生'·'鬼神', 皆陰陽之變, 天地之道也. '天文'則有晝夜
·上下, '地理'則有南北·高深, '原'者, 推之於前; '反'者, 要之
於後. 陰精陽氣, 聚而成物, '神'之伸也; 魂遊魄降, 散而爲變,
'鬼'之歸也.

이는 이치를 캐묻는 일이다. '이(以)'는 성인이 『역』이라는 책을 이
용하는 일이다. 역(易)은 음(陰)·양(陽)일 뿐이니, '유(幽)·명(明)',
'사(死)·생(生)', '귀(鬼)·신(神)'은 모두 음·양의 변(變)이고 천·지
의 도이다. '천문(天文)'에는 주(晝)·야(夜)와 상(上)·하(下)가 있
고, '지리(地理)'에는 남(南)·북(北)과 고(高)·심(深)이 있다. '원

(原)'은 이전으로 추구하는 것이고, '반(反)'은 뒤로 탐구하는 것이다. 음(陰)의 정(精)과 양(陽)의 기(氣)가 모여 사물을 이루는 것은 '신(神)'의 펴짐이고, 혼(魂)이 돌아다니고 백(魄)이 내려와 흩어져 변(變)이 되는 것은 '귀(鬼)'의 돌아감이다.

集說

● 韓氏伯曰：“幽‧明者, 有形無形之象; 死‧生者, 始終之數也.”[10]

한백(韓伯)이 말했다. “유(幽)‧명(明)은 형체가 있는 것과 형체가 없는 것의 상(象)이고, 사(死)‧생(生)은 시초와 끝의 수(數)이다.”

● 程子曰：“原始則足以知其終, 反終則足以知其始. ‘死生之說’, 如是而已矣.”[11]

정자(程子：程顥‧程頤)가 말했다. “시초를 추구하면 그 끝을 알기에 충분하고, 끝을 돌이켜보면 그 시초를 알기에 충분하다. ‘사(死)‧생(生)의 이론’은 이와 같을 따름이다.”

● 蘇氏軾曰：“鬼常與體魄俱, 故謂之物; 神無適而不可, 故謂之變. 精氣爲魄, 魄爲鬼; 志氣爲魂, 魂爲神.”[12]

10) 한백(韓伯), 『주역주소(周易註疏)』 권11.
11) 정자(程子：程顥‧程頤), 『이정유서(二程遺書)』 권25.
12) 소식(蘇軾), 『동파역전(東坡易傳)』 권7.

소식(蘇軾)이 말했다. "귀(鬼)는 항상 육체와 함께 갖추어지기 때문에 물(物)이라 하고, 신(神)은 어디든 갈 수 없는 곳이 없기 때문에 변(變)이라고 한다. 정기(精氣)가 백(魄)이 되고 백은 귀(鬼)가 되며, 지기(志氣)가 혼(魂)이 되고 혼은 신(神)이 된다."

● 『朱子語類』, 問, "原始反終, 故知死生之說." 曰 : "人未死, 如何知得死之說? 只是原其始之理, 將後面摺轉來看, 便見得. 以此之有, 知彼之無."[13]

『주자어류』에서 "처음을 추구하여 끝을 돌이켜보기 때문에 사(死)·생(生)의 이론을 안다"라는 구절에 대해 물었다.
(주자가) 대답했다. "사람이 아직 죽지 않았는데, 어떻게 죽음의 이론을 알 수 있겠는가? 다만 그 처음의 이치를 추구하여 그 나중을 돌이켜보면 바로 알 수 있다. 이것이 있음으로 저것이 없음을 알 수 있다."

● 又云 : "魄爲鬼, 魂爲神, 『禮記』有孔子答宰我問, 正說此理甚詳. 宰我曰, '吾聞鬼神之名, 不知其所謂.' 子曰, '氣也者, 神之盛也 ; 魄也者, 鬼之盛也. 合鬼與神, 教之至也.' 注, '氣, 謂噓吸出入者也, 耳目之聰明爲魄.' 雜書云, '魂, 人陽神也 ; 魄, 人陰神也.' 亦可取."[14]

(주자가) 또 말했다. "혼(魂)이 귀(鬼)가 되고 백(魄)이 신(神)이 되는 것에 대해, 『예기(禮記)』에 공자가 재아(宰我)의 질문에 대답한

---

13) 주희, 『주자어류』 권74, 83조목.
14) 주희, 『주문공문집(朱文公文集)』 권47, 「답여자약(答呂子約)」.

말이 있는데, 바로 이 이치를 아주 상세하게 말하고 있다. 재아가 '제가 귀신에 대해 일컫는 것을 들었는데, 무엇을 말하는지 모르겠습니다'라고 물었다. 공자가 '기(氣)라는 것은 신(神)이 성대하고, 백(魄)이라는 것은 귀(鬼)가 성대하다. 귀(鬼)와 신(神)을 합하는 것이 가르침의 지극함이다'라고 대답했다.[15] (정현은) '기(氣)는 내쉬고 들이마시며 나가고 들어가는 것이고, 귀와 눈이 총명하여 백(魄)이 된다'[16]라고 주석하였다. 여러 책에서도 '혼(魂)은 사람에게서 양이 펼쳐짐이고 백(魄)은 사람에게서 음이 펼쳐짐이다'[17]라고 하였는데, 역시 취할 만하다."

● 陳氏淳曰 : "人生天地間, 得天地之氣以爲體, 得天地之理以爲性. 原其始而知所以生, 則要其終而知所以死. 古人謂'得正而斃', 謂'朝聞道, 夕死可矣', 只緣受得許多道理, 須知得盡得便自無愧. 到死時亦只是這二五之氣, 聽其自消化而已. 所謂'安死順生, 與天地同其變化', 這個便是與造化爲徒."[18]

....

15) 재아가 '제가 귀신에 대해 … 가르침의 지극함이다'라고 대답했다 : 『예기』「제의(祭義)」.

16) 기(氣)는 내쉬고 들이마시며 … 총명하여 백(魄)이 된다 : 정현 주, 공영달 소, 『예기주소(禮記註疏)』 권47, 「제의(祭義)」.

17) 여러 책에서도 혼(魂)은 … 사람의 양신(陽神)이고 백(魄)은 사람에게서 음이 펼쳐짐이다 : 위식(衛湜)의 『예기집설(禮記集說)』 권122, 「제의(祭義)」에서 『회남자』「주술훈」에서 '하늘의 기가 혼이 되고 땅의 기가 백이 되다'라고 하였다. 고유(高誘)는 '혼(魂)은 사람에게서 양이 펼쳐짐이고 백(魄)은 사람에게서 음이 펼쳐짐이다'라고 주석하였다.[『淮南子』曰, '天氣爲魂, 地氣爲魄.' 高誘注曰, '魂, 人陽神也; 魄, 人陰神也.']라고 하였다.

18) 진순(陳淳), 『북계자의(北溪字義)』 권 하(下), 「불노(佛老)」.

진순(陳淳)19)이 말했다. "사람이 천지간에 태어날 때 천지의 기(氣)를 얻어 몸[體]으로 삼고, 천지의 리(理)를 얻어 성(性)으로 삼는다. 그 처음을 추구하여 태어난 까닭을 알면, 그 끝을 탐구하여 죽는 까닭을 알 수 있다. 옛 사람들이 '바름을 얻어서 죽는다'20)라 하고, '아침에 도(道)를 들으면 저녁에 죽어도 괜찮다'21)라고 말한 것은, 다만 많은 도리를 받았으니 반드시 그것을 다 알고 다 발휘하면 저절로 부끄러움이 없을 것이라는 데서 연유할 뿐이다. 죽을 때에 이르러도 또한 다만 이 음양오행의 기(氣)일 뿐이니 저절로 사그라져 없어져버리는 것을 받아들일 따름이다. 이른바 '죽음에 편안하고 삶에 순조로워 천지와 그 변화를 함께한다'22)라고 한 것은 바로 조화(造化)와 같은 무리가 된다."

● 又曰 : "陰陽二氣會在吾身之中爲鬼神. 以寤寐言, 則寤屬陽, 寐屬陰; 以語默言, 則語屬陽, 默屬陰; 及動靜進退行止等, 分屬

---

19) 진순(陳淳, 1159~1223) : 자는 안경(安卿)이고, 호는 북계(北溪)이다. 송대 용계(龍溪 : 현 복건성 장주〈漳州〉) 사람으로 주희가 장주 지사일 때 제자가 되어, 주희에게 "남쪽에 와서 나의 도가 진순 한 사람을 얻었다."라는 칭찬을 받았다. 평생 육구연(陸九淵)의 심학을 배척하고 주자학을 선양하는 데 힘썼으며, 영가학파(永嘉學派)의 대표 학자인 진량(陳亮)의 공리학(功利學)도 배척했다. 시호는 문안(文安)이다. 저서는『북계자의(北溪字義)』,『엄릉강의(嚴陵講義)』,『논맹학용구의(論孟學庸口義)』,『북계문집(北溪文集)』 등이 있다.
20) 바름을 얻어서 죽는다 :『예기』「단궁상(檀弓上)」에서 증자가 "내가 바름을 얻고 죽으면 그뿐이다.[吾得正而斃焉.]"라고 하였다.
21) 아침에 도(道)를 들으면 저녁에 죽어도 괜찮다 :『논어』「이인(里仁)」.
22) 죽음에 편안하고 삶에 순조로워 천지와 그 변화를 함께한다 : 호굉(胡宏),『지언(知言)』 권3.

皆有陰陽. 凡屬陽者皆爲魂爲神, 凡屬陰者皆爲魄爲鬼."23)

(진순이) 또 말했다. "음·양 두 기가 우리 몸에 모여 귀·신이 된
다. 깨어 있고 잠자는 것으로 말하면 깨어 있는 것은 양에 속하고
잠자는 것은 음에 속하며, 말하고 말하지 않는 것으로 말하면 말하
는 것은 양에 속하고 말하지 않는 것은 음에 속하며, 움직임과 고
요함, 나아감과 물러남, 가는 것과 멈추는 것 등에 미쳐 나누어 소
속시키면 모두 음양이 있다. 무릇 양에 속하는 것은 모두 혼(魂)이
되고 신(神)이 되며, 음에 속하는 것은 백(魄)이 되고 귀(鬼)가 된
다."

● 眞氏德秀曰:"人之生, 精與氣合, 精屬陰, 氣屬陽. 精則魄也,
目之所以明, 耳之所以聰.24) 氣充乎體, 凡人心之能思慮知識,
身之能舉動勇決,25) 此之謂魂. 神指魂而言, 鬼指魄而言."26)

진덕수(眞德秀)27)가 말했다. "사람이 생겨나는 것은 정(精)과 기

----

23) 진순(陳淳), 『북계자의(北溪字義)』 권 하(下), 「귀신(鬼神)」.

24) 耳之所以聰 : 진덕수(眞德秀), 『서산문집(西山文集)』 권30에는 이 구절
    뒤에 "卽精之爲也, 此之謂魄.[곧 정이 하는 것이니, 이를 백(魄)이라 한
    다.]"라는 말이 더 있다.

25) 진덕수(眞德秀), 『서산문집(西山文集)』 권30에는 이 구절 뒤에 "皆氣之
    所爲也[모두 기가 하는 것이니]"라는 말이 더 있다.

26) 진덕수(眞德秀), 『서산문집(西山文集)』 권30.

27) 진덕수(眞德秀, 1178~1235) : 자는 희원(希元)·경원(景元)·경희(景希)
    이고, 호는 서산(西山)이며, 시호는 문충(文忠)이다. 송대 포성(蒲城, 복
    건성 포성〈蒲城〉) 사람으로 1199년에 진사에 급제하여, 예부시랑(禮部
    侍郞), 호부상서(戶部尙書), 한림학사(翰林學士), 참지정사(參知政事)
    등을 역임하였다. 어려서는 주희의 문인인 첨체인(詹體仁)에게 배우고,

(氣)가 합쳐진 것이니, 정은 음에 속하고 기는 양에 속한다. 정(精)은 백(魄)으로, 눈이 잘 볼 수 있고 귀가 잘 들을 수 있는 근거이다. 기(氣)는 몸에 가득 채워져 있어, 무릇 사람의 마음이 사려하여 알 수 있으며 몸이 행동하고 용감하게 결단할 수 있는 것이니, 이를 혼(魂)이라 한다. 신(神)은 혼(魂)을 가리켜 말하고, 귀(鬼)는 백(魄)을 가리켜 말하였다.”

● 胡氏炳文曰 : “『易』不曰‘陽·陰’而曰‘陰·陽’, 此所謂‘幽·明’·‘死·生’·‘鬼·神’, 卽‘陰·陽’之謂也. 卽天地而‘知幽明之故’, 卽始終而‘知死生之說’, 卽散聚而‘知鬼神之情狀’, 皆窮理之事也.”[28]

호병문(胡炳文)이 말했다. “『역』에서 ‘양·음’이라 말하지 않고 ‘음·양’이라고 말했는데, 이는 이른바 ‘유(幽)·명(明)’, ‘사(死)·생(生)’, ‘귀(鬼)·신(神)’이 바로 ‘음·양’을 말하기 때문이다. 천지에 대해서는 ‘유(幽)·명(明)의 까닭을 알고’, 처음과 끝에 대해서는 ‘사(死)·생(生)의 이론을 알며’, 모이고 흩어짐에 대해서는 ‘귀(鬼)·신(神)의 상황을 아는 것이’ 모두 이치를 궁구하는 일이다.”

● 林氏希元曰 : “幽明之故, 死生之說, 鬼神之情狀, 其理皆在

....

스스로 ‘주희를 사숙하여 얻은 것이 있다’라고 하였다. 특히 『대학』을 중시하여 궁리·지경(窮理·持敬)을 강조하였다. 경원당금(慶元黨禁) 이후 정주(程朱)의 이학(理學)이 다시 성행하는 데 크게 공헌하였다. 저서는 『대학연의(大學衍義)』, 『사서집편(四書集編)』, 『독서기(讀書記)』, 『문장정종(文章正宗)』, 『당서고의(唐書考疑)』, 『서산문집(西山文集)』 등이 있다.

28) 호병문(胡炳文), 『주역본의통석(周易本義通釋)』 권5.

於『易』, 故聖人用『易』以窮之也. 然亦要見得爲聖人窮理盡性之
書爾, 非聖人眞個卽『易』而後窮理盡性也."29)

임희원(林希元)이 말했다. "유(幽)·명(明)의 까닭, 사(死)·생(生)의
이론, 귀(鬼)·신(神)의 상황은 그 이치가 모두『역』에 있기 때문에
성인이『역』을 가지고 그것을 캐물었다. 그렇지만 또한『역』은 성
인이 이치를 궁구하고 성(性)을 다 발휘하기 위한 책일 뿐이지, 성
인이 참으로『역』에 나아간 뒤에 이치를 궁구하고 성(性)을 다 발
휘한 것이 아님을 알아야 한다."

● 鄭氏維嶽曰 : "原人之所以始, 全而生之, 卽反其所以終, 全
而歸之."

정유악(鄭維嶽)이 말했다. "사람의 처음이 되는 까닭을 추구하여
온전하게 살아가면, 그 끝이 되는 까닭을 돌이켜 온전하게 돌아갈
수 있다."

29) 임희원(林希元), 『역경존의(易經存疑)』 권9.

> 與天地相似, 故不違. 知周乎萬物而道濟天下, 故
> 不過. 旁行而不流, 樂天知命, 故不憂. 安土敦乎
> 仁, 故能愛.

천지와 더불어 서로 비슷하기 때문에 어기지 않는다. 지혜가 만물에
두루하고 도가 천하를 구제하기 때문에 지나치지 않는다. 사방으로
두루 시행하지만 방종하지 않아 천리(天理)를 즐거워하고 천명(天
命)을 알기 때문에 근심하지 않는다. 처한 곳에 편안하여 인(仁)에
돈독하기 때문에 사랑할 수 있다.

本義

此聖人盡性之事也. 天地之道, 知·仁而已, '知周萬物'者, 天
也. '道濟天下'者, 地也. 知且仁, 則知而不過矣. '旁行'者, 行
權之知也; '不流'者, 守正之仁也. 旣樂天理, 而又知天命, 故
能無憂, 而其知益深. 隨處皆安, 而無一息之不仁, 故能不忘
其濟物之心, 而仁益篤. 蓋仁者愛之理, 愛者仁之用. 故其相
爲表裏如此.

이는 성인이 성(性)을 다 발휘하는 일이다. 천·지의 도는 지혜[知]
와 인(仁)일 뿐이니, '지혜가 만물에 두루하는 것'은 하늘이고, '도가
천하를 구제하는 것'은 땅이다. 지혜로우면서도 인하면 지혜롭되 지
나치지 않는다. '사방으로 두루 시행한다'는 것은 권도(權道)를 시

행하는 지혜이고, '방종하지 않는다'는 것은 바름을 지키는 인(仁)이
다. 이미 천리(天理)를 즐거워하고 또 천명을 알기 때문에 근심이
없어 그 지혜가 더욱 깊어질 수 있다. 처한 곳에 따라 모두 편안하
여 잠시라도 인하지 않음이 없기 때문에 그 만물을 구제하려는 마
음을 잊지 않아 인이 더욱 돈독해질 수 있다. 인(仁)은 사랑의 이치
이고 사랑은 인의 작용이다. 그러므로 서로 표리(表裏)가 됨이 이와
같다.

● 韓氏伯曰 : "德合天地, 故曰'相似.'"30)

한백(韓伯)이 말했다. "덕이 천지와 부합하기 때문에 '서로 비슷하
다'라고 하였다."

● 『朱子語類』云 : "'與天地相似, 故不違', 下數句是說'與天地相
似'之事.31)"32)

『주자어류』에서 말했다. "'천지와 더불어 서로 비슷하기 때문에 어
기지 않는다'라고 한 아래의 몇 구절은 '천지와 더불어 서로 비슷하
다'라는 일을 말한 것이다."

----

30) 한백(韓伯), 『주역주소(周易註疏)』 권11.
31) 下數句是說'與天地相似'之事 : 주희, 『주자어류』 권74, 89조목에는 "此
   下數句, 皆是'與天地相似'之事也.[이 아래의 몇 구절을 모두 '천지와 더
   불어 서로 비슷하다'라는 일이다.]"라고 되어 있다.
32) 주희, 『주자어류』 권74, 89조목.

● 又云 : "'安土'者, 隨所寓而安. 若自擇安處, 便只知有己, 不
知有物也. 此厚於仁者之事, 故'能愛.'"33)

(주자가) 또 말했다. "'처한 곳에 편안한' 사람은 붙어 사는 곳에 따
라 편안하다. 만약 스스로 편안한 곳을 가린다면 자기만이 있다는
것을 알 뿐 사물이 있다는 것을 알지 못한다. 이것은 인(仁)에 두터
운 사람의 일이기 때문에 '사랑할 수 있다'고 했다."

● 又云 : "'安土'者, 隨寓而安也. '敦乎仁'者, 不失其天地生物之
心也. 安土而敦乎仁, 則無適而非仁矣, 所以能愛也."34)

(주자가) 또 말했다. "'처한 곳에 편안한' 사람은 붙어 사는 곳에 따
라 편안하다. '인(仁)에 돈독한' 사람은 그 천지가 만물을 낳는 마음
을 잃어버리지 않는다. 처한 곳에 편안하면서 인에 돈독하면 어떤
경우라도 인(仁)하지 않음이 없기 때문에 사랑할 수 있다."

● 胡氏炳文曰 : "上文言'『易』與天地準', 此言'與天地相似'. '似'
卽'準'也. 知似天, 仁似地, 有周物之知, 而實諸濟物之仁, 則其
知不過. 有行權之知, 而本諸守正之仁, 則其知不流. 至於樂天
知命, 而知之跡已泯; 安土敦仁, 而仁之心益著. 此其知·仁所以
與天地相似而不違, 盡性之事也."35)

호병문(胡炳文)이 말했다. "윗글에서는 『역(易)』은 천지와 더불어

---

33) 주희, 『주자어류』 권74, 98조목.
34) 주희, 『주문공문집』 권40, 「답하숙경(答何叔京)」.
35) 호병문(胡炳文), 『주역본의통석(周易本義通釋)』 권5.

준칙이 된다'라는 것을 말했고, 여기에서는 '천지와 더불어 서로 비슷하다'라는 것을 말했다. '비슷하다'라는 말은 곧 '준칙이 된다'라는 뜻이다. 지혜가 하늘과 비슷하고 인(仁)이 땅과 비슷하여, 만물에 두루하는 지혜를 가지고 만물을 구제하는 인을 실천하니 그 지혜가 지나치지 않는다. 권도를 시행하는 지혜를 가지고 바름을 지키는 인에 근본하니 그 지혜가 방종하지 않는다. 천리(天理)를 즐거워하고 천명을 아는 데 이르러서는 지혜의 자취가 이미 없어져버리고, 처한 곳에 편안하고 인에 돈독한 데 이르러서는 인(仁)한 마음이 더욱 드러난다. 이는 지혜와 인이 천지와 더불어 서로 비슷하여 어기지 않는 근거이고, 성(性)을 다 발휘하는 일이다."

● 俞氏琰曰 : "'與天地相似'者, 『易』似天地, 天地似『易』, 彼此相似也."[36]

유염(俞琰)이 말했다. "'천지와 더불어 서로 비슷하다'라는 것은 『역』이 천지와 비슷하고 천지가 『역』과 비슷하여, 피차간에 서로 비슷하다는 뜻이다."

案

知周萬物, 義之精也. 然所知者皆濟天下之道而不過, 義合於仁也. 旁行泛應, 仁之熟也. 然所行者皆合中正之則而不流, 仁合於義也. 樂玩天理, 故所知者益深; 達乎命而不憂, 安於所處, 故所行者益篤. 根於性而能愛, 所謂樂天之志, 憂世之誠, 並行不悖者, 乃仁義合德之至也. 若以旁行爲知亦可, 但恐於'行'字

36) 유염(俞琰), 『주역집설(周易集說)』 권28.

稍礙.

지혜가 만물에 두루하는 것은 의(義)가 정밀해서이다. 그러나 지혜
로운 것이 모두 천하를 구제하는 도이자 지나치지 않아야 의가 인
(仁)에 합치된다. 사방으로 두루 시행되어 광범하게 적응하는 것은
인이 익숙하게 되어서이다. 그러나 시행한 것이 모두 중정(中正)에
합치되는 준칙이고 방종하지 않아야 인이 의(義)에 합치된다. 천리
(天理)를 즐거워하여 완미하기 때문에 지혜로움이 더욱 깊고, 천명
에 통달하여 근심하지 않고 처한 곳에 편안하기 때문에 시행함이
더욱 독실하다. 성(性)에 뿌리를 두어 사랑할 수 있는 것은 이른바
천리를 즐거워하는 뜻과 세상을 근심하는 성실함이 함께 시행하여
어기지 않는 것이니, 바로 인의가 덕에 합치하는 지극함이다. 만약
사방으로 시행하는 것을 지혜로 삼는다면 그 또한 괜찮지만 '시행
한다'라는 글자에 조금 방해가 될지 염려스럽다.

範圍天地之化而不過, 曲成萬物而不遺, 通乎晝
夜之道而知. 故神無方而易無體.

천지의 화(化)를 모범으로 삼아 지나치지 않고, 만물을 곡진히
이루어 빠뜨리지 않으며, 주(晝)·야(夜)의 도(道)를 겸하여 안다.
그러므로 신(神)은 일정한 방소(方所)가 없고 역(易)은 일정한 체
(體)가 없는 것이다.

本義

此聖人至命之事也. '範', 如鑄金之有模範. '圍', 匡郭也. 天地
之化無窮, 而聖人爲之範圍, 不使過於中道, 所謂'裁成'者也.
'通', 猶兼也. '晝·夜', 卽幽明死生鬼神之謂. 如此然後可見至
神之妙, 無有方所, 易之變化, 無有形體也.

이는 성인이 천명에 이르는 일이다. '범(範)'은 마치 금(金)을 주조
(鑄造)할 때에 모범(模範 : 모형)이 있는 것과 같고, '위(圍)'는 광곽
(匡郭 : 틀)이다. 천지의 조화(造化)는 무궁한데 성인이 이것을 모범
으로 삼아 중도(中道)에 지나치지 않도록 하니, 이른바 '재성(裁成
: 마름질하여 이룬다)'이다. '통(通)'은 겸한다는 말과 같고, '주(晝)
·야(夜)'는 곧 유(幽)·명(明)과 생(生)·사(死)와 귀(鬼)·신(神)을
말한다. 이와 같이 한 뒤에야 지극하게 펼치는 오묘함이 일정한 방
소(方所)가 없고, 역(易)의 변화가 형체가 없음을 볼 수 있다.

此第四章, 言易道之大, 聖人用之如此.

이는 제4장이니, 역(易)의 도(道)가 크고, 성인이 그것을 사용함이
이와 같음을 말하였다.

● 韓氏伯曰 : "'方'·'體'者, 皆係於形器者也. '神'則'陰陽不測',
'易'則'惟變所適', 不可以一方一體明."[37]

한백(韓伯)이 말했다. "'방소(方所)'와 '체(體)'는 모두 형기(形器)에
매여 있는 것이다. '신(神)'은 '음(陰)하고 양(陽)하여 헤아릴 수 없
는 것'[38]이고, '역(易)'은 '오직 변(變)하여 나아가는 것일 뿐'[39]이기
때문에 일정한 방소와 일정한 체가 될 수 없는 것이 분명하다."

● 孔氏穎達曰 ; "'範', 謂模範; '圍', 謂周圍. 言聖人所爲所作, 模

---

37) 한백(韓伯), 『주역주소(周易註疏)』 권11.
38) 음(陰)하고 양(陽)하여 헤아릴 수 없는 것 : 『역』 「계사상」 제5장에서 "음
(陰)하고 양(陽)하여 헤아릴 수 없음을 신(神)이라 한다.[陰陽不測之謂
神.]"라고 하였다.
39) 오직 변(變)하여 나아가는 것일 뿐 : 『역』 「계사하」 제8장에서 "『역(易)』
이라는 책은 잊을 수 없고 그 도(道)됨은 자주 옮겨간다. 변동하여 머물
지 않아 6개 효(爻)의 빈자리에 두루 흐른다. 올라가고 내려오는 것이
일정함이 없고 강(剛)과 유(柔)가 서로 교역(交易)한다. 전요(典要 : 불
변하는 준칙)로 삼을 수 없으니, 오직 변(變)하여 나아가는 것일 뿐이다.
[易之爲書也不可遠, 爲道也屢遷. 變動不居, 周流六虛, 上下无常, 剛
柔相易. 不可爲典要, 唯變所適.]"라고 하였다.

範周圍天地之化."[40]

공영달(孔穎達)이 말했다. "'범(範)'은 모범(模範 : 모형)을 말하고, '위(圍)'는 주위(周圍 : 모형의 주위를 둘러 싼 것)이다. 성인이 실천한 것과 만든 것이 천지의 조화(造化)를 모형으로 하고 주위를 둘러 싼 것으로 했다는 것을 말한다."

● 又曰 : "凡'無方'・'無體', 各有二義. 一者神則不見其處所云爲, 是'無方'也; 二則周遊運動, 不常在一處, 亦是'無方'也. '無體'者, 一是自然而變, 而不知變之所由, 是無形體也; 二則隨變而往, 無定在一體, 亦是'無體'也."[41]

(공영달이) 또 말했다. "'방소(方所)가 없다'와 '체(體)가 없다'라는 것은 각각 두 가지의 의미가 있다. ('방소가 없다'라는 경우) 한 가지는 신(神)은 그 처소와 말과 행위를 볼 수 없으니 '방소가 없다'는 것이고, 또 한 가지는 두루 돌아다니며 움직여 늘 한 곳에 있지 않으니 역시 '방소가 없다'는 것이다. '체가 없다'라는 경우, 한 가지는 저절로 그러하게 변하여 변함이 말미암는 것을 알지 못하니 형체가 없고, 또 한 가지는 변함에 따라 가서 고정되게 하나의 체(體)로 있지 않으니 또한 '체가 없다'는 것이다."

● 邵子曰 : "'神'者, 易之主也, 所以'無方'. '易'者, 神之用也, 所以'無體'."[42]

----

40) 공영달 소(孔穎達 疏), 『주역주소(周易註疏)』 권11.
41) 공영달 소(孔穎達 疏), 『주역주소(周易註疏)』 권11.
42) 소옹, 『황극경세서(皇極經世書)』 권13.

소자(邵子 : 邵雍)[43]가 말했다. "'신(神)'은 역(易)의 주인이므로 '방소(方所)가 없는' 근거이다. '역'은 신의 작용이므로 '체(體)가 없는' 근거이다."

● 『朱子語類』云 : "'通乎晝夜之道而知', '通'字, 只是兼乎晝夜之道而知其所以然."[44]

『주자어류』에서 말했다. "'주(晝)·야(夜)의 도(道)를 겸하여 안다'라는 구절에서 '통(通)'자는 다만 주(晝)·야(夜)의 도(道)를 겸하여 그것이 그렇게 되는 까닭을 알 뿐이다."

● 又云 : "'神無方而易無體', '神'便是在陰底, 又忽然在陽, 在陽底又忽然在陰; '易'便是或爲陽, 或爲陰.[45] 交錯代換, 而不可以

---

43) 소옹(邵雍, 1011~1077) : 자는 요부(堯夫)이고, 호는 안락선생(安樂先生)이며, 소문산 백원(蘇文山 百源)가에 은거하여 백원선생(百源先生)이라고도 불리었다. 시호는 강절(康節)이다. 송대 범양(范陽 : 현 하북성 탁현〈涿縣〉) 사람으로 만년에는 낙양(洛陽)에 거주하였는데, 이때 사마광(司馬光)·여공저(呂公著)·부필(富弼) 등이 그를 존경하여 함께 교류하면서 대저택을 증여하였다. 이지재(李之才)에게 도서선천상수학(圖書先天象數學)을 배웠다고 한다. 그는 도가사상의 영향을 받고 유가의 역철학(易哲學)을 발전시켜 독특한 수리철학(數理哲學)을 완성하였다. 역(易)이 음과 양의 2원(二元)으로서 우주의 모든 현상을 설명하고 있음에 대하여, 그는 음(陰)·양(陽)·강(剛)·유(柔)의 4원(四元)을 근본으로 하고, 4의 배수(倍數)로서 모든 것을 설명하였다. 그의 역학(易學)은 주희(朱熹)에게 큰 영향을 주었다. 저서는 『황극경세(皇極經世)』, 『이천격양집(伊川擊壤集)』, 『어초문답(漁樵問答)』 등이 있다.
44) 주희, 『주자어류』 권74, 104조목.

形體拘也."46)

(주자가) 또 말했다. "'신(神)은 일정한 방소(方所)가 없고 역(易)은 일정한 체(體)가 없다'는 말에서 '신(神)'은 곧 음(陰)에 있다가 또 홀연히 양(陽)에 있고 양에 있다가 또 홀연히 음에 있으며, '역(易)'은 곧 혹은 양이 되었다가 혹은 음이 된다. 교착하여 서로 바뀌니 형체로 구속할 수 없다."

● 蔡氏淸曰：“'神無方, 易無體', 獨係之'至命'一條. 至命從窮理盡性上來, 乃窮理盡性之極致. 非窮理盡性之外, 他有所謂至命也. 故獨係之至命, 而自足以該乎窮理盡性."47)

채청(蔡淸)이 말했다. "'신(神)은 일정한 방소(方所)가 없고 역(易)은 일정한 체(體)가 없다'는 말은 유독 '천명에 이른다'라는 조목에 관련되어 있다. 천명에 이름은 이치를 캐묻고 성(性)을 다 발휘하는 것으로부터 오니, 바로 이치를 캐묻고 성(性)을 다 발휘하는 일의 극치이다. 이치를 캐묻고 성(性)을 다 발휘하는 일 이외에 달리 이른바 천명에 이르는 방법이 있지 않다. 그러므로 유독 천명에 이르는 일에 관련되어, 이치를 캐묻고 성(性)을 다 발휘하는 일을 갖추기에 스스로 충분하다."

---

45) 或爲陰 : 주희, 『주자어류』 권74, 105조목에는 "如爲春, 又爲夏; 爲秋, 又爲冬.[예컨대 봄이었다가 또 여름이 되고, 가을이었다가 겨울이 되는 것과 같다.]"라는 말이 더 있다.
46) 주희, 『주자어류』 권74, 105조목.
47) 채청(蔡淸), 『역경몽인(易經蒙引)』 권9상(上).

● 林氏希元曰:"'通乎晝夜之道而知', 只是通知晝夜之道. 蓋幽明·死生·鬼神, 其理相爲循環, 晝夜之道也. 聖人通知晝夜, 亦只是上文'知幽明之故'·'知死生之說'·'知鬼神之情狀', 而益深造, 與之相默契. 如此謂知天地之化育云爾."[48]

임희원(林希元)이 말했다. "'주(晝)·야(夜)의 도(道)를 통틀어서 안다'라는 것은 다만 주·야의 도를 확실하게 아는 일일 뿐이다. 유(幽)·명(明)과 생(生)·사(死)와 귀(鬼)·신(神)에서 그 이치가 서로 순환하는 것은 주·야의 도이다. 성인이 주·야의 도를 확실하게 아는 것도 또한 다만 윗글의 '유(幽)·명(明)의 원인을 알고' '사(死)·생(生)의 이론을 알며' '귀(鬼)·신(神)의 상황을 알아' 더욱 깊은 경지에 들어가 그들과 서로 묵묵히 뜻이 통하는 것일 뿐이다. 이와 같은 것을 천지의 화육(化育)을 안다고 한다."

● 又曰:"天地之化, 萬物之生, 晝夜之循環, 皆有個神·易. 『易』則模寫乎此理者也, 故在『易』亦有神·易."[49]

(임희원이) 또 말했다. "하늘과 땅이 변화하는 것과 만물이 생겨나는 것과 밤·낮이 순환하는 것은 모두 신(神)과 역(易)이 있다. 『역』은 이 이치를 모사한 것이므로 『역』에는 또한 신(神)과 역(易)이 있다."

● 姜氏寶曰:"'晝·夜之道', 乃幽明·死生·鬼神之所以然. 聖人通知之而有以深徹乎其蘊, 又不但知有其故, 知有其說, 知有其

<hr />

48) 임희원(林希元), 『역경존의(易經存疑)』 권9.
49) 임희원(林希元), 『역경존의(易經存疑)』 권9.

情狀而已也."

강보(姜寶)50)가 말했다. "'주(晝)·야(夜)의 도(道)'는 곧 유(幽)·명(明)과 생(生)·사(死)와 귀(鬼)·신(神)이 그러한 근거이다. 성인은 그것을 통틀어 알아 그것으로 심오한 의미를 깊이 꿰뚫었으니, 다만 그 까닭이 있음을 알고 그 이론이 있음을 알며 그 상황이 있다는 것을 알 뿐만이 아니었다."

● 江氏盈科曰: "上說'道濟天下'·'敦仁能愛', 此則萬物盡屬其曲成. 上說知幽明·死生·鬼神, 此則晝夜盡屬其通知."

강영과(江盈科)51)가 말했다. "윗글에서는 '도(道)가 천하를 구제하고', '인(仁)을 돈독히 하여 사랑할 수 있다'고 말했는데, 여기에서는

------

50) 강보(姜寶, 1514~1593) : 자는 정선(廷善) 또는 유선(惟善)이고, 호는 봉아(鳳阿)이다. 명(明)대 진강부 단양(鎭江府丹陽 : 현 강소성 단양시) 사람이다. 가정(嘉靖) 32년(1553)에 진사에 급제하여, 편수(編修)에 임명되었다. 엄숭(嚴嵩)의 눈 밖에 나 사천제학첨사(四川提學僉事)로 쫓겨났다가 남경국자감좨주(南京國子監祭酒), 예부상서(禮部尙書)를 역임하였다. 학문은 정이(程頤)와 주희를 종주로 삼았다. 저서에 『주역전의보의(周易傳義補疑)』, 『사서해략(四書解略)』, 『춘추사의전고(春秋事義全考)』, 『자치대정기강목(資治大政記綱目)』 등이 있다.

51) 강영과(江盈科, 1555~1605) : 자는 진지(進之)이고, 호는 녹라산인(綠蘿山人)이다. 명(明)대 호광 도원(湖廣桃源 : 현 호남성 도원현) 사람이다. 만력(萬曆) 20년(1592)에 진사에 급제하여 장주지현(長州知縣), 호부원외랑(戶部員外郎), 사천제학부사(四川提學副使) 등을 역임하였다. 학문관은 공안파(公安派)에 속하여 의고(擬古)를 반대했다. 저서에 『설도각집(雪濤閣集)』, 『설도소설(雪濤小說)』, 『설도해사(雪濤諧史)』, 『담언(談言)』 등이 있다.

만물이 모두 그 곡진히 이루는 것에 소속시켰다. 윗글에서는 유
(幽)·명(明), 사(死)·생(生), 귀(鬼)·신(神)을 안다고 말했는데, 여
기에서는 주(晝)·야(夜)가 모두 그 통틀어 아는 것에 소속시켰다."

案

'準'是準則之, '相似'是與之合德, '範圍'則造化在其規模之內, 蓋
一節深一節也. '萬物'者天地之化之跡也; '曲成'者, 能盡其性,
而物我聯爲一體也. '晝夜'者, 天地之化之機也; '通知'者, 洞見
原本, 而隱顯貫爲一條也. '易'者化之運用, '神'者化之主宰. 天
地之化, 其主宰不可以方所求, 其運用不可以形體拘. 易之道能
範圍之, 則所謂窮神知化者也, 而神化在易矣.

'준(準 : 준칙이 된다)'은 그것을 준칙으로 한다는 말이고, '상사(相
似 : 서로 비슷하다)'는 그것과 더불어 덕을 합한다는 뜻이며, '범위
(範圍 : 모범으로 삼는다)'는 조화(造化)가 그 규모 안에 있다는 것
이니, 한 구절 한 구절씩 등급이 깊어진다. '만물(萬物)'은 천지의
화(化)의 자취이고, '곡성(曲成 : 곡진히 이룬다)'은 그 성(性)을 다
발휘하여 외물과 내가 연계되어 일체가 되는 것이다. '주·야(晝·
夜)'는 천지의 화(化)의 기틀이고, '통지(通知 : 통틀어서 안다)'는 근
원을 통찰하여 숨겨지고 드러난 것이 관통하여 한 가지가 되는 일
이다. '역(易)'은 화(化)의 운용이고, '신(神)'은 화(化)의 주재(主宰)
이다. 천지의 화(化)에서 그 주재는 방소(方所)로 찾을 수 없고, 그
운용은 형체로 구속할 수 없다. 역(易)의 도가 그것을 모범으로 삼
을 수 있으니, 이른바 신(神)을 캐묻고 화(化)를 아는 것이며, 신
(神)과 화(化)는 역에 있다.

[계사상 5-1]

> 一陰一陽之謂道.
>
> 한 번은 음(陰)이 되고 한 번은 양(陽)이 되는 것을 도(道)라고
> 한다.

本義

陰陽迭運者, 氣也, 其理則所謂道.

음·양이 번갈아 운행하는 것은 기(氣)이고, 그 이치는 이른바 도
(道)이다.

集說

● 邵子曰 : "道無聲無形, 不可得而見者也, 故假'道路'之'道'而
爲名. 人之有行, 必由乎道. 一陰一陽, 天地之道也. 物由是而

生, 由是而成者也."[1]

소자(邵子 : 邵雍)가 말했다. "도(道)는 소리도 없고 형체도 없어 볼 수 없는 것이기 때문에 '도로(道路)'라고 할 때의 '도(道)'자를 빌려 명칭으로 삼았다. 사람이 어디든 가려고 하면 반드시 길을 경유해야 한다. 한 번은 음(陰)이 되고 한 번은 양(陽)이 되는 것이 천지의 도이다. 만물은 이에 말미암아 생겨나고, 이에 말미암아 이루어지는 것이다."

● 程子曰 : "離了陰陽, 便無道,[2] 所以陰陽者, 是道也. 陰陽氣也, 氣是形而下者, 道是形而上者."[3]

정자(程子 : 程顥·程頤)가 말했다. "음양을 떠나면 도가 없으니, 음양이 되는 근거가 도이다. 음양은 기(氣)이고 기는 형이하자이며, 도는 형이상자이다."

●『朱子語類』云 : "理則一而已, 其形者則謂之器, 其不形者則謂之道. 然而道非器不形, 器非道不立. 蓋陰陽亦器也, 而所以陰陽者道也. 是以一陰一陽, 往來不息, 而聖人指是以明道之全體也."[4]

---

1) 소옹(邵雍),『황극경세서(皇極經世書)』권14,「관물외편 하(觀物外篇 下)」.
2) 便無道 : 정자(程子 : 程顥·程頤),『이정유서(二程遺書)』권15에는 "更無道[다시 도가 없으니]"라고 되어 있다.
3) 정자(程子 : 程顥·程頤),『이정유서(二程遺書)』권15.
4) 주희,『주문공문집』권45,「답구자야(答丘子野)」.

『주자어류』에서 말했다.5) "리(理)는 하나일 뿐인데, 그 드러나는 것을 기(器)라 하고 드러나지 않는 것을 도(道)라고 한다. 그러나 도는 기가 아니면 드러나지 못하고 기는 도가 아니면 세워지지 못한다. 대개 음양 또한 기이고 음양이 되는 까닭은 도이다. 이 때문에 한 번은 음이 되고 한 번은 양이 되어 가고 오는 것이 그치지 않으니, 성인은 이를 가리켜서 도의 온전한 본체를 밝혔다."

案

一陰一陽, 兼對立與迭運二義. 對立者, 天地·日月之類是也, 卽前章所謂'剛·柔'也; 迭運者, 寒暑往來之類是也, 卽前章所謂'變·化'也.

한 번은 음이 되고 한 번은 양이 되는 것은 대립(對立)과 질운(迭運 : 번갈아 가며 운행함)의 두 가지 의미를 겸한다. 대립은 하늘과 땅, 해와 달 따위가 이것이니 앞 장의 이른바 '강(剛)·유(柔)'이고, 질운(迭運)은 추위와 더위가 가고 오는 따위가 이것이니 앞 장의 이른바 '변(變)·화(化)'이다.

....

5) 『주자어류』에서 말했다 : 이 글은 주희, 『주자어류』가 아닌 『주문공문집』 권45, 「답구자야(答丘子野)」에 있다.

繼之者善也, 成之者性也.

그것[道]을 이어가는 것은 선(善)이고, 그것을 이루는 것은 성(性)이다.

本義

道具於陰而行手陽. '繼', 言其發也. '善', 謂化育之功, 陽之事也. '成', 言其具也. '性', 謂物之所受, 言物生則有性, 而各具是道也, 陰之事也. 周子·程子之書, 言之備矣.

도(道)는 음(陰)에서 갖추어지고 양(陽)에서 행해진다. '계(繼 : 이어간다)'는 그것이 펼쳐나감을 말한다. '선(善)'은 화육(化育)하는 공로를 일컬으니, 양(陽)의 일이다. '성(成 : 이룬다)'은 그것이 갖추어감을 말한다. '성(性)'은 사물이 받은 바를 이르는데, 사물이 생겨나면 성(性)을 가지고 각각 이 도(道)를 갖추는 것을 말하니, 음(陰)의 일이다. 주자(周子 : 周敦頤)와 정자(程子 : 程顥·程頤)의 책에서 그것을 잘 갖추어 말했다.

集說

● 周子曰 : "'大哉乾元! 萬物資始', 誠之源也; '乾道變化, 各正性命', 誠斯立焉. 純粹至善者也, 故曰'一陰一陽之謂道. 繼之者

善也, 成之者性也.'6) 大哉易也! 性命之源乎.'7)

주자(周子 : 周敦頤)가 말했다. "'크도다. 건원(乾元)이여! 만물이 그
것을 취하여 시작한다'8)라고 한 것은 성(誠)의 근원이다. '건도(乾
道)가 변화하여 각각 성(性)과 명(命)을 바르게 한다'9)라고 한 것은
성(誠)이 여기에서 정립된다는 말이다. 순수하고 지극히 선한 것이
기 때문에 '한 번은 음이 되고 한 번은 양이 되는 것을 도라고 한
다. 그것[道]을 이어가는 것은 선(善)이고, 그것을 이루는 것은 성
(性)이다'라고 하였다. 크도다. 역(易)이여! 성(性)과 명(命)의 근원
이다."

● 楊氏時曰 : "'繼之者善', 無間也; '成之者性', 無虧也."

양시(楊時)10)가 말했다. "'그것을 이어가는 것이 선(善)이다'라고 하

---

6) 成之者性也 : 주돈이(周敦頤), 『염계집(濂溪集)』「통서(通書)」「성상 제
   일(誠上 第一)」에는 이 구절 뒤에 "元亨, 誠之通. 利貞, 誠之復.[원형은
   성의 통함이고, 이정은 성의 돌아옴이다.]"라는 말이 더 있다.
7) 주돈이(周敦頤), 『염계집(濂溪集)』「통서(通書)」「성상 제일(誠上 第一)」.
8) 『역』 건(乾)괘 「단전」.
9) 『역』 건(乾)괘 「단전」.
10) 양시(楊時, 1053~1135) : 자는 중립(中立)이고, 호는 구산(龜山)이며, 시
   호는 문정(文靖)이다. 북송대 검남 장락(劍南將樂 : 현 복건성 장락현)
   사람이다. 신종(神宗) 희녕(熙寧) 9년(1076)에 진사에 급제하였지만, 관
   직에 나가지 않고 10년 동안 칩거하다가 형주교수(荊州敎授), 우간의대
   부(右諫議大夫), 국자감좨주(國子監祭酒), 공부시랑(工部侍郎), 용도각
   직학사(龍圖閣直學士) 등을 역임하였다. 정호(程顥)・정이(程頤) 형제
   에게 사사(師事)했는데, 특히 형 정호의 신임을 받았다. 민학(閩學)의
   창시자로서, 유초(游酢), 여대림(呂大臨), 사량좌와 함께 정문사선생(程

는 말은 간극이 없다는 뜻이고, '그것을 이루는 것이 성(性)이다'라고 하는 말은 결함이 없다는 뜻이다."

● 『朱子語類』云 : "造化所以發育萬物者, 爲'繼之者善'; 各正其性命者, 爲'成之者性.'"[11]

『주자어류』에서 말했다. "(하늘의) 조화(造化)가 그것으로 만물을 발육하는 것이 '그것을 이어가는 것이 선(善)이다'라는 뜻이며, 각각 그 성(性)과 명(命)을 바르게 한다는 것이 '그것을 이루는 것이 성(性)이다'라는 말이다."

● 又云 : "'繼'是接續不息之意, '成'是凝成有主之意."[12]

(주자가) 또 말했다. "'이어간다'는 것은 연속해서 쉬지 않는다는 뜻이고, '이룬다'는 것은 응결하여 주인이 된다는 뜻이다."

● 又云 : "'繼之者善', 方是天理流行之初, 人物所資以始. '成之者性', 則此理各自有個安頓處, 故爲人爲物, 或昏或明, 方是定. 若是未有形質, 則此性是天地之理, 如何把作人物之性得?"[13]

....

門四先生)으로 불렸다. 그의 학문 계통에서 주희·장식(張栻)·여조겸(呂祖謙) 등 뛰어난 학자가 많이 배출되었다. 저서에 『구산집(龜山集)』, 『구산어록(龜山語錄)』, 『이정수언(二程粹言)』 등이 있다.

11) 주희, 『주자어류』 권74, 119조목.
12) 주희, 『주자어류』 권74, 118조목.
13) 주희, 『주자어류』 권74, 121조목.

(주자가) 또 말했다. "'그것을 이어가는 것이 선(善)이다'가 되어야, 비로소 천리(天理)가 유행(流行)하는 처음에 사람과 사물이 그것을 취하여 시작한다. '그것을 이루는 것이 성(性)이다'가 되면, 이 리(理)가 각각 저절로 안착되는 곳이 있기 때문에 사람이 되기도 하고 사물이 되기도 하며, 어떤 경우는 어둡고 어떤 경우는 밝은 것이 비로소 정해진다. 만약 아직 형질이 없다면 이 성(性)은 천지의 리(理)이니, 어떻게 사람과 사물의 성(性)이 될 수 있겠는가?"

● 又云 : "這個理在天地間時, 只是善, 無有不善者. 生物得來, 方始名曰'性.' 只是這個理, 在天則曰'命', 在人則曰'性'.[14] 性便是善.[15]"

(주자가) 또 말했다. "이 리(理)가 천지사이에 있을 때 단지 선일 뿐, 선하지 않음이 없다. 사물이 생겨나서야 비로소 '성(性)'이라고 한다. 다만 이 리(理)는 하늘에 있어서는 '명(命)'이라 하고, 사람에게 있어서는 '성(性)'이라 할 뿐이다. 성(性)은 곧 선이다."

● 問"成之者性." 曰 : "性如寶珠, 氣質如水. 水有淸有汙, 故珠或全見, 或半見, 或不見."[16]

....

14) 這個理在天地間時, 只是善. … 在人則曰'性' : 주희, 『주자어류』 권5, 15조목.
15) 性便是善 : 주희, 『주자어류』 권74, 122조목에 "'繼之者善, 成之者性', 性便是善.[그것을 이어가는 것은 선(善)이고, 그것을 이루는 것은 성(性)이다. 성은 곧 선이다.]"라고 되어 있다.
16) 주희, 『주자어류』 권74, 126조목.

"그것을 이루는 것이 성(性)이다"라는 것에 대해 물었다.

(주자가) 대답했다. "성(性)은 마치 아름다운 진주와 같고, 기질은 마치 물과 같다. 물이 맑은 것도 있고 더러운 것도 있기 때문에 진주가 혹은 전부 드러나기도 하고, 혹은 절반이 드러나기도 하며, 혹은 드러나지 않기도 한다."

● 項氏安世曰 : "道之所生, 無不善者, 元也, 萬物之所同出也. 善之所成, 各一其性者, 貞也, 萬物之所各正也. '成之者性', 猶孟子言人之性·犬之性·牛之性."17)

항안세(項安世)가 말했다. "도(道)에 의해 생겨나 선하지 않음이 없는 것이 원(元)이니, 만물이 다 같이 나오는 곳이다. 선에 의해 이루어져 각각 그 성(性)을 하나씩 하는 것이 정(貞)이니, 만물이 각각 바르게 하는 것이다. '그것을 이루는 것이 성(性)이다'는 마치 맹자가 사람의 성, 개의 성, 소의 성이라고 말한 것과 같다.18)"

● 熊氏良輔曰 : "天道流行, 發育萬物, 善之繼也. '元者, 善之長', 善卽元也. 人物得所稟受者, 性之成也. '率性之謂道', 則性卽道也."19)

---

17) 항안세(項安世), 『주역완사(周易玩辭)』 권13.
18) 마치 맹자가 사람의 성, 개의 성. 소의 성이라고 말한 것과 같다 : 『맹자』 「고자상(告子上)」에서, 고자의 '생겨난 그대로를 성이라고 한다.[生之謂性]'라고 한 주장에 대해 맹자가 "그렇다면 개의 성이 소의 성과 같으며, 소의 성이 사람의 성과 같다는 말인가?[然則犬之性猶牛之性, 牛之性猶人之性與?]"라고 한 말을 가리킨다.
19) 웅량보(熊良輔), 『주역본의집성(周易本義集成)』 권7.

웅량보(熊良輔)20)가 말했다. "천도가 유행하여 만물을 발육함이 선(善)이 이어지는 것이다. '원(元)은 선의 으뜸이다'21)라고 했으니, 선은 곧 원(元)이다. 사람과 사물이 품수 받은 것이 성(性)이 이루어짐이다. '성을 따르는 것이 도이다'22)라고 하였으니, 성은 곧 도(道)이다."

● 潘氏士藻曰 : "善者性之原, 性者善之實, 善·性皆天理. 中間雖有剛柔·善惡·中偏之不同, 而天命之本然無不同."23)

반사조(潘士藻)24)가 말했다. "선(善)은 성(性)의 근원이고 성(性)은 선(善)의 실질이니, 선과 성은 모두 천리(天理)이다. 그 사이에 비록 굳셈과 부드러움, 선과 악, 적절함과 치우침이 같지 않음이 있지만, 천명이 본디 그러함은 같지 않음이 없다."

---

20) 웅량보(熊良輔, 1310~1380) : 자는 임중(任重)이고, 호는 매변(梅邊)이다. 원(元)대 남창(南昌) 사람이다. 웅개(熊凱)에게 학문을 배웠는데, 특히 『역』에 정통했다. 저서에 주희(朱熹)의 학설을 주로 하고 자기의 논의를 가미한 『주역본의집성(周易本義集成)』과 『풍아유음(風雅遺音)』, 『소학입문(小學入門)』 등이 있다.

21) 원(元)은 선의 으뜸이다 : 『역』 건(乾)괘 「문언전」.

22) 성을 따르는 것이 도이다 : 『중용』 제1장.

23) 반사조(潘士藻), 『독역술(讀易述)』 권11.

24) 반사조(潘士藻, 1537~1600) : 자는 법화(去華)고, 호는 설송(雪松)이다. 명(明)대 휘주부(徽州府) 무원(婺源) 사람이다. 만력(萬曆) 11년(1583)에 진사(進士)에 급제하여 벼슬은 온주추관(溫州推官)을 제수 받고, 어사(御史)에 발탁되어 북성(北城)을 순시했으며, 상보경(尙寶卿)을 역임했다. 저서에 『암연당집(闇然堂集)』, 『독역술(讀易述)』 등이 있다.

案

聖人用'繼'字極精確, 不可忽過此'繼'字, 猶人子所謂繼體, 所謂繼志. 蓋人者, 天地之子也, 天地之理, 全付於人而人受之, 猶『孝經』所謂'身體髮膚, 受之父母'者是也. 但謂之付, 則主於天地而言; 謂之受, 則主於人而言. 惟謂之繼, 則見得天人承接之意, 而付與受兩義皆在其中矣.

성인이 '계(繼 : 이어간다)'자를 쓴 것은 매우 정확하므로 이 '계(繼)'자를 소홀히 넘어가서는 안 되니, 마치 사람의 자식이 조상의 뒤를 이어간다고 말하거나 뜻을 이어간다고 말하는 것과 같다. 사람은 천지의 자식이니, 천지의 리(理)를 온전히 사람에게 부여하고 사람이 그것을 받는 것이 마치 『효경』에서 이른바 '머리끝부터 발끝까지 몸 전체는 부모에게 받은 것이다'와 같은 것이 이것이다. 그러니 부여한다고 말하면 천지를 위주로 말한 것이고, 받는다고 말하면 사람을 위주로 말한 것이다. 오직 이어간다고 말하면, 하늘과 사람이 연결되어 있다는 뜻을 알 수 있고, 부여한다는 의미와 받는다는 의미가 모두 그 가운데 있다.

天付於人而人受之, 其理旣無不善, 則人之所以爲性者, 亦豈有不善哉? 故孟子之道性善者本此也. 然是理旣具於人物之身, 則其根原雖無不善, 而其末流區以別矣. 如下文所云仁・知・百姓者, 皆局於所受之偏而不能完其所付之全. 故程・朱之言氣質者, 亦本此也. '夫子之言性與天道, 不可得而聞也', 惟「繫傳」此語, 爲言性與天道之至. 後之論性者, 折中於夫子, 則可以息諸子之棼棼矣.

하늘이 사람에게 부여하고 사람이 그것을 받는 데 그 리(理)가 이미 선하지 않음이 없으면, 사람이 그것을 가지고 성(性)이 되는 근거로 삼는 데 또한 어찌 선하지 않음이 있겠는가? 그러므로 맹자가 성이 선하다고 말한 것[25]은 이를 근본으로 삼았다. 그러나 리(理)가 이미 사람과 사물의 몸에 갖추어지면 그 근원은 비록 선하지 않음이 없지만 그 말류(末流)는 구별된다. 예컨대 아래 글에서 말하는 인자(仁者)·지자(知者)·백성(百姓)은 모두 품수 받은 치우침에 국한되어 그 부여된 온전함을 완성할 수 없는 것과 같다. 그러므로 정자(程子 : 程頤)와 주자(朱子 : 朱熹)가 기질을 말한 것도 역시 여기에 근본을 둔 것이다. '선생님(공자를 가리킴)께서 성(性)과 천도(天道)를 말하는 것은 들을 수 없다'[26]라고 하였는데, 오직 「계사전」의 이 구절이 성(性)과 천도(天道)를 지극하게 말한 것이다. 나중에 성(性)을 논하는 사람은 공자의 말에서 절충하면 여러 학자들의 요란한 주장을 종식시킬 수 있다.

---

25) 맹자가 성이 선하다고 말한 것 : 『맹자』「등문공상(滕文公上)」에서 "맹자가 성이 선하다고 말할 때 반드시 요순을 일컬어 말했다.[子道性善, 言必稱堯舜.]"라고 하였다.

26) 선생님(공자를 가리킴)께서 성(性)과 천도(天道)를 말하는 것은 들을 수 없다 : 『논어』「공야장(公冶長)」에서 "자공(子貢)이 말했다. '선생님의 문장(文章)은 들을 수 있으나, 선생님께서 성(性)과 천도(天道)를 말하는 것은 들을 수 없다.'[子貢曰 : '夫子之文章, 可得而聞也; 夫子之言性與天道, 不可得而聞也.']"라고 하였다.

> 仁者見之謂之仁, 知者見之謂之知, 百姓日用而
> 不知. 故君子之道鮮矣.

인자(仁者)는 이것을 보고 인(仁)이라 이르고, 지자(知者)는 이것
을 보고 지(知)라 이르며, 백성은 날마다 쓰면서도 알지 못한다.
그러므로 군자의 도(道)가 드문 것이다.

本義

仁陽知陰, 各得是道之一隅, 故隨其所見而目爲全體也. 日用
不知, 則莫不飲食, 鮮能知味者, 又其每下者也. 然亦莫不有
是道焉. 或曰 : "上章以知屬乎天, 仁屬乎地, 與此不同, 何
也?" 曰 : "彼以淸 · 濁言, 此以動 · 靜言."

인(仁)은 양(陽)이고 지(知)는 음(陰)인데, 각각 이 도(道)의 한 쪽
만을 얻었기 때문에 그가 보는 것에 따라 전체라고 지목한다. 날마
다 쓰면서도 알지 못한다는 것은 음식을 먹고 마시지 않는 경우가
없지만 맛을 아는 사람이 적으니, 또 매번 낮은 단계에 있는 것이
다. 그러나 또한 이 도(道)를 가지고 있지 않음이 없다.
어떤 사람이 말했다. "윗 장(章)에서는 지(知)를 하늘에 소속시키고
인(仁)을 땅에 소속시켜서 여기와 같지 않은데 무엇 때문인가?" 대
답했다. "그것[윗 장]은 청(淸) · 탁(濁)으로 말한 것이고 이것[이 장]
은 동(動) · 정(靜)으로 말한 것이다."

● 韓氏伯曰 : "君子體道以爲用, 仁 · 知則滯於所見, 百姓則日
用而不知, 體斯道者, 不亦鮮矣乎?"[27]

한백(韓伯)이 말했다. "군자는 도를 체득하여 쓰임으로 삼는데, 인
자(仁者)와 지자(知者)는 각자 본 것에 막히고, 백성은 날마다 쓰면
서도 알지 못하니, 이 도를 체득하는 사람이 또한 드물지 않겠는
가?"

● 程子曰 : "道者, 一陰一陽也. 動靜無端, 陰陽無始, 非知道者
孰能識之? 動靜相因而成變化. 順繼此道, 則爲善也; 成之在人,
則謂之性也. 在衆人則不能識. 隨其所知, 故仁者謂之仁, 知者
謂之知, 百姓則由之而不知. 故君子之道, 人鮮克知也."[28]

정자(程子 : 程頤)가 말했다. "도는 한 번은 음(陰)이 되고 한 번은
양(陽)이 되는 것이다. 움직임과 고요함이 단서가 없고 음과 양이
시작이 없으니, 도를 아는 사람이 아니면 누가 그것을 알겠는가?
움직임과 고요함이 서로 이어져 변화를 이룬다. 이 도를 순조롭게
이어가면 선(善)이 되고, 사람에게서 그것을 이루면 성(性)이라고
한다. 일반 사람들에게 있으면 그것을 알지 못한다. 그 아는 것에
따라 인자(仁者)는 인(仁)이라 이르고, 지자(知者)는 지(知)라고 이
르며, 백성은 그것에 말미암으면서도 알지 못한다. 그러므로 군자
의 도를 아는 사람이 드물다."

----

27) 한백(韓伯), 『주역주소(周易註疏)』 권11.
28) 정이(程頤), 『하남정씨경설(河南程氏經說)』 권1, 「계사(繫辭)」.

● 王氏宗傳曰：“仁者知者, 鮮克全之, 百姓之愚, 鮮克知之. 此豈在我之善有所不足, 在我之性有所不同與? 非也. 蓋在限量使然爾. 君子之道, 烏得而不鮮與? 君子者, 具仁知之成名, 得道之大全也.”[29]

왕종전(王宗傳)이 말했다. “인자(仁者)와 지자(知者)가 그것을 온전히 하는 사람이 드물고, 백성의 어리석음으로는 그것을 아는 사람이 드물다. 이것이 어찌 나에게 있는 선이 부족함이 있고, 나에게 있는 성이 다름이 있기 때문이겠는가? 그렇지 않다. 제한된 역량이 그렇게 하는 데 달려있을 따름이다. 군자의 도는 어찌 얻는 사람이 드물지 않겠는가? 군자는 인(仁)과 지(知)를 갖추어 명성을 얻고 도의 큰 온전함을 얻은 사람이다.”

● 『朱子語類』云：“萬物各具是性, 但氣稟不同, 各以其性之所近者窺之. 故仁者只見得他發生流動處, 便以爲仁; 知者只見他貞靜處, 便以爲知. 下此一等百姓, 日用之間, 習矣而不察, 所以君子之道鮮矣.”[30]

『주자어류』에서 말했다. “만물이 각자 이 성(性)을 갖추지만 기품이 같지 않기 때문에 각각 그 성이 가까운 것으로 그것을 살펴본다. 그러므로 인자(仁者)는 다만 그것이 발생하여 유동(流動)하는 측면을 보고 곧 인(仁)으로 여길 뿐이고, 지자(知者)는 다만 그것이 단정하여 고요한 측면을 보고 곧 지(知)로 여길 뿐이다. 이들보다 한 등급 아래 백성은 일상생활에서 익히면서도 살피지 못하기 때문

---

29) 왕종전(王宗傳), 『동계역전(童溪易傳)』 권27.
30) 주희, 『주자어류』 권74, 127조목.

에31) 군자의 도가 드문 것이다."

● 胡氏炳文曰 : "在造物者,32) 方發而賦於物, 其理無有不善; 在
人物者, 各具是理以有生, 則謂之性. 其發者, 是天命之性; 其具
者, 天命之性已不能不麗於氣質矣. 仁者・知者・百姓, 指氣質
而言也. 上章說聖人之知・仁, 知與仁合而爲一, 此說知者・仁
者, 仁與知分而爲二."33)

호병문(胡炳文)이 말했다. "조물자에 있어서는 막 발현하여 사물에
부여하니 그 리(理)가 선하지 않음이 없으며, 사람과 사물에 있어
서는 각각 이 리를 갖추어 생겨나니 그것을 성(性)이라고 한다. 그
발현하는 것은 천명(天命)의 성(性)이고, 그 갖추는 것은 천명(天
命)의 성(性)이 이미 기질에 매이지 않을 수 없는 것이다. 인자(仁
者)・지자(知者)・백성은 기질을 가리켜 말하였다. 윗 장에서 성인
의 지(知)와 인(仁)을 말한 것은 지와 인이 합해져 하나가 된 것이
고, 여기에서 지자(知者)와 인자(仁者)를 말한 것은 인과 지가 나누
어져 둘이 된 것이다."

---

31) 익히면서도 살피지 못하기 때문에 : 『맹자』 「진심상(盡心上)」에서 "맹자
가 말했다. '실천하면서도 밝게 알지 못하고, 익히면서도 살피지 못한다.
그러므로 종신토록 그것에 말미암으면서도 그 도(道)를 알지 못하는 사
람이 많다.'[孟子曰, '行之而不著焉, 習矣而不察焉. 終身由之而不知其
道者衆也.]"라고 하였다.
32) 在造物者 : 호병문(胡炳文), 『주역본의통석(周易本義通釋)』 권5에는
"在造化者[조화하는 것에 있어서는]"라고 되어 있다.
33) 호병문(胡炳文), 『주역본의통석(周易本義通釋)』 권5.

● 保氏八曰 : "仁者見其有安土敦仁之理, 則止謂之爲仁. 知者見其有知周天下之理, 則止謂之爲知. 是局於一偏矣. 百姓終日由之而不知, 故君子之道, 知者鮮也."34)

보팔(保八)35)이 말했다. "인자(仁者)는 그 처한 곳에 편안하고 인에 돈독한 데 이르는 이치가 있음을 보니, 다만 그것을 일러 인을 실천하는 것이라 한다. 지자(知者)는 그 앎이 천하에 두루하는 이치가 있음을 보니, 다만 그것을 일러 지를 실천하는 것이라 한다. 이들은 한 쪽으로 치우쳐 국한되었다. 백성은 종일토록 그것에 말미암으면서도 알지 못하니, 그 때문에 군자의 도를 아는 사람이 드물다."

---

34) 보팔(保八), 『역원오의(易源奧義)』 권7, 「계사상(繫辭上)」.
35) 보팔(保八, ?~1311) : 자는 공맹(公孟)이고, 호는 보암(普庵)이며, 이름은 보파(保巴) 또는 보파(寶巴)라고도 한다. 원(元)대 색목인(色目人) (일설에는 몽고인)으로 낙양(洛陽)에서 살았다. 벼슬은 태자태사(太子太師), 상서우승(尙書右丞), 대중대부(大中大夫), 황주로총관내권농사(黃州路總管內勸農事) 등을 역임했다. 정주(程朱) 이학(理學)을 계승하면서 도가사상(道家思想)을 취하여 『역』과 태극론을 펼쳤다. 저서에 『역원오의(易源奧義)』, 『주역원지(周易原旨)』, 『역체용(易體用)』 등이 있다.

[계사상 5-4]

顯諸仁, 藏諸用, 鼓萬物而不與聖人同憂, 盛德
大業至矣哉!

인(仁)에 드러나고 용(用)에 감추어져, 만물을 고무(鼓舞)하지만
성인과 함께 근심하지 않으니, 융성한 덕과 큰 공업(功業)이 지극
하다!

本義

'顯', 自內而外也. '仁', 謂造化之功, 德之發也. '藏', 自外而內
也. '用', 謂機緘之妙, 業之本也. 程子曰 : "天地無心而成化,
聖人有心而無爲."

'현(顯 : 드러남)'은 안에서 밖으로 나오는 것이다. '인(仁)'은 조화의
공효(功效)를 말하니 덕이 발현된 것이다. '장(藏 : 감춤)'은 밖에서
안으로 들어가는 것이다. '용(用)'은 열리고 닫히는 오묘함을 말하
니, 공업(功業)의 근본이다. 정자(程子)가 말했다. "천지는 마음 씀
이 없으나 조화(造化)를 이루고, 성인은 마음 씀이 있으나 작위(作
爲)함이 없다."[36]

---

36) 천지는 마음 씀이 없으나 … 있으나 작위(作爲)함이 없다 : 정이(程頤),
『하남정씨경설(河南程氏經說)』 권1, 「계사(繫辭)」.

● 孔氏穎達曰 : "'顯諸仁'者, 顯見仁功, 衣被萬物. '藏諸用'者, 潛藏功用, 不使物知."[37]

공영달(孔穎達)이 말했다. "'인(仁)에 드러난다'는 것은 인(仁)의 공효가 드러나 만물에 은택을 입히는 일이다. '용(用)에 감추어진다'는 것은 공효의 작용을 은밀하게 감추어 만물이 그것을 알지 못하도록 하는 일이다."

● 王氏凱沖曰 : "萬物皆成, 仁功著也; 不見所爲, 藏諸用也."[38]

왕개충(王凱沖)이 말했다. "만물이 모두 이루어짐은 인(仁)의 공효가 드러난 것이고, 그렇게 함이 나타나지 않는 것은 용(用)에 감추어진다."

● 程子曰 : "運行之跡, 生育之功, '顯諸仁'也; 神妙無方, 變化無跡, '藏諸用'也. 天地不與聖人同憂, 天地不宰, 聖人有心也. 天地無心而成化, 聖人有心而無爲."[39]

정자(程子 : 程頤)가 말했다. "운행의 자취와 생성하는 공효는 '인(仁)에 드러난다'는 뜻이고, 신묘함이 일정한 방소(方所)가 없고 변화함이 자취가 없는 것은 '용(用)에 감추어진다'는 뜻이다. 천지가

---

37) 공영달 소(孔穎達 疏), 『주역주소(周易註疏)』 권11.
38) 이정조(李鼎祚), 『주역집해(周易集解)』 권13에 왕개충(王凱沖)의 말로 기재되어 있다.
39) 정이(程頤), 『하남정씨경설(河南程氏經說)』 권1, 「계사(繫辭)」.

성인과 함께 근심하지 않는 것은 천지는 주재하지 않지만 성인은 마음 씀이 있기 때문이다. 천지는 마음 씀이 없으나 조화(造化)를 이루고, 성인은 마음 씀이 있으나 작위(作爲)함이 없다."

● 『朱子語類』云："'顯諸仁', 德之所以盛; '藏諸用', 業之所以成. 譬如一樹, 一根生許多枝葉花實, 此是'顯諸仁'處; 及至結實, 一核成一個種子, 此是'藏諸用'處. 生生不已, 所謂'日新'也; 萬物無不具此理, 所謂'富有'也."[40]

『주자어류』에서 말했다. "'인(仁)에 드러난다'는 것은 덕이 융성한 까닭이고, '용(用)에 감추어진다'는 것은 공업(功業)이 이루어진 까닭이다. 한 그루의 나무에 비유하면, 하나의 뿌리에 수많은 가지와 잎과 꽃과 열매가 생겨나는데 이는 '인(仁)에 드러난다'는 것이고, 열매를 맺는 데 이르러 하나의 씨가 하나의 종자를 이루는데 이는 '용(用)에 감추어진다'는 것이다. 낳고 낳는 것이 끊이지 않는 것은 이른바 '날로 새롭게 된다'[41]는 뜻이고, 만물이 이러한 이치를 갖추지 않음이 없는 것은 이른바 '넉넉하게 가지게 된다'[42]는 말이다.

---

40) 주희, 『주자어류』 권74, 128조목.

41) 날로 새롭게 된다 : 『대학』 전2장(傳二章)에서 "탕임금의 반명(盤銘)에서 말했다. '진실로 어느 날 새로워졌으면 나날이 새롭게 하고, 또 나날이 새롭게 하라!'[湯之盤銘曰 : '苟日新, 日日新, 又日新.']"라고 하였다.

42) 넉넉하게 가지게 된다 : 『논어』「자로(子路)」에서 "공자는 위(衛)나라의 공자(公子) 형(荊)에 대해 다음과 같이 말했다. '그는 집에 거처하기를 잘하였다. 처음 가재도구를 가졌을 때는 그런대로 이만하면 모여졌다라 하였고, 조금 가졌을 때는 그런대로 이만하면 갖추어졌다라 하였으며, 넉넉하게 가졌을 때는 그런대로 이만하면 훌륭하다라 하였다.'[子謂衛公子荊, '善居室. 始有, 曰苟合矣 少有, 曰苟完矣 富有, 曰苟美矣']라고

● 又云 : "惻隱·羞惡·辭遜·是非,[43]　　只是這個惻隱隨事發見.
及至成那事時, 一事各成一仁, 此便是'藏諸用.' 其發見時, 在這
道理中發去, 及至成這事時, 又只是這個道理. 一事旣各成一道
理, 此便是業. 業是事之已成處, 事未成時不得謂之業."[44]

(주자가) 또 말했다. "측은, 수오, 사양, 시비는 다만 이 측은함이
일을 따라 발현한 것일 뿐이다. 그 일이 이루어졌을 때 이르러 하
나의 일이 각각 하나의 인(仁)을 이루니, 이것이 바로 '용(用)에 감
추어진다'는 뜻이다. 그것이 발현할 때는 이 도리에서 발현해 가고,
그 일이 이루어졌을 때 이르러도 또 다만 이 도리일 뿐이다. 하나
의 일이 이미 각각 하나의 도리를 이루니, 이것이 바로 공업(功業)
이다. 공업은 일이 이미 이루어진 것이고, 일이 아직 이루어지지
않았을 때는 공업이라고 할 수 없다."

● 吳氏澄曰 : "'仁'者, 生物之元. 由春生而爲夏長之亨, 此仁顯
見而發達於外. 長物之所顯者, 生物之仁也, 故曰'顯諸仁.' '用'
者, 收物之利. 由秋收而爲冬藏之貞, 此用藏伏而歸復於內. 閉
物之所藏者, 收物之用也, 故曰'藏諸用.' 二氣運行於四時之間,
鼓動萬物而生長收閉之. 天地無心而造化自然, 非如聖人之於
民, 有所憂而治之敎之也. 仁之顯而生長者, 爲德之盛; 用之藏

....

하였다.

43) 惻隱·羞惡·辭遜·是非 : 주희, 『주자어류』 권74, 129조목에는 "惻隱·
羞惡·辭遜·是非, '顯諸仁'也; 仁義禮智, '藏諸用'也.[측은, 수오, 사양,
시비는 '인(仁)에 드러난다'는 것이고, 인의예지는 '용(用)에 감추어진다'
는 것이다.]"라고 되어 있다.
44) 주희, 『주자어류』 권74, 129조목.

而收閉者, 爲業之大. 其顯者流行不息, 其藏者充塞無間, 此所
謂'易簡之善.' 極其至者, 故贊之曰'至矣哉!"45)

오징(吳澄)이 말했다. "'인(仁)'은 만물을 생겨나게 하는 원(元 : 으
뜸)이다. 봄에 생겨나는 것에 따라 여름에 성장하는 형(亨 : 형통함)
이 되는데, 이는 인(仁)이 두드러지게 드러나 밖으로 발전한 것이
다. 만물을 성장시킬 때 드러나는 것은 만물을 생겨나게 하는 인
(仁)이기 때문에 '인(仁)에 드러난다'고 하였다. '용(用)'은 만물을
거두어들이는 이(利 : 이로움)이다. 가을에 거두어들이는 것에 따라
겨울에 감추는 정(貞 : 곧음)이 되는데, 이는 용(用)이 은밀히 감추
어서 안으로 복귀한 것이다. 만물을 닫을 때 감추는 것은 만물을
거두어들이는 용(用)이기 때문에 '용(用)에 감추어진다'고 하였다.
음과 양 두 기(氣)가 사계절에 운행하면서 만물을 부추겨 그것을
생겨나게 하고 성장시키며 거두어들이고 닫는다. 천지는 마음 씀이
없으면서 저절로 그러하게 조화(造化)하니, 성인이 백성에 대해 근
심함이 있어 다스리고 가르치는 것과는 같지 않다. 인(仁)이 드러
나 생겨나게 하고 성장시키는 것은 덕의 융성함이 되고, 용(用)이
감추어 거두어들이고 닫는 것은 공업(功業)의 위대함이 된다. 그
드러남이 유행하여 그치지 않고 그 감춤이 가득차 틈이 없으니, 이
것이 이른바 '간이(簡易)함의 선(善)'46)이다. 그것이 매우 지극하기
때문에 찬미하여 '지극하다!'라고 하였다."

● 胡氏炳文曰 : "在聖人者則曰仁與知,   在造化者則曰仁與用
."47)

---

45) 오징(吳澄), 『역찬언(易纂言)』 권7.
46) 간이(簡易)함의 선(善) : 『역』「계사상」 제6장.

호병문(胡炳文)이 말했다. "성인에게서는 인(仁)과 지(知)이고, 조화(造化)에서는 인(仁)과 용(用)이다."

● 俞氏琰曰 : "仁本藏於內者也, '顯諸仁', 則自內而外, 如春夏之發生, 所以顯秋冬所藏之仁也. 用本顯於外者也, '藏諸用', 則自外而內, 如秋冬之收成, 所以藏春夏所顯之用也."[48]

유염(俞琰)이 말했다. "인(仁)은 본래 안에 감추어진 것인데, '인에서 드러난다'는 것은 안에서 밖으로 나오는 일이니, 예컨대 봄·여름의 발생은 가을·겨울에 감추었던 인을 드러내는 것과 같다. 용(用)은 본래 밖으로 드러나는 것인데, '용에서 감추어진다'는 것은 밖에서 안으로 들어가는 일이니, 예컨대 가을·겨울에 거두어들이고 이루는 것은 봄·여름에 드러났던 용을 감추는 것과 같다."

---

47) 호병문(胡炳文), 『주역본의통석(周易本義通釋)』 권5.
48) 유염(俞琰), 『주역집설(周易集說)』 권29.

[계사상 5-5]

富有之謂大業, 日新之謂盛德.

넉넉하게 가지게 되는 것을 큰 공업(功業)이라 하고, 날로 새로워
지는 것을 융성한 덕(德)이라 한다.

本義

張子曰 : "富有者, 大而無外; 日新者, 久而無窮."[49]

장자(張子 : 張載)가 말했다. "'넉넉하게 가지게 된다'는 말은 커서
밖이 없는 것이고, '날로 새로워진다'는 말은 오래되어 끝이 없는 것
이다."

集說

● 王氏凱沖曰 : "物無不備, 故曰'富有'; 變化不息, 故曰'日新.
'"[50]

왕개충(王凱沖)이 말했다. "만물이 갖추어지지 않음이 없기 때문에
'넉넉하게 가지게 된다'고 하였고, 변화가 그치지 않기 때문에 '날로

---

49) 장재(張載), 『횡거역설(橫渠易說)』 권3, 「계사상」.
50) 이정조(李鼎祚), 『주역집해(周易集解)』 권13에 왕개충(王凱沖)의 말로
   기재되어 있다.

새로워진다'고 하였다."

● 吳氏澄曰 : "生物之仁, 及夏而日長日盛, 故曰'日新'; 收物之
用, 至冬而包括無餘, 故曰'富有.'"[51]

오징(吳澄)이 말했다. "'만물을 생겨나게 하는 인(仁)은 여름이 되
어 날로 성장하게 하고 날로 왕성하게 하기 때문에 '날로 새로워진
다'고 하였고, 만물을 거두어들이는 용(用)은 겨울이 되어 남김없이
포괄하기 때문에 '넉넉하게 가지게 된다'고 하였다."

● 胡氏炳文曰 : "'富有'者, 無物不有, 而無一豪之虧欠; '日新'者,
無時不然, 而無一息之間斷. 藏而愈有, 則顯而愈新."[52]

호병문(胡炳文)이 말했다. "'넉넉하게 가지게 된다'는 것은 어떠한
것도 가지지 않은 것이 없어 조금이라도 부족함이 없는 것이며, '날
로 새로워진다'는 것은 어떤 때도 그렇지 않음이 없어 한 순간도 끊
어진 적이 없는 것이다. 감출수록 더욱 가지게 되고, 드러날수록
더욱 새로워진다."

---

51) 오징(吳澄), 『역찬언(易纂言)』 권7.
52) 호병문(胡炳文), 『주역본의통석(周易本義通釋)』 권5.

生生之謂易.

낳고 낳는 것을 역(易)이라 한다.

本義

陰生陽, 陽生陰, 其變無窮, 理與書皆然也.

음(陰)은 양(陽)을 낳고 양은 음을 낳아 그 변(變)이 끝이 없으니,
이치와 책[『역(易)』]이 모두 그러하다.

成象之謂乾, 效法之謂坤.

상(象)을 이루는 것을 건(乾)이라 하고 법(法)을 본받아 따르는 것을 곤(坤)이라 한다.

本義

'效', 呈也. '法', 謂造化之詳密而可見者.

'효(效)'는 드러냄이다. '법(法)'은 조화(造化)가 상세하고 치밀하여 볼 수 있는 것을 말한다.

集說

蔡氏淵曰 : "乾主氣, 故曰'成象'; 坤主形, 故曰'效法.'"

채연(蔡淵)이 말했다. "건(乾)은 기(氣)를 주관하기 때문에 '상(象)을 이룬다'고 했고, 곤(坤)은 형(形)을 주관하기 때문에 '법(法)을 본받아 따른다'고 했다."

[계사상 5-8]

> ## 極數知來之謂占, 通變之謂事.
> 수(數)를 지극히 하여 앞으로 올 것을 아는 것을 점(占)이라 하고,
> 변(變)을 통달하는 것을 일[事]이라 한다.

本義

'占', 筮也. 事之未定者, 屬乎陽也. '事', 行事也. 占之已決者,
屬乎陰也, '極數知來', 所以通事之變. 張忠定公言'公事有陰
陽', 意蓋如此.

'점(占)'은 시초점(蓍草占)이다. 일이 아직 결정되지 않은 것은 양
(陽)에 속한다. '일'은 일을 실행하는 것이다. 점(占)이 이미 결단된
것은 음(陰)에 속한다. '수(數)를 지극히 하여 앞으로 올 것을 아는
것'은 일의 변(變)을 통달하는 근거이다. 장충정공(張忠定公 : 張詠)53)
이 '공사(公事)에 음과 양이 있다'54)고 말한 것은, 그 뜻이 대개 이

---

53) 장영(張詠, 946~1051) : 자는 복지(復之)이고, 호는 괴애자(乖崖子)이
　　다. 송대 견성(鄄城 : 현 산동성 소속)사람으로 980년 진사에 급제하여
　　대리평사(大理評事), 지숭양현(知崇陽縣), 추밀직학사(樞密直學士), 예
　　부상서(禮部尙書) 등을 역임하였다. 성품이 강직하고 호방하여 관료시
　　절 치적이 많아 충정(忠定)이라는 시호를 받았다. 저서는 『괴애집(乖崖
　　集)』이 있다.
54) 공사(公事)에 음과 양이 있다 : 장영(張詠), 『괴애집(乖崖集)』 권12, 「어

와 같다.

● 兪氏琰曰 : "或言通變, 或言變通, 同與? 曰, '窮則變, 變則通',
『易』也; '通其變, 使民不倦', 聖人之用『易』也."[55]

유염(兪琰)이 말했다. "어떤 경우에는 '변(變)을 통달한다[通變]'고
말하고 어떤 경우에는 '변(變)이 소통된다[變通]'고 말하는데, 같은
가? 대답한다. '궁극에 이르면 변(變)하고, 변하면 소통된다'[56]는 것
은 『역』이고, '그 변(變)을 통달하여 백성이 게으르지 않도록 한
다'[57]는 것은 성인이 『역』을 사용하는 것이다."

● 張氏振淵曰 : "'成象'二條, 本'生生之謂易'來, 舉乾 · 坤, 見天

록(語錄)」에서 "장영이 이전(李畋)에게 일러 말했다. '그대는 또한 공사
(公事)에 음과 양이 있는 것을 아는가?' (이전이) 대답했다. '모릅니다.'
장영이 말했다. '모든 공사는 문자로 기록되기 전에는 양에 속한다. 양은
생겨나는 것을 주관하는데, 변(變)에 통달하는 것이 그것에 말미암기 때
문이다. 문자로 기록된 뒤는 음에 속한다. 음은 형(刑)을 주관하는데,
형(刑)은 명칭을 바르게 하는 것을 귀중하게 여기니 명칭은 고칠 수 없기
때문이다.'[公謂李畋曰, '子還知公事有陰陽否?' 對曰, '未也.' 曰, '凡百
公事未着字前則屬陽. 陽主生也, 通變由之. 着字後屬陰. 陰主刑也, 刑
貴正名, 名不可改.']"라고 하였다.

55) 유염(兪琰), 『주역집설(周易集說)』 권29.
56) 궁극에 이르면 변(變)하고, 변하면 소통된다 : 『역』「계사하」 제2장.
57) 그 변(變)을 통달하여 백성이 게으르지 않도록 한다 : 『역』「계사하」 제2장.

地間無物而非陰陽之生生; 舉占·事, 見日用間無事而非陰陽之
生生."

장진연(張振淵)이 말했다. "'상(象)을 이루는 것을 건(乾)이라 하고
법(法)을 본받아 따르는 것을 곤(坤)이라 한다'라고 한 것과 '수(數)
를 지극히 하여 앞으로 올 것을 아는 것을 점(占)이라 하고, 변(變)
을 통달하는 것을 일[事]이라 한다'라고 한 두 구절은 본래 '낳고 낳
는 것을 역(易)이라 한다'라는 말로부터 온 것이니, 건과 곤을 들어
천지간에 그 어떤 것도 음양이 낳고 낳는 것이 아님이 없다는 뜻을
드러냈고, 점(占)과 일[事]을 들어 일상생활에서 그 어떤 일도 음양
이 낳고 낳는 것이 아님이 없다는 뜻을 드러냈다."

● 谷氏家杰曰 : "生生謂易, 論其理也. 有理卽有數, 陰陽消息,
易數也. 推極之可以知來, 占之義也. 通數之變, 亦易變也. 變
不'與時偕極', 通之卽成天下之事."

곡가걸(谷家杰)이 말했다. "낳고 낳는 것을 역(易)이라고 한다는 말
은 그 리(理)를 논한 것이다. 리(理)가 있으면 수(數)가 있으니 음
과 양이 줄어듦과 불어남은 역의 수이다. 그것을 궁극에까지 미루
어 앞으로 올 것을 알 수 있다는 것은 점(占)의 의미이다. 수의 변
(變)을 통달하는 것 또한 역(易)의 변(變)이다. 변(變)은 '때와 함께
궁극에까지 가지'58) 않으니, 그것을 통달하면 천하의 일을 이룬다."

---

58) 때와 함께 궁극에까지 가지 : 『역』「건(乾)·문언(文言)」에서 "항룡(亢龍)
이니 뉘우침이 있다는 것은 때와 함께 궁극에까지 간 것이다.[亢龍有悔,
與時偕極.]"라고 하였다.

● 徐氏在漢曰 : "一陰一陽, 無時而不生生, 是之謂易. 成此一陰一陽生生之象, 是之謂乾. 效此一陰一陽生生之法, 是之謂坤. 極一陰一陽生生之數而知來, 是之謂占. 通一陰一陽生生之變, 是之謂事."

서재한(徐在漢)이 말했다. "한 번은 음이 되고 한 번은 양이 되어 그 어느 때에도 낳고 낳지 않음이 없는 것을 역(易)이라고 한다. 이 한 번은 음이 되고 한 번은 양이 되어 낳고 낳는 상(象)을 이루는 것을 건(乾)이라고 한다. 이 한 번은 음이 되고 한 번은 양이 되어 낳고 낳는 법(法)을 본받아 따르는 것을 곤(坤)이라고 한다. 이 한 번은 음이 되고 한 번은 양이 되어 낳고 낳는 수(數)를 궁극에까지 추구하여 앞으로 올 것을 아는 것을 점(占)이라고 한다. 이 한 번은 음이 되고 한 번은 양이 되어 낳고 낳는 변(變)을 통달하는 것을 사(事)라고 한다."

陰陽不測之謂神.

음(陰)이 되고 양(陽)이 되는 것을 헤아릴 수 없는 일을 신(神)이라
한다.

本義

張子曰 : "兩在故不測."

장자(張子 : 張載)가 말했다. "두 가지가 있기 때문에 헤아릴 수 없
다."[59]

此第五章, 言道之體用不外乎陰陽, 而其所以然者, 則未嘗倚
於陰陽也.

이 제5장은 도(道)의 체(體)·용(用)이 음(陰)·양(陽)을 벗어나지
않지만, 그것이 그러한 까닭은 일찍이 음(陰)·양(陽)에 의지한 적
이 없음을 말했다.

集說

● 『朱子語類』, 問 : "陰陽不測之謂神', 便是妙用處." 曰 : "便是

---

59) 장재, 『정몽(正蒙)』, 「삼량편 제2(參兩篇第二)」.

包括許多道理.[60] 橫渠說得極好, '一故神', 橫渠親注云, '兩在故
不測.' 只是這一物, 卻周行事物之間. 如所謂陰陽·屈信·往來·
上下, 以至行乎什百千萬之中, 無非這一個物事, 所謂'兩在故
不測.'[61]"

『주자어류』에서 물었다. "'음(陰)이 되고 양(陽)이 되는 것을 헤아
릴 수 없는 일을 신(神)이라 한다'고 한 뜻은 바로 오묘한 작용을
말하는 것입니다."
(주자가) 대답했다. "이는 곧 수많은 도리를 포괄한 것이다. 횡거
(橫渠 : 張載)가 한 말이 매우 훌륭하니, '하나이기 때문에 신(神)이
다'라고 했고, 그는 직접 '두 가지가 있기 때문에 헤아릴 수 없는
것이다'라고 주석하였다.[62] 다만 이 하나일 뿐인 것이 또한 사물들
사이에서 두루 운행한다. 예컨대 이른바 음과 양, 굽힘과 폄, 감과
옴, 위로 올라감과 아래로 내려옴부터 온갖 수만 가지 가운데 운행
하는 것은 이 하나의 것이 아님이 없으니, 이른 바 '두 가지가 있기
때문에 헤아릴 수 없다'라는 말이다."

● 邱氏富國曰 : "上章言'易無體', 此言'生生之謂易', 唯其生生,
所以無體. 上章言'神無方', 此言'陰陽不測之謂神', 唯其不測,
所以無方. 言易而以乾·坤繼之, '乾坤毁, 則無以見易也.'"

구부국(邱富國)이 말했다. "윗 장(章)에서는 '역(易)은 일정한 체
(體)가 없다'라 말했고, 여기에서는 '낳고 낳는 것을 역(易)이라 한

---

60) 便是包括許多道理 : 여기까지는 주희,『주자어류』권74, 138조목에 있다.
61) 橫渠說得極好 … 所謂'兩在故不測.' : 주희,『주자어류』권98, 33조목.
62) '하나이기 때문에 신(神)이다' … '두 가지가 있기 때문에 헤아릴 수 없는
것이다'라고 주석하였다 : 장재,『정몽(正蒙)』,「삼량편 제2(參兩篇第二)」.

다'라 말했으니, 오직 그것이 낳고 낳기 때문에 일정한 체(體)가 없는 것이다. 윗 장(章)에서는 '신(神)은 일정한 방소(方所)가 없다'라 말했고, 여기에서는 '음(陰)이 되고 양(陽)이 되는 것을 헤아릴 수 없는 일을 신(神)이라 한다'라 했으니, 오직 그것이 헤아릴 수 없기 때문에 일정한 방소(方所)가 없는 것이다. 역(易)을 말하되 건(乾)·곤(坤)으로 그것을 이어가기 때문에 '건·곤이 무너지면 역(易)을 볼 수 없다'[63]라 했다."

● 梁氏寅曰 : "陰陽非神也, 陰陽之不測者神也. 一陰一陽, 變化不窮, 果孰使之然哉? 蓋神之所爲也. 唯神無方, 故易無體. 無方者, 卽不測之謂也; 無體者, 卽生生之謂也. 若爲有方, 則非不測之神, 而其生生者, 亦有時而窮矣."[64]

양인(梁寅)[65]이 말했다. "음(陰)이 되고 양(陽)이 되는 것은 신(神)이 아니니, 음이 되고 양이 되는 것을 헤아릴 수 없는 일이 신(神)이다. 한 번은 음이 되고 한 번은 양이 되어 변화가 끝이 없는 것은

---

63) 건·곤이 무너지면 역(易)을 볼 수 없다 : 『역』「계사상」 제12장.

64) 양인(梁寅), 『주역참의(周易參義)』 권7.

65) 양인(梁寅, 1303~1389) : 자는 맹경(孟敬)이고, 호는 석문(石門)이다. 원말(元末) 명초(明初) 이학자로서 원대 신유(新喩 : 현 강서성 소속) 사람이다. 그의 학문은 공맹의 '인륜을 밝히는 일[明人倫]'을 핵심으로 하여 정·주 철학을 계승하였다. 명 태조(明太祖) 때에 조정에 들어가 원사(元史) 편찬에 참여하였고 예부주사(禮部主事)에 임명되었으나, 노환을 빌미로 귀향하여 저술과 교육에 힘썼다. 저서로 『주역참의(周易參義)』, 『춘추고의(春秋考義)』, 『상서찬의(尙書纂義)』, 『예기집략(禮記集略)』, 『시경연의(詩經演義)』, 『주례고주(周禮考注)』, 『책요사단(策要史斷)』, 『송원사역대서략(宋元史曆代敍略)』 등이 있다.

과연 누가 그렇게 하도록 하는가? 대개 신(神)이 그렇게 했을 것이다. 오직 신(神 : 펼침)이 일정한 방소(方所)가 없기 때문에 역(易)이 일정한 체(體)가 없다. 일정한 방소가 없다는 것은 곧 헤아릴 수 없음을 말하고, 일정한 체가 없다는 것은 곧 낳고 낳음을 말한다. 만약 일정한 방소가 있으면 헤아릴 수 없는 신이 아니며, 그 낳고 낳는 일 또한 언젠가는 끝이 날 것이다."

● 蔡氏淸曰 : "合一不測爲神, 不合不謂之一, 不一不爲兩在, 不兩在不爲不測. 合者, 兩者之合也, 神化非二物也, 故曰'一物兩體'也."[66]

채청(蔡淸)이 말했다. "하나로 합하여 헤아릴 수 없는 것이 신(神)이니, 합하지 않은 것은 하나라고 하지 않으며, 하나가 아니면 두 가지로 있게 되지 못하고, 두 가지로 있지 못하면 헤아릴 수 없는 일이 되지 못한다. 합한다는 것은 두 가지의 합이고, 신(神)의 화(化)는 두 가지의 일이 아니기 때문에 '하나의 것이 두 가지 체(體)이다'[67]라고 하였다."

總論

程氏敬承曰 : "此章承上章說來. 上言'彌綸天地之道', 此則直指'一陰一陽之謂道'; 上言'神無方, 易無體', 此則直指陰陽之'生生謂易, 陰陽不測謂神.'"

---

66) 채청(蔡淸), 『역경몽인(易經蒙引)』 권11하(下).
67) 하나의 것이 두 가지 체(體)이다 : 장재, 『정몽(正蒙)』, 「삼량편 제2(參兩篇第二)」.

정경승(程敬承)이 말했다. "이 장은 윗 장을 이어서 말한 것이다. 위에서 '천지의 도를 두루 통섭한다'라 말했는데, 여기에서는 곧바로 '한 번은 음(陰)이 되고 한 번은 양(陽)이 되는 것을 도(道)라고 한다'라고 지적하였다. 위에서 '신(神)은 일정한 방소(方所)가 없고 역(易)은 일정한 체(體)가 없다'라 말했는데, 여기에서는 곧바로 음·양이 '낳고 낳는 것을 역(易)이라 하고, 음(陰)이 되고 양(陽)이 되는 것을 헤아릴 수 없는 일을 신(神)이라 한다'라고 지적하였다."

案

程氏以此爲申說上章極是. 然只擧其首尾天地之道, 及神·易兩端而已. 須知繼善·成性, 見仁·見知, 卽是申說'與天地相似'一節意. 顯仁·藏用, 盛德·大業, 卽是申說'範圍天地之化'一節意. 見仁·見知之偏, 所以見知仁合德者之全也. 顯爲晝·藏爲夜, 鼓萬物而無憂, 所以見通知晝夜·曲成萬物以作『易』者之有憂患也.

정씨(程氏 : 程敬承)가 이 장을 윗 장을 거듭해서 설명한 것이라고 여긴 것은 매우 옳다. 그러나 그는 다만 (제4장의) 첫머리인 천지의 도와 (제5장의) 끝단인 신(神)·역(易) 양끝을 제기했을 뿐이다. 반드시 아래의 내용을 알아야 한다. (제5장의) 이어가는 것은 선(善)이고 이루는 것은 성(性)이며, 인자는 인을 보고 지자는 지를 본다는 것은 곧 (제4장의) '천지와 더불어 서로 비슷하다'라는 구절의 뜻을 거듭 설명한 것이다. (제5장의) 인(仁)에 드러나고 용(用)에 감추어지며, 융성한 덕과 큰 공업(功業)이라는 것은 곧 (제4장의) '천지의 화(化)를 모범으로 삼는다'라는 구절의 뜻을 거듭 설명한 것이다. 인자는 인을 보고 지자는 지를 보는 치우침 때문에 지(知)와 인(仁)이 덕을 합하는 온전함을 나타내었다. 드러나는 것은 낮이 되고 감추는 것은 밤이 되어 만물을 고무(鼓舞)하지만 근심하지 않기 때문에 밤낮을 통달하여 알고 만물을 곡진히 이루어 『역』을 지은 사람이 우환을 가지고 있음을 나타내었다.

계사상 6

[계사상 6-1]

> 夫易, 廣矣大矣. 以言乎遠則不禦, 以言乎近則
> 靜而正, 以言乎天地之間則備矣.
>
> 역(易)은 넓고 크다. 먼 것으로 말하면 다함이 없고, 가까운 것으로
> 말하면 고요하고 바르며, 천지간으로 말하면 구비되었다.

本義

'不禦', 言無盡. '靜而正', 言卽物而理存. '備', 言無所不有.

'불어(不禦 : 막지 못한다)'는 다함이 없다는 것을 말한다. '고요하고
바르다'는 사물에 있어 리(理)가 보존되어 있다는 것을 말한다. '비
(備 : 갖추어졌다)'는 가지고 있지 않은 것이 없다는 것을 말한다.

案

遠・近是橫說, 天地之間是直說. 理極於無外, 故曰遠. 性具於

一身, 故曰近. 命者, 自天而人, 徹上徹下, 故曰天地之間. '不禦'
者, 所謂彌綸也. 靜・正者, 所謂相似也. 備者, 所謂範圍也.

먼 것과 가까운 것은 횡적으로 말한 것이고, 하늘과 땅 사이는 종
적으로 말한 것이다. 리(理)는 밖이 없는 데까지 이르기 때문에 먼
것으로 말했고, 성(性)은 우리 몸에 갖추고 있기 때문에 가까운 것
으로 말했다. 명(命)은 하늘에서 사람에 이르기까지 아래위로 관
통하기 때문에 하늘과 땅 사이로 말했다. '불어(不禦 : 막지 못한
다)'는 이른 바 두루 섭렵한다는 것이다. 고요하고 바르다는 것은
이른 바 서로 비슷하다는 뜻이다. 구비한다는 것은 모범으로 삼는
다는 말이다.

> 夫乾, 其靜也專, 其動也直, 是以大生焉. 夫坤,
> 其靜也翕, 其動也闢, 是以廣生焉.

건(乾)은 고요할 때는 전일(專一)하고 움직일 때는 곧으니, 이 때
문에 크게 낳는다. 곤(坤)은 고요할 때는 닫히고 움직일 때는 열리
니, 이 때문에 넓게 낳는다.

本義

乾·坤各有動靜, 於其四德見之, 靜體而動用, 靜別而動交也.
乾一而實, 故以質言而曰'大', 坤二而虛, 故以量言而曰'廣.'
蓋天之形雖包於地之外, 而其氣常行乎地之中也, 易之所以
廣大者以此.

건(乾)과 곤(坤)은 각각 움직임과 고요함이 있으니, 사덕(四德 : 元
·亨·利·貞)에서 보면 고요함은 체(體)이고 움직임은 용(用)이며,
고요함은 따로 떨어져 있고 움직임은 서로 사귄다. 건(乾)은 일(一)
이어서 실(實)하기 때문에 질(質)로써 말하여 '대(大 : 크다)'라 하였
고, 곤(坤)은 이(二)여서 허(虛)하기 때문에 양(量)으로써 말하여
'광(廣 : 넓다)'이라 하였다. 하늘의 형체는 비록 땅의 밖을 포함하고
있지만 그 기(氣)는 항상 땅에서 운행하니, 역(易)이 광대한 까닭은
이 때문이다.

● 孔氏穎達曰 : "若氣不發動, 則靜而專一, 故云'其靜也專'; 若
其運轉, 則四時不忒, 寒暑無差, 剛而得正, 故云'其動也直.' 以
其動靜如此, 故能大生焉. 閉藏翕斂, 故'其靜也翕'; 動則開生萬
物, 故'其動也闢.' 以其如此, 故能廣生於物焉."[1]

공영달(孔穎達)이 말했다. "만약 기(氣)가 발동하지 않으면 고요하
여 전일(專一)하기 때문에 '그것이 고요할 때는 전일하다'라 했고,
만약 그것이 운행하여 돌아다니면 사계절이 어그러지지 않고 추위
와 더위가 어긋나지 않아 굳세면서 바름을 얻기 때문에 '그것이 움
직일 때는 곧다'라 하였다. 그 움직임과 고요함이 이와 같기 때문에
크게 낳을 수 있다. 막아서 감추고 닫아서 수렴하기 때문에 '그것이
고요할 때는 닫힌다'라 하였고, 움직이면 만물을 열어서 생겨나게
하기 때문에 '그것이 움직이면 열린다'라 하였다. 그것이 이와 같기
때문에 만물을 넓게 낳을 수 있다."

● 程子曰 : "乾陽也, 不動則不剛. '其靜也專, 其動也直', 不專
一則不能直遂. 坤陰也, 不靜則不柔. '其靜也翕, 其動也闢', 不
翕聚, 則不能發散."[2]

정자(程子 : 程顥·程頤)가 말했다. "건(乾)은 양이니 움직이지 않으
면 굳세지 않다. '그것이 고요할 때는 전일하고 움직일 때는 곧으
니', 전일하지 않으면 곧게 이룰 수 없다. 곤(坤)은 음이니 고요하지
않으면 부드럽지 않다. '그것이 고요할 때는 닫히고 움직일 때는 열

---

1) 공영달 소(孔穎達 疏), 『주역주소(周易註疏)』 권11.
2) 정호·정이(程顥·程頤), 『하남정씨유서(河南程氏遺書)』 권11.

리니', 닫아서 모으지 않으면 발산할 수 없다."

● 『朱子語類』云 : "天是一個渾淪底物, 雖包乎地之外, 而氣則迸出乎地之中. 地雖一塊物在天之中, 其中實虛, 容得天之氣迸上來. '大生', 是渾淪無所不包; '廣生', 是廣闊, 能容受得那天之氣. '專・直'則只是一物直去, '翕・闢'則是兩個, 翕則翕, 闢則闢. 此奇耦之形也."3)

『주자어류』에서 말했다. "하늘은 하나의 혼륜한 사물이니, 비록 땅의 밖을 감싸고 있지만, 기(氣)는 땅 속에서 솟아나온다. 땅은 비록 한 덩이 사물이 하늘 속에 있는 것이지만 그 속은 실로 텅 비어 하늘의 기가 솟아나오는 것을 포용한다. '크게 낳는다'는 혼륜하여 포괄하지 않는 바가 없다는 뜻이고, '넓게 낳는다'는 광활하여 저 하늘의 기를 받아들일 수 있다는 것이다. '전일하다, 곧다'는 다만 하나의 사물이 곧바로 가는 것일 뿐이고, '닫힌다, 열린다'는 두 가지 것이 닫으면 닫히고 열면 열린다는 말이다. 이는 홀[奇]과 짝[耦]이 드러난 것이다."

● 又云 : "乾靜專動直而大生, 坤靜翕動闢而廣生. 這說陰陽體性如此, 卦畫也髣髴似恁地.4) 乾畫奇, 便見得'其靜也專, 其動也直'; 坤畫偶, 便見得'其靜也翕, 其動也闢.'5)"

---

3) 주희, 『주자어류』 권74, 152조목.
4) 乾靜專動直而大生 … 卦畫也髣髴似恁地 : 주희, 『주자어류』 권74, 148조목.
5) 乾畫奇, 便見得'其靜也專 … 便見得'其靜也翕, 其動也闢 : 주희, 『주자

(주자가) 또 말했다. "건(乾)은 고요할 때는 전일하고 움직일 때는 곧아서 크게 낳는다. 곤(坤)은 고요할 때는 닫히고 움직일 때는 열려서 넓게 낳는다. 이는 음양의 성질이 이와 같음을 말한 것인데, 괘의 획도 그것과 거의 비슷하다. 건(乾)은 홀[奇]을 그은 것이니, '그것이 고요할 때는 전일하고 그것이 움직일 때는 곧다'는 것을 볼 수 있다. 곤(坤)은 짝[耦]을 그은 것이니, '그것이 고요할 때는 닫히고 그것이 움직일 때는 열린다'는 것을 볼 수 있다."

● 吳氏澄曰 : "翕, 謂合而氣之專者藏乎此; 闢, 謂開而氣之直者出乎此."[6]

오징(吳澄)이 말했다. "닫힌다는 것은 합하여 기(氣)의 전일한 것이 여기에 감추어짐을 말한다. 열린다는 것은 열어서 기(氣)의 곧은 것이 여기에서 나옴을 말한다."

● 胡氏炳文曰 : "乾唯健, 故一以施; 坤唯順, 故兩而承. 靜專, 一者之存; 動直, 一者之達. 靜翕, 兩者之合; 動闢, 兩者之分. 一之達, 所以行乎坤之兩, 故以質言而曰'大'; 兩之分, 所以承乎乾之一, 故以量言而曰'廣.'"[7]

호병문(胡炳文)이 말했다. "건(乾)은 오직 굳세기 때문에 하나로써 베풀고, 곤(坤)은 오직 순조롭기 때문에 둘로 하여 이어 받는다. 고요하여 전일한 것은 하나가 보존된 것이고, 움직여 곧은 것은 하나

어류』 권74, 149조목.
6) 오징(吳澄), 『역찬언(易纂言)』 권7.
7) 호병문(胡炳文), 『주역본의통석(周易本義通釋)』 권5.

가 통달한 것이다. 고요하여 닫히는 것은 둘이 합쳐진 것이고, 움직여 열리는 것은 둘이 나누어진 것이다. 하나가 통달하여 그것으로 곤(坤)의 둘을 운행하기 때문에 질(質)로 말하여 '크다'라 했고, 둘이 나누어져 그것으로 건(乾)의 하나를 이어 받기 때문에 양(量)으로 말하여 '넓다'라 했다."

● 林氏希元曰 : "此推易之所以廣大也. 乾·坤, 萬物之父母也. 乾·坤各有性氣, 皆有動靜. 乾之性氣, 其靜也專一而不他. 唯其專一而不他, 則其動也直遂而無屈撓. 唯直遂而無屈撓, 則其性氣之發, 四方八表, 無一不到, 而規模極其大矣. 故曰'大生焉.' 坤之性氣, 其靜也翕合而不洩. 唯其翕合而不洩, 則其動也開闢而無閉拒. 唯其開闢而無閉拒, 則乾氣到處, 坤皆有以承受之, 而度量極其廣矣. 故曰'廣生焉.' 乾坤卽天地也, '大生·廣生', 皆就乾坤說. 『易』書之廣大, 則模寫乎此, 不可以本文廣大作『易』書."[8]

임희원(林希元)이 말했다. "이것은 역(易)이 넓고 큰 이유를 미루어 말한 것이다. 건·곤은 만물의 부모이다. 건·곤은 각각 성질이 있고 모두 움직임과 고요함이 있다. 건(乾)의 성질은 그것이 고요할 때는 전일하여 다른 것을 하지 않는다. 오직 전일하여 다른 것을 하지 않으니, 그것이 움직일 때는 곧바로 이루기만 할 뿐 굽히거나 흔들거림이 없다. 오직 곧바로 이루기만 할 뿐 굽히거나 흔들거림이 없으니, 그 성질이 발현된 것은 사방팔방을 넘어서 그 어느 곳도 이르지 않는 곳이 없으며 그 규모는 그 큼을 극진히 한다. 그러므로 '크게 낳는다'라고 하였다. 곤(坤)의 성질은 그것이 고요할

8) 임희원(林希元), 『역경존의(易經存疑)』 권9.

때는 닫아서 합하여 새어나가지 않는다. 오직 닫아서 합하여 새어나가지 않으니, 그것이 움직일 때는 처음으로 열릴 뿐 닫아서 거부함이 없다. 오직 처음으로 열릴 뿐 닫아서 거부함이 없으니, 건(乾)의 기(氣)가 이르는 곳에 곤(坤)도 모두 받아들여서 그 도량이 그 넓음을 극진히 한다. 그러므로 '넓게 낳는다'라고 하였다. 건·곤은 곧 천지이고 '크게 낳는다'와 '넓게 낳는다'고 한 것은 모두 건·곤 측면에서 말한 것이다. 『역』이라는 책의 넓고 큼은 이것을 모사한 것이지만, 본문의 넓고 큼을 가지고 『역』이라는 책의 넓고 큼으로 삼아서는 안 된다."

案

此節是承上節'廣矣大矣', 而推言天地之所以廣大者. 一由於易簡, 故下節遂言『易』書'廣大配天地', 而結歸於易簡也. 靜專動直, 是豪無私曲, 形容'易'字最盡; 靜翕動闢, 是豪無作爲, 形容'簡'字最盡. '易'在直處見, 坦白而無艱險之謂也, 其本則從專中來; '簡'在闢處見, 開通而無阻塞之謂也, 其本則從翕中來.

이 구절은 윗 구절의 '넓고 크다'라는 말을 이어 받아 천지가 넓고 큰 근거를 추론하여 말한 것이다. 한결 같이 간이(簡易)함에서 말미암기 때문에, 아래 구절에서 마침내 『역』이라는 책이 '광대함이 천지와 짝한다'고 말하여 간이함으로 귀결시켰다. 고요할 때 전일하고 움직일 때 곧은 것은 조금도 사사로이 왜곡됨이 없는 것으로, '이(易 : 쉬움)'라는 글자를 가장 잘 발휘하여 형용한 것이다. 고요할 때 닫히고 움직일 때 열리는 것은 조금도 작위(作爲)함이 없는 것으로, '간(簡 : 간단함)'이라는 글자를 가장 잘 발휘하여 형용한 것이다. '이(易)'는 곧은 측면으로 보아 담백하여 험난함이 없는 것을 말하니, 그 근본은 전일함에서 나온다. '간(簡)'은 열리는 측면으로 보

아 개통(開通)하여 막힘이 없는 것을 말하니, 그 근본은 닫히는 데
서 나온다.

廣大配天地, 變通配四時, 陰陽之義配日月, 易
簡之善配至德.

광대(廣大)함은 천지와 짝하고, 변통(變通)함은 사계절과 짝하며,
음양의 의미는 일월(日月)과 짝하고, 간이(簡易)함의 선(善)은 지
극한 덕(德)과 짝한다.

本義

易之廣大·變通, 與其所言陰陽之說, 易簡之德, 配之天道人
事則如此.

역(易)의 광대(廣大)함·변통(變通)함과 역에서 언급한 음양에 대한
말과 간이(簡易)함의 덕을 천도(天道)와 인사(人事)에 짝하면 이와
같다.

此第六章.

이는 제6장이다.

集說

● 孔氏穎達曰 : "初章, '易'爲賢人之德, '簡'爲賢人之業. 今總云

'至德'者, 對則德・業別, 散則業由德而來, 俱爲德也."[9]

공영달(孔穎達)이 말했다. "첫 장에서 '이(易)'는 현명한 사람의 덕
이 되었고 '간(簡)'은 현명한 사람의 공업(功業)이 되었다. 이제 총
괄하여 '지극한 덕'이라고 한 것은 짝을 지어 놓으면 덕과 공업이
구별되지만, 흩어 놓으면 공업은 덕으로부터 말미암아 나오니 모두
덕이 된다."

● 吳氏澄曰 : "『易』書廣大之中有變通焉, 有陰陽之義焉. 亦猶
天地之有四時日月也, 四時日月卽天地, 猶易之六子卽乾坤也.
易之廣大・變通・陰陽, 皆易簡之善, 爲之主宰. 而天地之至德,
亦此易簡之善而已. 是『易』書易簡之善, 配乎天地之至德也."[10]

오징(吳澄)이 말했다. "『역』이라는 책은 광대한 가운데 변통이 있
고, 음양의 의미가 있다. 또한 마치 천지에 사계절과 해와 달이 있
는 것과 같으니, 사계절과 해와 달이 천지에 붙어 있는 것은 역(易)
의 '여섯 자식[六子]'[11]이 건・곤에 붙어 있는 것과 같다. 역의 광대
함, 변통함, 음양은 모두 간이(簡易)함의 선(善)이 그것들을 주재한
다. 그리고 천지의 지극한 덕 또한 이 간이(簡易)함의 선(善)일 뿐
이다. 이는 『역』이라는 책에서 간이(簡易)함의 선(善)이 천지의 지
극한 덕과 짝한다는 뜻이다."

---

9) 공영달 소(孔穎達 疏), 『주역주소(周易註疏)』 권11.
10) 오징(吳澄), 『역찬언(易纂言)』 권7.
11) 여섯 자식[六子] : 소성괘 8괘 가운데 건・곤을 뺀 나머지 여섯 괘, 즉 진
   (震 : 장남), 손(巽 : 장녀), 감(坎 : 중남), 리(離 : 중녀), 간(艮 : 소남), 태
   (兌 : 소녀)를 가리킨다.

此上三章, 中'變·化者, 進退之象'一節之義. 首言易'能彌綸天地之道', 而所謂幽明·死生·神鬼之理, 卽進退·晝夜之機也. 次言易'與天地相似', 而所謂仁義之性, 卽三極之道也. 又言易'能範圍天地之化', 蓋以其贊天地之化育, 而又知天地之化育, 則三極之道, 進退·晝夜之機, 一以貫之矣.

이 위의 세 개의 장(章)은 (제2장의) '변·화는 나아감과 물러남의 상(象)이다'라는 구절의 의미를 펼친 것이다. 먼저 (제4장에서) 역(易)은 '천지의 도를 두루 통섭한다'라고 말했지만, 이른바 유명(幽明)·사생(死生)·귀신(神鬼)의 이치는 곧 나아감과 물러남, 밤과 낮의 기미이다. 다음으로 (제4장에서) 역(易)은 '천지와 더불어 서로 비슷하다'라고 말했지만, 이른바 인의(仁義)의 성(性)은 곧 삼극(三極 : 천·지·인)의 도(道)이다. 또 (제4장에서) 역(易)이 '천지의 화(化)를 모범으로 삼는다'라고 말한 것은 그것이 천지의 화육(化育)을 돕기 때문이지만, 또 천지의 화육이 곧 삼극의 도와 나아감과 물러남, 밤과 낮의 기미가 하나로 관통된 것임을 알 수 있다.

'窮理盡性以至於命', 則神化之事備, 此易之蘊也, 旣乃一一申明之. 所謂'天地之道'者, 一陰一陽之謂也; 所謂'天地之性'者, 一仁一智之謂也; 所謂'天地之化'者, 一顯一藏以鼓萬物之謂也; 所謂'易無體'者, 生生之謂也, 著於乾·坤, 形乎占·事者皆是; 而所謂'神無方'者, 則陰陽不測之謂也. 終乃總而極贊之, 謂易之窮理也, 遠不禦, 其盡性也, 靜而正, 其至命也, 於天地之間備矣.

'리(理)를 궁구하고 성(性)을 다 발휘하여 명(命)에 이르면'[12] 신령한 화(化)의 일이 갖추어지니 이것이 역(易)의 심오한 뜻인데, 이미 일일이 거듭해서 밝혔다. 이른바 '천지의 도(道)'라는 것은 한 번은 음(陰)이 되고 한 번은 양(陽)이 되는 것을 말한다. 이른바 '천지의 성(性)'이라는 것은 한 번은 인(仁)이 되고 한 번은 지(智)가 되는 것을 말한다. 이른바 '천지의 화(化)'라는 것은 한 번은 나타나고 한 번은 감추어서 만물을 고무시키는 것을 말한다. 이른바 '역(易)은 일정한 체(體)가 없다'라는 것은 낳고 낳는 것을 말하는데, 건·곤에서 드러나고 점(占)·사(事)에서 나타나는 것이 모두 이것이다. 그리고 이른바 '신(神)은 일정한 방소(方所)가 없다'라는 것은 음이 되고 양이 되는 것을 헤아릴 수 없다는 것을 말한다. 끝에 총괄하여 극찬하였으니, 역이 리(理)를 궁구한 것은 먼 것으로 말하면 다함이 없고, 성(性)을 다 발휘한 것은 고요하고 바르며, 명(命)에 이른 것은 하늘과 땅 사이에 다 갖추었음을 말한다.

又推原其根於易簡之理, 靜專·動直, 易也; 靜翕·動闢, 簡也. 易簡之理, 具於三極之道, 而行乎進退·晝夜之間. 故易者, 統而言之, '廣大配天地'也; 析而言之, '變·化者, 進退之象', '變通配四時'也, '剛·柔者, 晝夜之象', '陰陽之義配日月'也, '六爻之動, 三極之道', '易簡之善配至德也.'

또 간이(簡易)함의 이치에서 그 근원을 추구했으니, 고요할 때 전일하고 움직일 때 곧은 것은 이(易)이고, 고요할 때 닫히고 움직일 때 열리는 것은 간(簡)이다. 간이(簡易)함의 이치는 삼극(三極)의 도에 갖추어져서 나아감과 물러남, 밤과 낮 사이에 유행한다. 그러

----

12) 리(理)를 궁구하고 성(性)을 다 발휘하여 명(命)에 이르면 : 『역』「설괘전(說卦傳)」 제1장.

므로 역(易)은 통괄해서 말하면 '광대(廣大)함은 천지와 짝한다'라
는 말이고, 분석해서 말하면 '변·화는 나아감과 물러남의 상(象)이
다'는 '변통(變通)함이 사계절과 짝한다'는 뜻이고, '강(剛)·유(柔)
는 밤과 낮의 상(象)이다'는 '음양의 의미는 일월(日月)과 짝한다'는
뜻이며, '여섯 효의 움직임은 삼극(三極)의 도이다'는 '간이(簡易)함
의 선(善)은 지극한 덕(德)과 짝한다'는 뜻이다.

繫辭上傳
계사상전

제14권

계사상 7

[계사상 7-1]

> 子曰 : "易其至矣乎! 夫易聖人所以崇德而廣業
> 也. 知崇禮卑, 崇效天, 卑法地.

공자가 말했다. "역(易)은 지극하다! 역(易)은 성인이 그것으로 덕을 높이고 공업(功業)을 넓힌 것이다. 지(知)는 높고 예(禮)로 낮추니, 높음은 하늘을 본받고 낮춤은 땅을 본받은 것이다.

本義

「十翼」皆夫子所作, 不應自著'子曰'字, 疑皆後人所加也. 窮理則知崇如天而德崇, 循理則禮卑如地而業廣. 此其取類, 又以淸濁言也.

「십익(十翼)」은 모두 부자(夫子 : 孔子)가 지은 것인데, 응당 스스로 '자왈(子曰)'이라는 글자를 쓰지는 않았을 것이니, 의심컨대 모두 후대 사람이 덧붙인 것 같다. 리(理)를 궁구하면 지혜의 높음이 하늘과 같아 덕이 높아지고, 리(理)를 따르면 예(禮)로 낮춤이 땅과 같

아 공업(功業)이 넓어진다. 이는 그 부류를 취하고 또 청(淸)·탁
(濁)으로 말하였다.

集說

● 韓氏伯曰 : "極知之崇, 象天高而統物; 備禮之用, 象地廣而
載物也."1)

한백(韓伯)이 말했다. "지(知)의 높음을 극진히 함은 하늘이 높아
만물을 통솔함을 본받았고, 예(禮)의 쓰임을 갖춤은 땅이 넓어 만
물을 실음을 본받았다."

● 孔氏穎達曰 : "言易道至極, 聖人用之以增崇其德, 廣大其
業."2)

공영달(孔穎達)이 말했다. "역의 도가 지극하니, 성인은 그것을 써
서 그 덕을 더욱 높이고 그 공업(功業)을 광대하게 했음을 말한다."

● 『朱子語類』云 : "知識貴乎高明, 踐履貴乎著實. 知旣高明, 須
放低著實作去."3)

『주자어류』에서 말했다. "지식은 고명(高明)함을 귀하게 여기고, 실

---

1) 한백(韓伯), 『주역주소(周易註疏)』 권11.
2) 공영달 소(孔穎達 疏), 『주역주소(周易註疏)』 권11.
3) 주희, 『주자어류』 권74, 165조목.

천은 착실(著實)함을 귀하게 여긴다. 지식이 이미 고명하면 반드시 낮추어 착실하게 실행해야 한다."

● 又云 : "'知崇'者, 德之所以崇; '禮卑'者, 業之所以廣. 蓋禮纔有些不到處, 便有所欠闕, 業便不廣矣. 唯極卑無所欠闕, 所以廣."[4]

(주자가) 또 말했다. "'지(知)가 높다'는 것은 덕이 높아지는 근거이고, '예(禮)로 낮춘다'는 것은 공업(功業)이 넓어지는 근거이다. 예가 조금이라도 이르지 못하는 점이 있으면 곧바로 이지러지는 것이 있어 공업이 넓어질 수 없다. 오직 낮추기를 지극히 하여 이지러지는 것이 없어야 이에 넓어지는 것이다."

● 又云 : "'禮卑'是卑順之意. 卑便廣, 地卑便廣, 高則狹了. 人若只揀取高底作, 便狹. 兩脚踏地作, 方得."[5]

(주자가) 또 말했다. "'예(禮)로 낮춘다'는 것은 낮추어 순조롭게 한다는 뜻이다. 낮추면 넓어지니, 땅은 낮으면 넓어지고 높으면 좁아진다. 사람이 만약 높은 것만을 가려서 하면 바로 좁아진다. 두 발을 땅에 밟고 해야 된다."

● 吳氏澄曰 : "'崇德'者, 立心之易, 而所得日進日新也. '廣業'者, 行事之簡, 而所就日充日富也. 德之進而新, 由所知之崇, 高

---

4) 주희, 『주자어류』 권74, 163조목.
5) 주희, 『주자어류』 권74, 161조목.

明如天; 業之充而富, 由所履之卑, 平實如地."6)

오징(吳澄)이 말했다. "'덕을 높인다'는 것은 마음먹는 일이 쉬워 얻은 것이 날로 진보하고 날로 새롭다는 뜻이다. '공업(功業)을 넓힌다'는 것은 일을 하는 것이 간단하여 성취한 바가 날로 가득차고 날로 풍부하다는 말이다. 덕이 진보하고 새로워짐은 안 것이 높아져 고명함이 하늘과 같아진 데서 말미암고, 공업이 가득차고 풍부함은 실천한 것이 낮추어져 평탄·착실함이 땅과 같아진 데서 말미암는다."

● 張氏振淵曰 : "'知', 卽德之虛明炯於中者; '禮', 卽業之矩矱成於外者. 天運於萬物之上, 而聖心之知, 亦獨超於萬象之表, 故曰'崇效天.' 地包細微, 不遺一物, 而聖人之禮, 亦不忽於纖悉細微之際, 故曰'卑法地.'"

장진연(張振淵)이 말했다. "'지(知)'는 곧 덕의 허명(虛明)함이 마음 속에서 빛나는 것이고, '예(禮)'는 곧 공업(功業)의 법도가 밖에서 이루어지는 것이다. 하늘이 만물 위에서 운행하고, 성인의 마음의 지(知) 또한 홀로 만상(萬象)이 겉으로 드러나는 것을 초월하기 때문에 '높음은 하늘을 본받는다'라고 했다. 땅은 미세한 것도 포용하여 하나의 사물도 버리지 않았고, 성인의 예(禮) 또한 아주 상세하고 세밀한 상황을 소홀히 하지 않기 때문에 '낮춤은 땅을 본받는다'라고 했다."

6) 오징(吳澄), 『역찬언(易纂言)』 권7.

[계사상 7-2]

> 天地設位 而易行乎其中矣. 成性存存, 道·義之
> 門."

천지가 자리를 확립하면 역(易)이 그 가운데 행해진다. 이루어진
성(性)을 보존하고 보존하는 것이 도(道)·의(義)의 문(門)이다."

本義

天地設位而變化行, 猶知禮存性而道·義出也. '成性', 本成
之性也; '存存', 謂存而又存, 不已之意也.

천지가 자리를 확립하면 변화가 행해진다는 것은 마치 지(知)와 예
(禮)가 성(性)을 보존하여 도·의(道·義)가 나오는 것과 같다. '이루
어진 성(性)'은 본래 이루어진 성(性)이고, '보존하고 보존한다'는
보존하고 또 보존하는 일을 말하니, 그치지 않는다는 뜻이다.

此第七章.

이는 제7장이다.

集說

● 『朱子語類』云 : "識見高於上, 所行實於下, 中間便生生而不

窮, 故說'易行乎其中. 成性存存, 道義之門.'"7)

『주자어류』에서 말했다. "식견이 위에서 높고 행하는 것이 아래에서 착실하면, 중간에 있는 것은 낮고 낮아서 끊이지 않기 때문에 '역(易)이 그 가운데 행해진다. 이루어진 성(性)을 보존하고 보존하는 것이 도(道)·의(義)의 문(門)이다'라고 말했다."

● 俞氏琰曰 : "人之性, 渾然天成, 蓋無有不善者. 更加以涵養功夫, 存之又存, 則無所往而非道, 無所往而非義矣."8)

유염(俞琰)이 말했다. "사람의 성(性)은 혼연히 하늘이 이루었기 때문에 선하지 않음이 없다. 거기에다 다시 함양(涵養) 공부를 더하여 그것을 보존하고 또 보존하면 그 어떠한 경우에도 도(道)가 아님이 없으며, 그 어떠한 경우에도 의(義)가 아님이 없을 것이다."

● 林氏希元曰 : "此承上文'知崇禮卑, 崇效天, 卑法地'而言, 意謂天地設位, 則陰陽變化, 而易行乎其中矣. 聖人知·禮至於效天法地, 則本成之性, 存存不已, 而道·義從此出, 故曰'道義之門.' 蓋道·義之得於心者, 日新月盛, 則德於是乎崇矣; 道·義之見於事者, 日積月累, 則業於是乎廣矣. 此易所以爲聖人之崇德廣業, 而『易』書所以爲至也."9)

임희원(林希元)이 말했다. "이는 윗글 '지(知)는 높고 예(禮)로 낮추

---

7) 주희, 『주자어류』 권74, 167조목.
8) 유염(俞琰), 『주역집설(周易集說)』 권29.
9) 임희원(林希元), 『역경존의(易經存疑)』 권9.

니, 높음은 하늘을 본받고 낮춤은 땅을 본받은 것이다'를 이어서 말한 것으로, 그 뜻은 천지가 자리를 확립하면 음양이 변화하여 역(易)이 그 가운데 행해진다는 것이다. 성인의 지(知)와 예(禮)가 하늘을 본받고 땅을 본받기에 이르면, 본래 이루어진 성(性)을 보존하고 보존하여 끊이지 않아 도(道)·의(義)가 여기에서 나오기 때문에 '도·의의 문(門)'이라 하였다. 대개 도·의를 마음으로 터득한 것이 날로 새롭고 날로 융성하면 덕은 이에 높아지며, 도·의가 일에 나타난 것이 나날이 쌓이고 다달이 누적되면 공업(功業)은 이에 넓어질 것이다. 이것이 바로 역(易)에서 성인이 덕을 높이고 공업을 넓히는 근거가 되고 『역』이라는 책이 지극하게 된 까닭이다."

● 노씨(盧氏)曰：“天地位而易行, 是天地德·業之盛; 知·禮存而道·義出, 是聖人德·業之盛.”

노씨(盧氏)가 말했다. “천지가 자리를 잡으면 역(易)이 행해진다는 것은 천지의 덕과 공업(功業)이 융성하다는 뜻이고, 지(知)와 예(禮)가 보존되면 도(道)와 의(義)가 나온다는 것은 성인의 덕과 공업(功業)이 융성하다는 말이다.”

● 吳氏曰愼曰：“道·義之出不窮, 猶易之生生不已也. 然未有不存存而能生生者.”

오왈신(吳曰愼)이 말했다. “도(道)·의(義)가 나옴이 무궁한 것은 마치 역(易)이 낳고 낳음이 그치지 않는 것과 같다. 그렇지만 보존하고 또 보존하지 않고 낳고 낳을 수 있는 것은 있은 적이 없다.”

'門'字不可專以出說, 須知兼出入兩意. 知崇於內, 則萬理由此
生, 是道所從出之門也; 禮卑於外, 則萬行由此成, 是義所從入
之門也. 若以四德配, 則知屬冬, 禮屬夏, 道卽仁也屬春, 義屬
秋. 仁主出而發用, 然非一心虛明, 萬理畢照, 則無以爲發用之
源; 義主入而收斂, 然非百行萬善, 具足完滿, 亦無以爲收斂之
地矣. 此造化動靜互根, 顯諸仁 · 藏諸用之妙, 其在人則性之德
也, 合內外之道也.

'문(門)'이라는 글자는 오로지 나온다는 뜻으로만 말해서는 안 되
니, 반드시 나오는 것과 들어가는 것 두 가지 뜻을 겸하고 있음을
알아야 한다. 안으로 지(知)가 높으면 온갖 이치가 이에 말미암아
생겨나니 이는 도(道)가 좇아서 나오는 문이며, 밖으로 예(禮)로 낮
추면 온갖 행위가 이에 말미암아 이루어지니 이는 의(義)가 좇아서
들어가는 문이다. 만약 사덕(四德)으로 짝 지으면, 지(知)는 겨울에
속하고, 예(禮)는 여름에 속하며, 도(道)는 곧 인(仁)이니 봄에 속하
고, 의(義)는 가을에 속한다. 인(仁)은 나오는 것을 위주로 해서 발
휘하여 운용하지만, 허명(虛明)한 마음으로 온갖 이치를 다 비추지
못하면 발휘하여 운용하는 근원이 될 수 없다. 의(義)는 들어가는
것을 위주로 해서 수렴하지만, 수많은 선한 행위로 충분하게 원만
함을 갖추지 못하면 또한 수렴하는 기반이 될 수 없다. 이는 조화
(造化)에서 움직임과 고요함이 서로 뿌리가 되어 인(仁)에 드러나
고 용(用)에 감추어지는 오묘함이니, 그것이 사람에게는 성(性)의
덕이 되고 안팎을 합치는 도(道)가 된다.

項氏安世曰 : "此章言聖人體易於身也. 知窮萬理之原, 則乾之
始萬物也; 禮循萬理之則,[10] 則坤之成萬物也. 道者義之體, 智
之所知也; 義者道之用, 禮之所行也."[11]

항안세(項安世)가 말했다. "이 장(章)은 성인이 몸으로 역(易)을 체
인한 것을 말했다. 지(知)가 온갖 이치의 근원을 캐묻는 것은 건
(乾)이 만물을 시작하는 것이고, 예(禮)가 온갖 이치의 법칙을 따르
는 것은 곤(坤)이 만물을 이루는 것이다. 도(道)는 의(義)의 본체로
지(智)가 안 것이고, 의(義)는 도(道)의 작용으로서 예(禮)가 실행
한 것이다."

---

10) 禮循萬理之則 : 항안세(項安世), 『주역완사(周易玩辭)』 권13에는 이 구
    절 뒤에 "踐而行之[그것을 실천하는 것은]"라는 말이 더 있다.
11) 항안세(項安世), 『주역완사(周易玩辭)』 권13.

[계사상 8-1]

> 聖人有以見天下之賾, 而擬諸其形容, 象其物
> 宜. 是故謂之象.
>
> 성인이 그것을 가지고 천하 만물의 번잡함을 보고 그 형상(形狀)
> 에서 헤아려 그 사물의 마땅함을 상징하였다. 이 때문에 상(象)이
> 라 했다.

本義

賾, 雜亂也. 象, 卦之象, 如「說卦」所列者.

색(賾)은 번잡함이다. 상(象)은 괘의 상(象)이니, 「설괘전(說卦傳)」
에 나열한 바와 같은 것이다.

集說

● 『朱子語類』云 : "賾, 雜亂也. 古無此字, 只是'嘖'字. 今從'臣',

亦是'口'之義.[1) 與『左傳』'嘖有繁言'之'嘖'同. 是口裏說話多雜亂
底意思, 所以下文說'不可惡.'[2) 先儒多以'賾'爲至妙之意, 若如
此說, 何從謂之'不可惡?' '賾', 只是一個雜亂冗鬧底意思.[3)"[4)

『주자어류』에서 말했다. "색(賾)은 번잡함이다. 옛날에는 이 글자
가 없었으니 다만 '책(嘖)'이라는 글자일 뿐이다. 지금 '臣'변에 있는
글자는 역시 '구(口)'의 의미이다. 여기의 '색(賾)'은 『춘추좌전』(정
공〈定公〉 4년)에서 '책유번언(嘖有繁言)'이라고 할 때의 '책(嘖)'과
같다. 이는 입 속으로 말하는 것이 대부분 번잡하다는 뜻이니, 그
때문에 아래 글에서 '미워할 수 없다'고 말했다. 선배 학자들은 대
부분 '색(賾)'을 지극히 오묘함이라는 뜻으로 여겼는데, 만약 이와
같이 말한다면 어떻게 그것을 좇아서 '미워할 수 없다'고 말할 수
있겠는가? '색(賾)'은 다만 번잡하여 쓸데없이 떠들썩하다는 의미일
뿐이다."

● 吳氏澄曰 : "不以「象」對爻言, 而以「象」對爻言者, 文王未繫
象辭之先, 重卦之名謂之「象」, 「象」先於「象」, 言「象」則「象」在
其中."[5)

<hr />

1) 賾, 雜亂也. 古無此字, 只是'嘖'字. 今從臣, 亦是口之義 : 주희,『주자어
   류』권75, 1조목.
2) 與『左傳』'嘖有繁言'之'嘖'同. 是口裏說話多雜亂底意思, 所以下文說'不
   可惡.' : 주희,『주자어류』권75, 2조목.
3) 先儒多以'賾'爲至妙之意. 若如此說, 何從謂之'不可惡?' '賾', 只是一個
   雜亂冗鬧底意思 : 주희,『주자어류』권75, 18조목.
4) 주희,『주자어류』권75, 10조목.
5) 오징(吳澄),『역찬언(易簒言)』권7.

오징(吳澄)이 말했다. "「단(彖)」으로 효(爻)에 대해 말하지 않고 「상(象)」으로 효에 대해 말한 것은, 문왕이 아직 단사(彖辭)를 붙이기 전에 중괘(重卦)의 명칭을 「상(象)」이라고 하여 「상(象)」이 「단(彖)」보다 앞서니, 「상(象)」을 말하면 「단(彖)」은 그 가운데 있다."

● 胡氏炳文曰 : "擬者象之未成, 象者擬之已定. 姑以乾·坤二卦言之, 未畫則擬陰·陽之形容,[6] 於是爲奇·偶之畫, 畫則象也. 已畫又取象天地·首腹·牛馬,[7] 以至於爲金·爲玉·爲釜·爲布之類, 皆象也."[8]

호병문(胡炳文)이 말했다. "헤아리는 것은 상징이 아직 이루어지지 않은 것이고, 상징하는 것은 헤아림이 이미 정해진 것이다. 우선 건(乾)과 곤(坤) 두 괘로 말하면, 아직 획을 긋지 않았으면 음·양의 형상을 헤아려 이에 홀과 짝의 획이 되고, 그으면 상징하는 것이다. 이미 획을 그었으면 또 천·지와 머리·배와 소·말의 상을 취하여 금(金)이 되고 옥(玉)이 되며, 가마솥이 되고 삼베가 되는 것 따위가 모두 상(象)이다.[9]"

....

6) 未畫則擬陰·陽之形容 : 호병문(胡炳文), 『주역본의통석(周易本義通釋)』 권5에는 이 구절 뒤에 "而象乾坤之宜.[건곤의 마땅함을 상징한다.]"라는 말이 더 있다.

7) 已畫又擬乾坤之形容而取象天地·首腹·牛馬 : 호병문(胡炳文), 『주역본의통석(周易本義通釋)』 권5에는 "已畫又擬乾·坤之形容而取象天地·首腹·牛馬[이미 획을 그으면 또 건·곤의 형상을 헤아려서 천·지와 머리·배와 소·말의 상을 취하여]"라고 되어 있다.

8) 호병문(胡炳文), 『주역본의통석(周易本義通釋)』 권5.

9) 천·지와 머리·배와 소·말의 상을 … 따위가 모두 상(象)이다 : 『역』「설괘전(說卦傳)」 제11장에서 "건(乾)은 하늘이 되고 둥근 것이 되며, 군주

● 鄭氏維嶽曰 : "擬之在心, 象之在畫."

정유악(鄭維嶽)이 말했다. "헤아리는 것은 마음에 있고, 상징하는 것은 획에 있다."

● 張氏振淵曰 : "'擬諸形容'者, 擬之陰·陽也, 在未畫卦之先. '象其物宜', 正畫卦之事. 擬是擬其所象, 象是象其所擬. 物而曰宜, 不獨肖其形, 兼欲盡其理."

장진연(張振淵)이 말했다. "'형상(形狀)에서 헤아린다'는 것은 음·양으로 헤아린다는 말이니 아직 괘를 그리기 전이다. '그 사물의 마땅함을 상징하였다'는 것은 바로 괘를 그리는 일이다. 헤아린다는 것은 그 상징이 됨을 헤아리는 일이고, 상징하는 것은 그 헤아림을 상징하는 일이다. 사물인데 마땅하다고 말한 것은 단지 그 형체를 닮을 뿐 아니라 아울러 그 이치를 다 발휘하기를 바란다는 뜻이다."

가 되고 아버지가 되며, 옥(玉)이 되고 금(金)이 되며, 추위가 되고 얼음이 되며, 큰 적색이 되고 좋은 말이 되며, 늙은 말이 되고 수척한 말이 되며, 얼룩말이 되고, 나무의 과일이 된다. 곤(坤)은 땅이 되고 어머니가 되며, 삼베가 되고 가마솥이 되며, 인색함이 되고 균등함이 되며, 새끼를 많이 기른 어미 소가 되고 큰 수레가 되며, 문(文)이 되고 무리가 되며, 자루가 되고 땅에 있어서는 흑색이 된다.[乾, 爲天, 爲圜, 爲君, 爲父, 爲玉, 爲金, 爲寒, 爲冰, 爲大赤, 爲良馬, 爲老馬, 爲瘠馬, 爲駁馬, 爲木果. 坤, 爲地, 爲母, 爲布, 爲釜, 爲吝嗇, 爲均, 爲子母牛, 爲大輿, 爲文, 爲衆, 爲柄, 其於地也, 爲黑.]"라고 하였다.

聖人有以見天下之動, 而觀其會通, 以行其典
禮, 繫辭焉以斷其吉凶. 是故謂之爻.

성인이 그것을 가지고 천하의 움직임을 보고 그 회통(會通)함을
살펴보아 그 전례(典禮:일정한 규범)를 시행하여, 거기에 설명을
붙여서 길(吉)·흉(凶)을 결단하였다. 이 때문에 효(爻)라고 했다.

本義

'會', 謂理之所聚而不可遺處; '通', 謂理之可行而無所礙處.
如庖丁解牛, 會則其族, 而通則其虛也.

'회(會)'는 이치가 모여 있어 빠뜨릴 수 없는 곳을 말하고, '통(通)'은
이치가 유행할 수 있어 막힘이 없는 곳을 말한다. 예컨대 포정(庖
丁)이 소를 해체할 때 회(會)는 힘줄과 뼈가 모인 곳이고 통(通)은
그 빈 곳인 것과 같다.[10]

---

10) 포정(庖丁)이 소를 해체할 때에 … 통(通)은 그 빈 곳인 것과 같다 : 『장
자(莊子)』「양생주(養生主)」에서 "포정이 문혜군을 위하여 소를 해체할
때 … 매번 힘줄과 뼈가 모인 곳에 이를 때마다 저는 처리하기 어렵다는
것을 알고, 두려워하면서 경계합니다.[庖丁爲文惠君解牛 … 每至於族,
吾見其難爲, 怵然爲戒]"라고 하였다.

●『朱子語類』云：“‘會’以物之所聚而言，‘通’以事之所宜而言.[11] ‘會’是衆理聚處，雖覺得有許多難易窒礙，必於其中卻得個通底道理，乃可行爾. 且如事理間，若不於會處理會，卻只見得一偏，便如何行得通？ 須是於會處都理會，其間卻自有個通處.[12] 這‘禮’字又說得闊，凡事物之常理皆是.[13]”

『주자어류』에서 말했다. “‘회(會)’는 만물이 모이는 것으로 말했고, ‘통(通)’은 일의 마땅함으로 말했다. ‘회(會)’는 뭇 이치가 모인 것이니, 비록 수많은 어려움과 장애가 있는 것 같지만, 반드시 그 가운데 또한 소통하는 도리를 얻을 수 있어야 이에 시행할 수 있다. 예컨대 일의 이치들 간에 만약 모이는 곳에서 이해하지 못하면 다만 한쪽으로 치우쳐 이해한 것이니, 어떻게 시행하는 일이 소통될 수 있겠는가? 모름지기 모이는 곳에서 모두 이해해야 그 사이에서 저절로 소통되는 곳이 있다. 이 ‘예(禮)’라는 글자는 또 넓게 말한 것이니 모든 사물의 불변하는 이치가 모두 이것이다.”

● 又云：“會而不通，便窒塞而不可行；通而不會，便不知許多曲直錯雜處.”[14]

---

11) ‘會’以物之所聚而言，‘通’以事之所宜而言 : 주희, 『주문공문집』 권39, 「답범백숭(答范伯崇)」.

12) ‘會’是衆理聚處，雖覺得有許多難易窒礙 … 其間卻自有個通處 : 주희, 『주자어류』 권75, 10조목.

13) 這‘禮’字又說得闊，凡事物之常理皆是 : 주희, 『주자어류』 권75, 8조목.

14) 주희, 『주자어류』 권75, 10조목.

(주자가) 또 말했다. "모이되 소통하지 않으면 막혀서 시행할 수 없고, 소통하되 모이지 않으면 수많은 시비곡직이 뒤섞인 곳을 알 수 없다."

● 吳氏澄曰 : "'會通', 謂大中至正之理, 非一偏一曲有所拘礙者也. 聖人見天下不一之動, 而觀其極善之理以行其事. 見理精審, 則行事允當也. 以處事之法爲辭, 繫於各爻之下, 使筮而遇此爻者, 如此處事則吉, 不如此處事則凶也."[15]

오징(吳澄)이 말했다. "'회통(會通)'은 가장 알맞고[中] 지극히 바른[正] 이치를 말하니, 한쪽으로 치우치거나 단편적이어서 제한됨과 구애됨이 있는 것이 아니다. 성인이 천하의 한결같지 않은 움직임을 보고 그 지극히 선한 이치를 살펴보아 그 일을 시행하였다. 이치를 보는 것이 정밀하고 자세하였으니 일을 시행하는 것이 적절하였다. 일을 처리하는 법도로 말을 만들고 각 효(爻) 아래에 붙여, 점을 쳐서 이 효를 얻은 사람이 이와 같이 일을 처리하면 길하고, 이와 같이 일을 처리하지 않으면 흉하다."

● 胡氏炳文曰 : "不會則於理有遺闕, 如之何可通? 不通則於理有窒礙, 如之何可行? 通是時中, 典常是庸."[16]

호병문(胡炳文)이 말했다. "모이지 않으면 이치에 결함이 있게 되니, 어떻게 소통할 수 있겠는가? 소통하지 않으면 이치에 막힘이 있게 되니, 어떻게 시행할 수 있겠는가? 소통함은 시중(時中)이고,[17] 전상(典常 : 늘 지켜야 할 불변하는 도리)은 용(庸)이다.[18]"

15) 오징(吳澄), 『역찬언(易纂言)』 권7.
16) 호병문(胡炳文), 『주역본의통석(周易本義通釋)』 권5.

● 蔡氏淸曰 : "觀會通行典禮, 且就天下之動上說, 未著在易. 將此理係之於易, 以斷其吉凶, 是爻辭之所以爲爻辭者, 乃所以效天下之動也, 故謂之爻."[19]

채청(蔡淸)이 말했다. "회통(會通)함을 살펴보아 전례(典禮)를 시행하는 일은 또한 천하의 움직임에서 말한 것이니, 아직 역(易)에 나타난 것은 아니다. 그 이치를 역(易)에 연계시켜 그 길흉을 판단하는 것이 효사(爻辭)가 효사가 되는 까닭이다. 이에 그것으로 천하의 움직임을 본받기 때문에 효(爻)라고 한다."

● 趙氏光大曰 : "'通'卽會中之通, 據事理而言則曰'通', 據聖人立爲常法而言則曰'典禮.' '典', 常也; 禮者, 理之可行者也."

조광대(趙光大)가 말했다. "'통(通 : 소통함)'은 곧 모이는 것 가운데의 소통이니, 사물의 이치에 의거하여 말하면 '통(通)'이고, 성인이 세워 상법(常法)으로 삼은 것에 의거하여 말하면 '전례(典禮)'이다. '전(典)'은 항상됨이고, 예(禮)는 이치를 시행할 만한 것이다."

---

17) 통함은 시중(時中)이고 : 『중용』 제2장에서 "군자의 중용은 군자이면서 때에 적절하게 하는 것이고, 소인이 중용에 반대되는 것은 소인이면서 거리낌이 없는 것이다.[君子之中庸也, 君子而時中; 小人之[反]中庸也, 小人而無忌憚也.]"라고 하였다.
18) 전상(典常 : 늘 지켜야 할 불변하는 도리)은 용(庸)이다 : 상도(常道), 상법(常法)이라고도 한다. 주희는 『중용장구』에서 "용(庸)은 평상(平常)이다.[庸, 平常也.]"라고 하였다.
19) 채청(蔡淸), 『역경몽인(易經蒙引)』 권10상(上).

● 何氏楷曰："'會', 如'省會'之'會', 自彼而來者, 面面可至. '通', 如'通都'之'通', 自此而往者, 方方可達."20)

하해(何楷)가 말했다. "'회(會 : 모임)'는 마치 '성회(省會 : 행정기관 소재지)'의 '회(會)'와 같아 저쪽에서 오는 것이 모든 방면에서 이를 수 있다. '통(通 : 소통함)'은 마치 '통도(通都 : 사통팔달하는 대도시)'의 '통(通)'과 같아 여기에서 가는 것이 방방곡곡 모두 도달할 수 있다."

● 錢氏澄之曰："事勢盤錯之會, 人見爲有礙者. 聖人觀之, 必有其通, 非權宜之行, 而典禮之行, 蓋確乎不可易也."21)

전징지(錢澄之)22)가 말했다. "일의 형세가 복잡하게 뒤얽혀 모여 있을 때 사람들은 그것을 보고 막힘이 있다고 한다. 성인이 그것을 보면 반드시 소통함이 있는데, 임시변통하는 시행이 아니라 전례(典禮)를 시행하는 것이기 때문에 확고하여 바꿀 수 없다."

....

20) 하해(何楷), 『고주역정고(古周易訂詁)』 권11.

21) 전징지(錢澄之), 『전간역학(田間易學)』 권7.

22) 전징지(錢澄之, 1612~1693) : 처음 이름은 병등(秉鐙)이고, 자는 음광(飮光) 또는 유광(幼光)이며, 만년에 전간노인(田間老人), 서완도인(西頑道人)으로 불렸다. 명말청초 때 안휘성 동성(桐城 : 현 종양현〈樅陽縣〉) 사람이다. 숭정(崇禎 : 1627~1644) 연간에 수재(秀才)가 되었고, 남경(南京)이 함락된 뒤 전병(錢秉)과 함께 군사를 일으켜 항청(抗淸) 운동을 전개했다. 남명(南明) 계왕(桂王) 때 한림원 서길사(翰林院庶吉士)를 담당했고 벼슬은 편수(編修)와 지제고(知制誥)에 이르렀다. 계림(桂林)이 청군(淸軍)에 의해 점령된 뒤에는 저술에 전념했다. 저서에 『전간집(田間集)』, 『전간시집(田間詩集)』, 『전간문집(田間文集)』, 『전간역학(田間易學)』, 『장산각집(藏山閣集)』 등이 있다.

> 言天下之至賾而不可惡也, 言天下之至動而不
> 可亂也.

천하의 지극한 번잡함을 말하지만 싫어할 수 없고, 천하의 지극한
움직임을 말하지만 어지럽힐 수 없다.

本義

惡, 猶厭也.

오(惡)는 염(厭 : 싫어하다)과 같다.

集說

● 『朱子語類』云 : "雜亂處人易得厭惡. 然都是道理中合有底事,
自合理會, 故不可惡. 動亦是合有底, 上面各自有道理, 故自不
可亂."[23]

『주자어류』에서 말했다. "번잡한 곳은 사람들이 싫어하기 쉽다. 그
러나 이는 모두 도리 가운데 당연히 있는 일이어서 원래 마땅히 이
해해야 되기 때문에 싫어할 수 없다. 움직임 또한 당연히 있는 것
이고 그 위에 각자 도리가 있기 때문에 본래 어지럽힐 수 없다."

---

23) 주희, 『주자어류』 권75, 12조목.

● 吳氏澄曰 : "六十四卦之義,[24] 所以章顯天下至幽之義, 而名言宜稱, 人所易知, 則自不至厭惡其賾矣. 三百八十四爻之辭, 所以該載天下至多之事, 而處決精當, 人所易從, 則自不至棼亂其動矣."[25]

오징(吳澄)이 말했다. "64괘의 의미는 그것으로 천하의 지극히 그윽한 의미를 두드러지게 드러내었는데, 명칭을 붙인 것이 적절하여 사람들이 쉽게 알 수 있으니, 저절로 그 번잡함을 싫어하는 데 이르지 않게 되었다. 384효의 효사는 그것으로 천하의 지극히 많은 일들을 실었는데, 처결한 것이 정밀하고 합당하여 사람들이 쉽게 따를 수 있으니, 저절로 그 움직임을 혼란하게 하는 데 이르지 않게 되었다."

● 潘氏士藻曰 : "有至一者存, 所以不可惡; 有至常者存, 所以不可亂."

반사조(潘士藻)가 말했다. "지극히 한결 같은 것이 보존되어 있기 때문에 싫어할 수 없고, 지극히 항상된 것이 보존되어 있기 때문에 어지럽힐 수 없다."

---

24) 六十四卦之義 : 오징(吳澄), 『역찬언(易纂言)』 권7에는 "六十四卦之象 [64괘의 상(象)은]"이라고 되어 있다.
25) 오징(吳澄), 『역찬언(易纂言)』 권7.

[계사상 8-4]

擬之而後言, 議之而後動, 擬·議以成其變化.

헤아린 뒤에 말하고 의논한 뒤에 움직이니, 헤아리고 의논하여
그 변화를 이룬다.

本義

觀象玩辭, 觀變玩占, 而法行之, 此下七爻, 則其例也.

상(象)을 살펴보고 말을 완미하며, 변(變)을 살펴보고 점(占)을 완
미하여 그것을 본떠 시행하니, 이 아래(에 제시한) 7개의 효(爻)는
바로 그 사례이다.

集說

● 王氏宗傳曰 : "'擬之而後言', 擬是象而言也; 擬是而言, 則言
有物矣. '議之而後動', 議是爻而動也; 議是而動, 則動唯厥時
矣."[26]

왕종전(王宗傳)이 말했다. "'헤아린 뒤에 말한다'는 이 상(象)을 헤
아려 말하는 것이다. 이를 헤아려 말하면 말에 그 사물이 있다. '의
논한 뒤에 움직인다'는 이 효(爻)를 의논하여 움직이는 것이다. 이

---

26) 왕종전(王宗傳), 『동계역전(童溪易傳)』 권28.

것을 의논하여 움직이면 움직임이 오직 그 때에 맞다."

● 『朱子語類』云 : "擬·議, 只是裁度自家言動, 使合此理, '變易以從道'之意."[27]

『주자어류』에서 말했다. "헤아리고 의논하는 것은 다만 자신의 언동을 재량하여 이 이치에 부합하도록 하는 것이니, '변역(變易)하여 도를 따른다'[28]는 뜻이다."

● 胡氏炳文曰 : "聖人之於象, 擬之而後成, 學易者如之何不擬之而後言? 聖人之於爻, 必觀會通以行典禮, 學易者如之何不議之而後動? 前言變化, 易之變化也; 此言成其變化, 學易者之變化也."[29]

호병문(胡炳文)이 말했다. "성인은 상(象)에 대해 그것을 헤아려 본 뒤에 이루었는데, 역(易)을 배우는 사람이 어떻게 그것을 헤아려 본 뒤에 말하지 않을 수 있겠는가? 성인은 효(爻)에 대해 반드시 회통(會通)함을 살펴보아 전례(典禮)를 시행하였는데, 역을 배우는 사람이 어떻게 그것을 의논한 뒤에 움직이지 않을 수 있겠는가? 앞에서 변화를 말한 것은 역(易)의 변화이고, 여기에서 그 변화를 이룬다고 말한 것은 역을 배우는 사람의 변화이다."

----

27) 주희, 『주자어류』 권75, 16조목.
28) 변역(變易)하여 도를 따른다 : 정이(程頤), 『이천역전(伊川易傳)』「역전서(易傳序)」에서 "역(易)은 변역(變易)함이니 때에 따라 변역하여 도를 따르는 것이다.[易, 變易也, 隨時變易以從道也.]"라고 하였다.
29) 호병문(胡炳文), 『주역본의통석(周易本義通釋)』 권5.

"鳴鶴在陰, 其子和之. 我有好爵, 吾與爾靡之."
子曰:"君子居其室, 出其言善, 則千里之外應之,
況其邇者乎? 居其室, 出其言不善, 則千里之外違
之, 況其邇者平? 言出乎身, 加乎民; 行發乎邇, 見
乎遠. 言行, 君子之樞機, 樞機之發, 榮辱之主也.
言行, 君子之所以動天地也, 可不慎乎?"

"우는 학이 음지(陰地)에 있으니 그 새끼가 화답한다. 내가 좋은
벼슬을 가지고 있으니 나는 너와 함께 그것을 연모(戀慕)한다." 공자
가 다음과 같이 말했다. "군자가 집에 거처하면서 말을 하는 것이
선하면 천리(千里)의 밖에서도 호응하는데, 하물며 가까운 사람은
어떻겠는가? 그 집에 거처하면서 말을 하는 것이 선하지 않으면
천리 밖에서도 위배되는데, 하물며 가까운 사람은 어떻겠는가? 말은
자기 몸에서 나와 백성들에게 영향을 미치고, 행위는 가까운 곳에서
일어나 먼 곳에 나타난다. 말과 행위는 군자의 추기(樞機 : 관건이
되는 요소)이니, 추기(樞機)가 일어나는 것은 영예와 치욕의 주인이
다. 말과 행위는 군자가 그것으로 천지를 움직이는 것이니, 삼가지
않을 수 있겠는가?"

本義

釋中孚九二爻義.

중부(中孚☲)괘 구이(九二)효의 의미를 해석한 것이다.

● 韓氏伯曰 : "鶴鳴於陰, 氣同則和. 出言戶庭, 千里或應. 出言猶然, 況其大者乎? 千里或應, 況其邇者乎? 故夫憂悔吝者存乎纖介, 定失得者愼於樞機. 是以君子擬議以動, 愼其微也."30)

한백(韓伯)이 말했다. "음지에서 학이 우니 기(氣)가 같은 것이 화답한다. 집안에서 말을 했는데 천리 밖에서 간혹 호응한다. 말을 하는 것이 오히려 그러한데 하물며 그보다 큰 것은 어떻겠는가? 천리 밖에서도 간혹 호응하는데 하물며 그보다 가까운 것은 어떻겠는가? 그러므로 후회와 유감을 근심하는 사람은 미세한 것에 마음을 두고, 득실을 확정하는 사람은 관건이 되는 요소에 신중히 한다. 이 때문에 군자는 헤아리고 의논하여 움직이고, 그 미세한 것을 삼간다."

● 蔡氏淵曰 : "'居其室', 卽在陰之義. '出其言', 卽鳴之義. '千里之外應之', 卽和之之義. 感應者心也, 言者心之聲, 行者心之跡. 言行乃感應之樞機也."

채연(蔡淵)이 말했다. "'그 집에 거처한다'는 것은 곧 음지에 있다는 의미이다. '말을 한다'는 것은 곧 (학이) 운다는 의미이다. '천리(千里)의 밖에서도 호응한다'는 것은 곧 화답한다는 의미이다. 감응하는 것은 마음이니, 말은 마음의 소리이고 행위는 마음의 자취이다. 말과 행위는 이에 감응의 관건이 되는 요소이다."

....

30) 한백(韓伯), 『주역주소(周易註疏)』 권11.

● 保氏八曰 : "'言出乎身, 加乎民; 行發乎邇, 見乎遠.' 樞動而 戶開, 機動而矢發, 小則招榮辱, 大則動天地, 皆此唱而彼和, 感 應之最捷也."

보팔(保八)이 말했다. "'말은 자기 몸에서 나와 백성들에게 영향을 미치고, 행위는 가까운 곳에서 일어나 먼 곳에 나타난다.' 지도리가 움직여서 문이 열리고 발사장치가 움직여서 화살이 발사되니, 작게 는 영예와 치욕을 초래하고 크게는 천지를 움직이는 것이 모두 여 기에서 선창하여 저기에서 화답하는 것으로 감응이 가장 민첩하 다."

● 汪氏砥之曰 : "居室照在陰看. 中孚者, 誠積於中, 在陰居室, 正當愼獨以修言行而進於誠也."

왕지지(汪砥之)가 말했다. "집에 거처한다는 것은 음지에서 비추어 본다는 뜻이다. 중부(中孚)괘는 성실함이 속에 쌓여 있으니, 음지 에서 집에 거처하더라도 꼭 홀로 있을 때를 삼가서 말과 행위를 수 양하여 성실함을 진전시켜야 한다."

[계사상 8-6]

> "同人先號咷而後笑." 子曰 : "君子之道, 或出或處, 或默或語. 二人同心, 其利斷金. 同心之言, 其臭如蘭."

"남과 함께 하되 먼저는 울부짖다가 나중에는 웃는다." 공자는 다음과 같이 말했다. "군자의 도(道)는 혹은 나아가고 혹은 머무르며 혹은 침묵하고 혹은 말하지만, 두 사람이 마음을 함께 하면 그 날카로움이 쇠를 절단한다. 마음을 함께 하는 말은 그 향기로움이 난초와 같다."

本義

釋同人九五爻義. 言君子之道, 初若不同, 而後實無間. 斷金·如蘭, 言物莫能間, 而其言有味也.

동인(同人䷌)괘 구오(九五)효의 의미를 해석한 것이다. 군자의 도가 처음에는 같지 않은 것 같지만 나중에는 실제로 간격이 없음을 말한 것이다. 쇠를 절단한다와 난초와 같다는 뜻은 어떤 것이 그 사이에 끼일 수 없고 그 말이 맛이 있음을 말하였다.

集說

● 韓氏伯曰 : "君子出處默語, 不違其中, 其跡雖異, 道同則應."[31]

한백(韓伯)이 말했다. "군자는 나아가고 머무르거나 침묵하고 말하는 것이 그 적절함을 어기지 않으니, 그 자취가 비록 다르지만 도(道)가 같으면 호응한다."

● 耿氏南仲曰 : "'或出或處, 或默或語'者, 物或間之, 而其跡異也. 跡雖異而心同, 故物不得而終間焉. '其利斷金', 則其間除矣. 間除則合, 故又曰'同心之言, 其臭如蘭', 其相好之無斁也."

경남중(耿南仲)[32]이 말했다. "'혹은 나아가고 혹은 머무르며 혹은 침묵하고 혹은 말한다'는 것은 어떤 것이 간혹 그 사이에 끼어들어 그 자취가 다른 것이다. 자취가 비록 다르지만 마음이 같기 때문에 어떤 것이 끝내 그 사이에 끼일 수 없다. '그 날카로움이 쇠를 절단한다'는 말은 그 사이가 제거된 것이다. 그 사이가 제거되면 합쳐지기 때문에 '마음을 함께 하는 말은 그 향기로움이 난초와 같다'라고 했으니, 서로 좋아함이 싫증냄이 없다."

....

31) 한백(韓伯), 『주역주소(周易註疏)』 권11.
32) 경남중(耿南仲, ?~1129) : 자는 희도(晞道)이고, 송(宋)대 개봉(開封 : 형하남성 개봉) 사람이다. 신종(神宗) 원풍(元豊) 5년(1082)에 진사에 급제하여, 벼슬은 양절제거(兩浙提擧), 하북서로상평(河北西路常平), 형호·강서로전운사(荊湖·江西路轉運使), 호부원외랑(戶部員外郞), 태자우서자(太子右庶子), 태자첨사(太子詹事), 보문각직학사(寶文閣直學士), 자정전대학사(資政殿大學士), 첨서추밀원사(簽書樞密院事), 상서좌승(尙書左丞), 문하시랑(門下侍郞) 등을 역임하였다. 금나라 사람들이 공격해오자 적극 화친을 주장해 이강(李綱) 등과 충돌했다. 고종(高宗)이 즉위하자 화친을 주장해 나라를 그르쳤다고 하는 언관들의 상소로 별가(別駕)로 좌천되고 남웅주(南雄州)에 안치되었는데, 가는 도중 길주(吉州)에서 죽었다. 저서에 『주역신강의(周易新講義)』가 있다.

● 『朱子語類』云 : "同心之利, 雖金石之堅, 亦被他斷決將去, 斷是斷作兩段."[33]

『주자어류』에서 말했다.[34] "마음을 함께하는 날카로움은 비록 쇠나 돌의 견고함일지라도 그것에 의해 절단된다. 절단한다는 말은 두 조각으로 절단한다는 뜻이다."

● 俞氏琰曰 : "出處語默, 卽先號咷後笑之義. 二人同心, 斷金臭蘭, 卽相遇之義."[35]

유염(俞琰)이 말했다. "나아가고 머무르며 침묵하고 말하는 것은 곧 먼저 울부짖다가 나중에 웃는다는 의미이다. 두 사람이 마음을 함께 하여 쇠를 절단하고 난초향이 난다는 것은 곧 서로 만난다는 의미이다."

● 錢氏志立曰 : "'斷金', 言其心志之堅, 物不得間也. '如蘭', 言其氣味之一, 物不能雜也."[36]

··

33) 同心之利, 雖金石之堅, 亦被他斷決將去, 斷是斷作兩段 : 주감(朱鑑) 편, 『주문공역설(朱文公易說)』 권11. 『주문공역설』에는 "問 : '同心之利, 物莫能間, 雖金石之堅, 亦被它斷決將去.' 曰 : '斷是斷做兩段.[물었다. '마음을 함께하는 것의 날카로움은 어떤 것이 그 사이에 끼일 수 없으니 비록 쇠나 돌의 견고함일지라도 그것에 의해 절단됩니다.' (주자가) 대답했다. '절단한다는 말은 두 조각으로 절단한다는 것이다.']"라고 되어 있다.
34) 『주자어류』에서 말했다 : 주감(朱鑑) 편, 『주문공역설(朱文公易說)』 권11에 있는 말이다.
35) 유염(俞琰), 『주역집설(周易集說)』 권29.
36) 전징지(錢澄之), 『전간역학(田間易學)』 권7에 전징지(錢澄之)의 말로 실려 있다.

전지립(錢志立)이 말했다. "'쇠를 절단한다'라는 것은 그 의지가 견고하여 어떤 것이 그 사이에 끼일 수 없다는 것을 말한다. '난초와 같다'라는 것은 그 냄새가 한결 같아 어떤 것이 섞일 수 없다는 말이다."

"初六, 藉用白茅無咎." 子曰 : "苟錯諸地而可矣, 藉
之用茅, 何咎之有? 愼之至也. 夫茅之爲物薄而用
可重也. 愼斯術也以往, 其無所失矣.

"초육(初六)은 깔개로 흰 띠풀을 사용하니 허물이 없다." 공자는 다음
과 같이 말했다. "만약 땅에 그대로 놓아둔다 하더라도 괜찮은데,
깔개로 띠풀을 사용하니 무슨 허물이 있겠는가? 삼가는 것이 지극하
다. 무릇 띠풀은 하찮은 물건이지만 쓰임이 중요할 수 있다. 이러한
방법을 삼가서 시행해 가면 잘못되는 일이 없을 것이다."

本義

釋大過初六爻義.

대과(大過☴)괘 초육(初六)효의 의미를 해석한 것이다.

集說

● 程氏敬承曰 : "天下事成於愼而敗於忽. 況當大過時, 時事艱
難, 愼心不到, 便有所失. 故有取於愼之至, 言寧過於畏愼也."

정경승(程敬承 : 程汝繼)[37]이 말했다. "천하의 일은 신중한 데서 이
루어지고 소홀한 데서 실패한다. 하물며 대과(大過)괘 때에는 시국

이 어려운 형편이니 삼가는 마음으로 주도면밀하지 않으면 잘못이 있게 된다. 그러므로 지극한 신중함을 취해서 차라리 두려워하여 삼가는 데 지나친 것이 낫다고 말했다."

案

'茅之爲物薄而用可重', 此句須對卦義看. 卦取棟爲義者, 任重者也. 茅之視棟, 爲物薄矣. 然棟雖任重而猶有橈之患, 故當大事者, 每憂其傾隳也. 若藉茅於地, 則雖重物而不憂於傾隳也. 豈非物薄而用可重乎? 自古圖大事必以小心爲基, 故「大過」之時義雖用剛, 而以初爻之柔爲基者此也.

'띠풀이 하찮은 물건이지만 쓰임이 중요할 수 있다'라는 구절은 반드시 괘의 의미와 짝지어 보아야 한다. 괘에서 대들보기둥[棟]을 취하여 의미를 삼은 것은 책임이 무겁다는 뜻이다. 띠풀은 대들보기둥에 비하면 하찮은 물건이다. 그렇지만 대들보기둥이 비록 책임이 무겁더라도 오히려 휘는 우환이 있기 때문에 큰일을 맞닥뜨린 사람은 매번 그것이 기울어져 쓰러지는 것을 근심해야 한다. 만약 땅에 띠풀을 깔면 비록 무거운 물건이라 하더라도 기울어져 쓰러지는 것을 근심하지 않아도 된다. 어찌 하찮은 물건이라 하더라도 쓰임이 중요하지 않을 수 있겠는가? 예로부터 큰일을 도모하는 사람은 반

---

37) 정여계(程汝繼) : 자는 지초(志初) 또는 경승(敬承)이다. 명(明)대 휘주부(徽州府) 무원(婺源 : 현 강서성 무원현) 사람이다. 만력(萬曆) 29년(1601)에 진사에 급제하여 벼슬은 원주부(袁州府) 지부(知府)를 역임했다. 『역』 연구에 뛰어났는데, 주희(朱熹)의 『주역본의(周易本義)』를 종주로 하면서도 주희와 다른 견해를 피력했다. 저서에 『주역종의(周易宗義)』가 있다.

드시 조심하는 것을 기반으로 삼기 때문에 대과괘의 때의 의미는
비록 굳셈을 쓰지만 초효의 유약함을 기반으로 삼는다는 것이 이것
이다.

[계사상 8-8]

"勞謙, 君子有終, 吉." 子曰 : "勞而不伐, 有功而不
德, 厚之至也. 語以其功下人者也. 德言盛, 禮言
恭. 謙也者, 致恭以存其位者也."

"공로가 있으면서도 겸손하니 군자가 끝마침이 있어 길(吉)하다."
공자는 다음과 같이 말했다. "공로가 있어도 자랑하지 않고 공적이
있어도 덕으로 여기지 않음은 돈후함이 지극한 것이다. 이는 공적이
있으면서도 남에게 몸을 낮추는 것을 말한다. 덕은 성대함을 말하고
예(禮)는 공손함을 말한다. 겸손함은 공손함을 다하여 그 지위를 보
존하는 것이다."

本義

釋謙九三爻義. '德言盛, 禮言恭', 言德欲其盛, 禮欲其恭也.

겸(謙䷴)괘 구삼(九三)효의 의미를 해석한 것이다. '덕은 성대함을
말하고 예(禮)는 공손함을 말한다'는 덕은 성대하려고 하고 예는 공
손하려고 한다는 뜻을 말한다.

集說

● 楊氏萬里曰 : "人之謙與傲, 繫其德之厚與薄. 德厚者無盈色,
德薄者無卑辭. 如鐘磬焉, 愈厚者聲愈緩, 薄者反是. 故有勞有

功而不伐不德, 唯至厚者能之. 其德愈盛, 則其禮愈恭矣."[38]

양만리(楊萬里)가 말했다. "사람의 겸손함과 오만함은 그 덕의 두터움과 엷음에 달려 있다. 덕이 두터운 사람은 자만하는 안색이 없고 덕이 엷은 사람은 자신을 낮추는 말씨가 없다. 이는 마치 종이나 경쇠와 같으니 두터우면 두터울수록 소리가 더욱 부드럽고, 엷은 것은 이와 반대이다. 그러므로 공로가 있고 공적이 있으면서도 자랑하지 않고 덕으로 여기지 않는 것은 오직 지극히 두터운 사람만이 그렇게 할 수 있다. 그 덕이 더욱 성대해지면 그 예는 더욱 공손해진다."

---

38) 양만리(楊萬里), 『성재역전(誠齋易傳)』 권17.

> "亢龍有悔." 子曰 : "貴而無位, 高而無民, 賢人
> 在下位而無輔. 是以動而有悔也."

"항룡(亢龍 : 지나치게 올라간 용)이니 뉘우침이 있다." 공자는 다음과 같이 말했다. "귀하지만 지위가 없고 높지만 백성이 없으며, 현명한 사람이 아랫자리에 있어도 도와주는 사람이 없다. 이 때문에 움직이면 후회가 있다."

本義

釋乾上九爻義. 當屬「文言」, 此蓋重出.

건(乾☰)괘 상구(上九)효의 의미를 해석한 것이다. 마땅히 「문언전(文言傳)」에 속해야 하니, 이는 거듭 나왔다.

集說

● 孔氏穎達曰 : "上旣以謙德保位, 此明無謙則有悔. 故引乾之上九'亢龍有悔', 證驕亢不謙也."[39]

공영달(孔穎達)이 말했다. "위에서 이미 겸손함의 덕으로 지위를

---

39) 공영달 소(孔穎達 疏), 『주역주소(周易註疏)』 권11.

보존했으니 여기에서는 겸손함이 없으면 후회가 있다는 것을 밝혔다. 그러므로 건(乾)괘 상구(上九)효의 '항룡(亢龍)이니 뉘우침이 있다'라는 효사를 인용하여 교만불손은 겸손하지 않다는 것을 증명했다."

● 王氏宗傳曰 : "知聖人深予乎謙之九三, 則知聖人深戒乎乾之上九, 何也? 亢者謙之反也. 九三致恭存位, 上九則貴而無位; 九三萬民服, 上九則高而無民; 九三能以功下人, 上九則賢人在下位而無輔. 此九三所以謙而有終, 上九所以亢而有悔也."[40]

왕종전(王宗傳)이 말했다. "성인이 겸(謙)괘 구삼(九三)효를 깊이 허락한 것을 알면 성인이 건(乾)괘 상구(上九)효를 깊이 경계한 것을 알아야 하는 것은 무엇 때문인가? 지나치게 올라간다는 것은 겸손함의 반대이다. 겸(謙)괘 구삼(九三)효는 공손함을 다하여 지위를 보존하지만 건(乾)괘 상구(上九)효는 귀하지만 지위가 없고, 겸(謙)괘 구삼(九三)효는 만민이 복종하지만 건(乾)괘 상구(上九)효는 높아도 백성이 없으며, 겸(謙)괘 구삼(九三)효는 공적이 있으면서도 남에게 몸을 낮출 수 있지만 건(乾)괘 상구(上九)효는 현명한 사람이 아랫자리에 있어도 도와주는 사람이 없다. 이것이 겸(謙)괘 구삼(九三)효가 겸손하여 끝을 잘 맺는 까닭이고, 건(乾)괘 상구(上九)효가 지나치게 올라가서 후회함이 있는 까닭이다."

40) 왕종전(王宗傳), 『동계역전(童溪易傳)』 권28.

[계사상 8-10]

> "不出戶庭, 無咎." 子曰 : "亂之所生也, 則言語以爲
> 階. 君不密則失臣, 臣不密則失身, 幾事不密則害
> 成. 是以君子愼密而不出也.

"집안에서 나가지 않으면 허물이 없다." 공자는 다음과 같이 말했다. "혼란이 생기는 것은 말이 수단이 된다. 군주가 기밀을 지키지 않으면 신하를 잃고 신하가 기밀을 지키지 않으면 자신의 몸을 잃으니, 기미(幾微)의 일에 기밀이 지켜지지 않으면 해로움이 조성된다. 이 때문에 군자는 신중하게 기밀을 지켜 말을 함부로 하지 않는다."

本義

釋節初九爻義.

절(節☵)괘 초구(初九)효의 의미를 해석한 것이다.

集說

● 蔡氏淵曰 : "不言則是非不形, 人之招禍, 唯言爲甚. 故言所當節也. 密於言語, 卽'不出戶庭'之義."

채연(蔡淵)이 말했다. "말을 하지 않으면 시비(是非)가 드러나지 않는데, 사람이 재앙을 초래하는 것은 오직 말이 심해서이다. 그러므로 말은 마땅히 절제해야 한다. 언어에 기밀을 지킨다는 것은 곧 '집안에서 나가지 않는다'는 의미이다."

● 吳氏澄曰 : "此爻辭所象愼動之節, 而夫子以發言之辭釋之. 程子曰 : '在人所節, 唯言與行, 節於言則行可知, 言當在先也.'"[41]

오징(吳澄)이 말했다. "이는 효사에서 상징한 신중하게 움직이는 절제인데, 공자가 그것을 말로 펼친 의미로 해석한 것이다. 정자(程子 : 程頤)는 '사람이 절제해야 할 것은 오직 말과 행위인데, 말에서 절제하면 행위는 알 수 있으니 말이 마땅히 우선되어야 한다'[42]라고 말했다."

41) 오징(吳澄), 『역찬언(易纂言)』 권9.
42) 사람이 절제해야 할 것은 … 말이 마땅히 우선되어야 한다 : 정이(程頤), 『이천역전(伊川易傳)』 卷4.

子曰 : "作『易』者其知盜乎!『易』曰 : '負且乘, 致寇
至.' 負也者, 小人之事也; 乘也者, 君子之器也. 小
人而乘君子之器, 盜思奪之矣. 上慢下暴, 盜思伐
之矣. 慢藏誨盜, 冶容誨淫.『易』曰 : '負且乘, 致寇
至.' 盜之招也."

공자가 말했다. "『역(易)』을 지은 사람은 도적이 일어나는 이유를
알았을 것이다!『역(易)』에서 '짐을 지고 있으면서 또 수레에 타고
있으니 도적이 이르게 할 것이다'라고 하였다. 짐을 지는 것은 소인
의 일이고 타는 수레는 군자의 기물(器物)이다. 소인으로서 군자의
기물(器物)을 타고 있으니, 도적이 빼앗을 것을 생각한다. 윗사람을
능멸하고 아랫사람에게 포악하니 도적이 침공할 것을 생각한다. 재
물을 허술하게 간직함은 도적을 가르치는 것이고, 여자가 용모를
요염하게 꾸밈은 간음을 가르치는 것이다.『역(易)』에서 '짐을 지고
있으면서 또 수레에 타고 있으니 도적이 이르게 할 것이다'라고 한
것은 도적을 불러들이는 일이다."

本義

釋解六三爻艾.

해(解)괘 육삼(六三)효의 의미를 해석한 것이다.

此第八章, 言卦爻之用.

이는 제8장이니, 괘와 효의 쓰임을 말했다.

集說

● 孔氏穎達曰 : "此結上不密失身之事. 事若不密, 人則乘此機危而害之, 猶若財之不密, 盜則乘此機危而竊之."[43]

공영달(孔穎達)이 말했다. "이는 위에서 기밀을 지키지 않으면 자신의 몸을 잃는다는 일을 맺은 것이다. 일이 만약 기밀이 지켜지지 않으면 남이 이 위급한 기회를 틈타 그 일을 해치니, 마치 재화에 대해 기밀을 지키지 않으면 도적이 이 위급한 기회를 틈타 그 재화를 훔치는 것과 같다."

● 胡氏瑗曰 : "小人居君子之位,[44] 不唯盜之所奪, 抑亦爲盜之侵伐矣. 蓋在上之人, 不能選賢任能, 遂使小人乘時得勢而至於高位, 非小人之然也.[45]"[46]

---

43) 공영달 소(孔穎達 疏), 『주역주소(周易註疏)』 권11.
44) 小人居君子之位 : 호원(胡瑗), 『주역구의(周易口義)』「계사상(繫辭上)」
    에는 이 구절 뒤에 "驕慢在下之人暴虐爲政[아랫자리에 있는 사람에게
    교만하여 흉악하고 잔인하게 정사를 하니]"라는 말이 더 있다.
45) 非小人之然也 : 호원(胡瑗), 『주역구의(周易口義)』「계사상(繫辭上)」에
    는 이 구절 뒤에 "上者選之不精也.[윗사람이 선발한 것이 정밀하지 못했
    기 때문이다.]"라는 말이 더 있다.
46) 호원(胡瑗), 『주역구의(周易口義)』「계사상(繫辭上)」.

호원(胡瑗)이 말했다. "소인이 군자의 지위에 자리 잡으면 도적에게 빼앗길 뿐 아니라, 게다가 도적에게 침략당하고 공격당하게 될 것이다. 윗사람이 현명하고 능력 있는 사람을 선발하여 임용할 수 없어, 마침내 소인에게 그 때를 틈타 세력을 얻어 높은 지위에 이르도록 하니, 이는 소인이 그렇게 한 것이 아니다."

● 陳氏琛曰 : "小人而乘君子之器, 則處非其據, 而盜思奪之矣. 且小人在位, 則慢上暴下, 人所不堪, 而盜思伐之矣."

진침(陳琛)[47]이 말했다. "소인이 군자의 기물(器物)을 타고 있으면 그 의거할 곳이 아닌 곳에 처해 있으니, 도적이 빼앗을 것을 생각한다. 또 소인이 지위가 있으면 윗사람을 능멸하고 아랫사람에게 포악하여 사람들이 견딜 수 없어 하니 도적이 침공할 것을 생각한다."

● 趙氏光大曰 : "强取曰'奪', 執辭曰'伐.'"

조광대(趙光大)가 말했다. "강제로 취하는 것을 '빼앗는다'라 하고,

----

47) 진침(陳琛, 1477~1545) : 자는 사헌(思獻)이고, 호는 자봉선생(紫峰先生)이다. 명(明)대 복건(福建) 진강(晉江) 사람이다. 채청(蔡淸)의 수제자로 역학을 익혀서 왕선(王宣), 역시충(易時沖), 임동(林同), 조록(趙逯), 채열(蔡烈) 등과 함께 청원학파(淸源學派)의 주요 구성원이었으며, 명대 후기 복건주자학의 대표자 가운데 한 사람이었다. 정덕(正德) 12년 (1517) 진사에 급제하여, 벼슬은 형부산서사주사(刑部山西司主事), 남경호부운남사주사(南京戶部雲南司主事), 남경이부고공랑중(南京吏部考功郎中) 등을 역임하였다. 저서에 『사서천설(四書淺說)』, 『역학통전(易學通典)』, 『정학편(正學編)』, 『자봉문집(紫峰文集)』 등이 있다.

결별을 고하는 것을 '침공한다'라 한다."

'慢'·'暴'如陳氏說亦通. 然以'慢'字對下文'慢藏'觀之, 則當爲上
藝慢其名器, 而在下之小人, 得肆其殘暴之義, 方與'伐'字相應.
蓋奪者, 禍止其身也; 伐者, 禍及國家也. '慢藏誨盜', 以喩'上慢
下暴, 盜思伐之'; '冶容誨淫', 以喩'小人而乘君子之器, 盜思奪之.'

'능멸하다'와 '포악하다'에 대해 진씨(陳氏 : 陳琛)의 주장 또한 통한
다. 그렇지만 '능멸하다'라는 말을 아래 글의 '재물을 허술하게 간직
하는 것'이라는 말과 짝지어 살펴보면, 윗사람이 그의 귀중한 기물
을 허술하게 다루어 아래에 있는 소인이 함부로 그 잔인하고 포악
한 짓을 하게 되는 의미가 되어야 비로소 '침공한다'라는 말과 상응
한다. 빼앗는다는 것은 재앙이 자신에서 그치지만 침공한다는 것은
재앙이 나라와 집안에까지 미친다. '재물을 허술하게 간직함은 도
적을 가르치는 것'이라는 말은 그것으로 '윗사람을 능멸하고 아랫사
람에게 포악하니 도적이 침공할 것을 생각한다'는 것을 깨우치는
일이고, '여자가 용모를 요염하게 꾸밈은 간음을 가르치는 것'이라
는 말은 그것으로 '소인으로서 군자의 기물(器物)을 타고 있으니,
도적이 빼앗을 것을 생각한다'는 것을 깨우치는 일이다.

谷氏家杰曰 :"此章重擬議成變化句. 前章以存存用『易』, 尊德
性也; 此章以擬議用『易』, 道問學也."

곡가걸(谷家杰)이 말했다. "이 장(章)은 거듭 헤아리고 의논하여 변

화하는 구절을 이루었다. 앞 장에서 보존하고 보존함으로써 『역』을 사용하는 것은 '덕성을 높이는 일[尊德性]'이고, 이 장에서 헤아리고 의논하여 『역』을 사용하는 것은 '학문을 말미암는 일[道問學]'이다.[48]"

案

此上二章中'君子所居而安者'一節之義. 得易理於心之謂德, 成易理於事之謂業. 聖人猶然, 況學者乎? 是故不可以至賾而惡也, 不可以至動而亂也. 擬之於至賾之中, 得聖人所謂擬諸形容者, 則沛然無疑而可以言矣. 議之於至動之際, 得聖人所謂觀其會通者, 則確然不易而可以動矣. 知禮成性, 不待擬議而變化出焉者, 聖人之事也; 精義利用, 擬議以成其變化者, 學者之功也. 中孚以下七爻擧例言之.

이는 위 제2장의 '군자가 거처하여 편안히 여기는 것'이라는 구절의 의미이다. 마음으로 역(易)의 이치를 터득한 것을 덕(德)이라 하고 일에서 역의 이치를 이루는 것을 공업(功業)이라 한다. 성인이 또한 그러한데 하물며 배우는 사람은 어떻겠는가? 이 때문에 지극히 번잡하여도 싫어할 수 없고, 지극히 움직여도 어지럽힐 수 없다. 지극히 번잡한 가운데 헤아려 성인의 이른바 그 형상에서 헤아리는

---

48) '덕성을 높이는 일[尊德性]', '학문을 말미암는 일[道問學]' : 『중용(中庸)』 제27장에서 "그러므로 군자는 덕성을 높이고 학문을 말미암으니, 광대함을 지극히 하고 정미(精微)함을 다 발휘하며, 고명(高明)을 다하고 중용을 따르며, 옛 것을 익혀서 새로운 것을 알며, 돈후하여 예(禮)를 높인다.[故君子尊德性而道問學, 致廣大而盡精微, 極高明而道中庸, 溫故而知新, 敦厚以崇禮.]"라고 하였다.

것을 터득하면, 확실히 의심이 없어져 말을 할 수 있을 것이다. 지극히 움직일 때 의논하여 성인의 이른바 그 회통함을 살펴보는 것을 터득하면, 확고하게 바뀌지 않아 움직일 수 있을 것이다. 지(知)와 예(禮)로 이루어진 성(性)이 헤아리고 의논할 필요 없이 변화가 나오는 것은 성인의 일이며, 정(精)과 의(義)로 이롭게 쓰는 것이 헤아리고 의논하여 그 변화를 이루는 것은 배우는 사람의 공로이다. 중부(中孚)괘 이하 7개 효(爻)는 예를 들어 말한 것이다.

[계사상 9-1]

天一, 地二; 天三, 地四; 天五, 地六; 天七, 地八; 天九, 地十.

천(天)의 수(數)는 1이고 지(地)의 수는 2이며, 천(天)의 수는 3이고 지(地)의 수는 4이며, 천(天)의 수는 5이고 지(地)의 수는 6이며, 천(天)의 수는 7이고 지(地)의 수는 8이며, 천(天)의 수는 9이고 지(地)의 수는 10이다.

本義

此簡本在第十章之首. 程子曰, '宜在此', 今從之. 此言天地之數, 陽奇陰耦, 卽所謂「河圖」者也, 其位一・六居下, 二・七居上, 三・八居左, 四・九居右, 五・十居中. 就此章而言之, 則中五爲衍母, 次十爲衍子, 次一・二・三・四爲四象之位, 次六・七・八・九爲四象之數. 二老位於西・北, 二少位於東・南. 其數則各以其類交錯於外也.

이 구절은 본래 제10장의 처음에 있었다. 정자(程子 : 程頤)가 '마땅히 여기에 있어야 한다'라고 하였으니, 이제 그것을 따른다. 이는 천지의 수(數)가 양(陽)인 홀수와 음(陰)인 짝수임을 말한 것이니, 바로 이른바 「하도(河圖)」의 수이다. 그 위치는 1·6은 아래에 자리잡고 2·7은 위에 자리 잡으며 3·8은 왼쪽에 자리 잡고 4·9는 오른쪽에 자리 잡으며 5·10은 중앙에 자리 잡고 있다. 이 장(章)에서 말하면, 중앙의 5는 대연(大衍)의 어머니가 되고, 다음으로 10은 대연(大衍)의 자식이 되며, 다음으로 1·2·3·4는 사상(四象)의 자리가 되고, 다음으로 6·7·8·9는 사상(四象)의 수(數)가 된다. '두 노[二老 : 노양(老陽)과 노음(老陰)]'는 서쪽과 북쪽에 위치하고, '두 소[二少 : 소양(少陽)과 소음(少陰)]'는 동쪽과 남쪽에 위치한다.[1] 그 수(數)는 각각 그 부류에 따라 밖에 교착한다.

集說

● 郭氏雍曰 : "'天數五, 地數五'者, 此也. 『漢志』言'天以一生水, 地以二生火, 天以三生木, 地以四生金, 天以五生土.' 故或謂'天一至五爲五行生數, 地六至地十爲五行成數.' 雖有此五行之說, 而於『易』無所見. 故五行之說, 出於曆數之學, 非『易』之道也."[2]

곽옹(郭雍)[3]이 말했다. "천(天)의 수(數)가 다섯 개이고 지(地)의

---

1) '두 노[二老 : 노양(老陽)과 노음(老陰)]'는 서쪽과 북쪽에 위치한다 ·두 소[二少 : 소양(少陽)과 소음(少陰)]'는 동쪽과 남쪽에 위치한다 : 「하도」의 수와 방위에 의하면, 서쪽에는 노양 9, 북쪽에는 노음 6이 위치하고, 동쪽에는 소음 8, 남쪽에는 소양 7이 위치한다.
2) 곽옹(郭雍), 『곽씨전가역설(郭氏傳家易說)』 권7.

수(數)가 다섯 개이다'라는 것이 이것이다. 『전한서(前漢書)』「율력지(律歷志)」에서 '천의 수 1로 수(水)를 낳고, 지의 수 2로 화(火)를 낳으며, 천의 수 3으로 목(木)을 낳고, 지의 수 4로 금(金)을 낳으며, 천의 수 5로 토(土)를 낳는다'라고 하였다. 그러므로 어떤 사람은 '천의 수 1에서 5까지는 오행(五行)의 생수(生數 : 낳는 수)이고 지의 수 6에서 지의 수 10까지는 오행의 성수(成數 : 이루는 수)이다'라고 하였다. 비록 이러한 오행의 학설이 있지만 『역』에 보이는 것이 없다. 그러므로 오행의 학설은 역수(歷數)의 학문에서 나온 것이지 『역』의 도(道)가 아니다."

● 『朱子語類』云 : "自'大衍之數五十', 至'再扐而後掛', 便接'乾之策二百一十有六', 至'可與祐神矣'爲一節, 是論大衍之數. 自'天一'至'地十', 卻連'天數五'至而'行鬼神也'爲一節, 是論「河圖」五十五之數. 今其文間斷差錯, 不相連接, 舛誤甚明."[4]

『주자어류』에서 말했다.[5] "'대연(大衍)의 수는 50이고'에서 '「다시

<hr>

3) 곽옹(郭雍, 1091~1187) : 자는 자화(子和)이고, 호는 백운선생(白雲先生)이다. 남송 낙양(洛陽 : 현 하남성 낙양시) 사람이다. 정이(程頤)의 제자인 곽충효(郭忠孝)의 둘째 아들로 가학을 계승했다. 벼슬길에 나아가지 않고 평생 섬주(陝州) 장양산(長楊山)에 은거하면서 역학과 의학에 정통했다고 한다. 『역(易)』에 대해서는 정이(程頤)의 학설을 계승·발전시켰다. 저서에 『곽씨전가역설(郭氏傳家易說)』, 『괘사지요(卦辭指要)』, 『시괘변의(蓍卦辨疑)』 등이 있고, 순희(淳熙) 초에 학자들이 곽씨두 부자와 이정(二程), 장재(張載), 유초(游酢), 양시(楊時) 등 칠가(七家)의 설을 모아 『대역수언(大易粹言)』을 편집했다.
4) 주희, 『주문공문집(朱文公文集)』 권38, 「답원기중(答袁機仲)」
5) 『주자어류』에서 말했다 : 주희, 『주문공문집(朱文公文集)』 권38, 「답원

한 번 오른손에 쥔 것을 4개씩 세고 남은 시초를 왼손의 둘째 손가락과 셋째 손가락 사이에 끼우고[再扐], 그 뒤에 걸어둔다'까지는 곧 '건(乾)괘의 시초 수는 216개이고'에서 '더불어 신(神)을 도울 수 있다'까지 연접하여 하나의 구절이 되니,[6] 이는 대연의 수를 논한 것이다. '천(天)의 수(數)는 1이고'에서 '지(地)의 수는 10이다'까지는 또한 '천(天)의 수(數)가 다섯 개이고'에서 '귀신의 작용을 시행하는 것이다'까지 연접하여 하나의 구절이 되니,[7] 이는 「하도(河圖)」 55의 수를 논한 것이다. 이제 그 문장이 끊어지고 착오가 나서 서로 연접하지 않으니, 오류가 있음이 매우 분명하다."

● 項氏安世曰 : "姚大老云, '天一地二'至'天九地十', 班固『律曆志』及衛元嵩『元包』「運蓍篇」, 皆在'天數五, 地數五'之上."[8]

항안세(項安世)가 말했다. "요대로(姚大老 : 姚小彭)[9]는 '천(天)의 수(數)는 1이고 지(地)의 수는 2이며'에서 '천(天)의 수는 9이고 지(地)의 수는 10이다.'까지는 반고의 『전한서(前漢書)』「율력지(律曆志)」와 위원숭(衛元嵩)[10]의 『원포(元包)』「운시편(運蓍篇)」에서 모

....

기중(答袁機仲)」에 있는 말이다.

6) '대연(大衍)의 수는 50이고'에서 … 하나의 구절이 되니'까지는 : 본문 [계사상 9-3]에서부터 [계사상 9-9]까지를 말한다.

7) '천(天)의 수(數)는 1이고'에서 … 하나의 구절이 되니 : 본문 [계사상 9-1]에서부터 [계사상 9-2]까지를 말한다.

8) 항안세(項安世), 『주역완사(周易玩辭)』 권13.

9) 요소팽(姚小彭) : 송대 경학에 밝은 사람으로, 『주역외전(周易外傳)』을 지었다고 한다. 『송회요집고(宋會要輯稿)』에 의하면, 고종(高宗) 소흥(紹興) 11년(1141)에 복건로 안무대사사(福建路安抚大使司)로 파견되었다는 기록이 있다.

두 '천(天)의 수(數)가 다섯 개이고 지(地)의 수(數)가 다섯 개이다.'
라는 구절 위에 있다'라고 말했다."

● 吳氏澄曰 : "案『漢書』「律曆志」, 引此章'天一地二'至'行鬼神也', 六十四字相連, 則是班固時此簡猶未錯也."[11]

오징(吳澄)이 말했다. "생각건대 『한서』「율력지」에 이 장(章)의 '천
(天)의 수(數)는 1이고 지(地)의 수는 2이며'에서 '귀신의 작용을 시
행하는 것이다'까지 64글자를 연이어서 인용하였으니, 이는 반고
(班固) 당시에 이 죽간이 아직 뒤섞이지 않았다는 뜻이다."

---

10) 위원숭(衛元嵩) : 북주(北周)시대 익주(益州) 성도(成都) 사람으로 음양
론과 역법(曆法)에 능통했다. 젊을 때 출가해서 망명법사(亡名法師)의
제자가 되었으나, 환속 뒤에는 도리어 배불론을 주창하기도 하고 황노
(黃老)사상에 심취하기도 하였다. 만년에는 역학을 연구하여 『원포경(元
包經)』을 저술하였다. 그 체제는 양웅의 『태현경』의 차례를 본떠서 곤
(坤)괘를 시작으로 하는 귀장(歸藏)역에 근거하였고, 내용은 술수 중심
으로 역을 해석하고 있다.
11) 오징(吳澄), 『역찬언(易纂言)』 권7.

天數五, 地數五, 五位相得而各有合. 天數二十
有五, 地數三十, 凡天地之數, 五十有五, 此所以
成變化而行鬼神也.

천(天)의 수(數)가 다섯 개이고 지(地)의 수(數)가 다섯 개인데,
다섯 개의 자리에서 서로 얻고 각각 결합함이 있다. 천(天)의 수
(數)는 25이고 지(地)의 수(數)는 30이며 천지를 합한 수(數)는
55이니, 이것이 변화(變化)를 이루며 오므리고 펼침[鬼神]을 시행
하는 것이다.

本義

此簡本在大衍之後, 今按宜在此. '天數五'者, 一·三·五·七·
九皆奇也; '地數五'者, 二·四·六·八·十皆耦也. '相得', 謂
一與二, 三與四, 五與六, 七與八, 九與十, 各以奇耦爲類而
自相得. '有合', 謂一與六, 二與七, 三與八, 四與九, 五與十,
皆兩相合. '二十有五'者, 五奇之積也; '三十'者, 五偶之積也.
'變化', 謂一變生水, 而六化成之; 二化生火, 而七變成之; 三
變生木, 而八化成之; 四化生金, 而九變成之; 五變生土, 而
十化成. '鬼神', 謂凡奇偶生成之屈伸往來者.

이 구절은 본래 대연(大衍)의 뒤에 있었는데, 이제 생각건대 마땅히
여기에 있어야 할 것이다. '천(天)의 수(數)가 다섯 개'라는 것은 1

·3·5·7·9이고 모두 홀수이며, '지(地)의 수(數)가 다섯 개'라는 것은 2·4·6·8·10이고 모두 짝수이다. '서로 얻는다'는 것은 1과 2, 3과 4, 5와 6, 7과 8, 9와 10이 각각 홀수와 짝수로 무리를 이루어 저절로 서로 얻는 것을 말한다. '결합함이 있다'는 것은 1과 6, 2와 7, 3과 8, 4와 9, 5와 10이 모두 둘씩 서로 결합하는 것을 말한다. '25'는 다섯 개의 홀수[1·3·5·7·9]를 모은 것이고, '30'은 다섯 개의 짝수[2·4·6·8·10]를 모은 것이다. '변화(變化)'는 천(天)의 수(數) 1이 변(變)하여 수(水)를 낳고 지(地)의 수(數) 6이 화(化)하여 그것을 이루며, 지의 수 2가 화하여 화(火)를 낳고 천의 수 7이 변하여 그것을 이루며, 천의 수 3이 변하여 목(木)을 낳고 지의 수 8이 화하여 그것을 이루며, 지의 수 4가 화하여 금(金)을 낳고 천의 수 9가 변하여 그것을 이루며, 천의 수 5가 변하여 토(土)를 낳고 지의 수 10이 화하여 그것을 이룬다는 말이다. '귀신'은 모든 홀수와 짝수가 낳고 이루는 굽히고 펴며 가고 오는 것을 말한다.

集說

● 孔氏穎達曰 : "言此陽奇陰耦之數, 成就其變化, 而宣行鬼神之用."[12]

공영달(孔穎達)이 말했다. "이는 양인 홀수와 음인 짝수가 그 변화를 성취하여 귀신의 작용을 두루 시행한다는 것을 말한다."

---

12) 공영달 소(孔穎達 疏), 『주역주소(周易註疏)』 권11.

● 程子曰 : "數只是氣, 變化·鬼神亦只是氣. 天地之數五十有五, 變化·鬼神, 皆不越於其間."[13]

정자(程子 : 程頤)가 말했다. "수(數)는 다만 기(氣)일 뿐이고, 변화와 귀신도 또한 다만 기일 뿐이다. 천지의 수 55와 변화와 귀신도 모두 그 사이를 넘어서지 않는다."

● 龔氏煥曰 : "'五位相得'之說, 當從孔氏. 蓋旣謂之'五位相得', 則是指一·六居北, 二·七居南, 三·八居東, 四·九居西, 五·十居中而言. 且一二·三四之相得不見其用, 不若孔之的也."

공환(龔煥)[14]이 말했다. "'다섯 개의 자리에서 서로 얻는다'는 구절에 대한 설명은 공씨(孔氏 : 孔穎達)의 주장을 따라야 할 것이다.[15]

....

13) 동해(董楷), 『주역전의부록(周易傳義附錄)』 권10하(下)에 정이(程頤)의 말로 실려 있다.

14) 공환(龔煥) : 자는 유문(幼文)이고, 천봉선생(泉峯先生)이라고 불렸다. 원(元)대 임천(臨川)사람이다. 요응중(饒應中)에게 사사하여 본체를 밝히고 실천에 옮기는 데 힘썼다. 당시 아직 과거제도가 시행되지 못했는데, 시행되면 반드시 정자와 주자의 학문을 법식으로 삼아야 한다고 주장했다. 과연 뒤에 그의 말대로 시행되었다.

15) '다섯 개의 자리에서 … 공씨(孔氏 : 孔穎達)의 주장을 따라야 할 것이다 : 공영달 소(孔穎達 疏), 『주역주소(周易註疏)』 권11에서 "다섯 개의 자리에서 서로 얻고 각각 결합함이 있다'는 것은 만약 천(天)의 수 1과 지(地)의 수 6이 서로 얻으면 결합하여 수(水)가 되고, 지의 수 2와 천의 수 7이 서로 얻으면 결합하여 화(火)가 되며, 천의 수 3과 지의 수 8이 서로 얻으면 결합하여 목(木)이 되고, 지의 수 4와 천의 수 9가 서로 얻으면 결합하여 금(金)이 되며, 천의 수 5와 지의 수 10이 서로 얻으면 결합하여 토(土)가 된다.['五位相得而各有合'者, 若天一與地六相得, 合

이미 '다섯 개의 자리에서 서로 얻는다'고 했으면 이것은 1·6이 북쪽에 자리 잡고, 2·7은 남쪽에 자리 잡으며, 3·8은 동쪽에 자리 잡고, 4·9는 서쪽에 자리 잡으며, 5·10은 중앙에 자리 잡는 것을 가리켜 말하였다. 그런데 1·2와 3·4가 서로 얻는다는 것은 그 작용을 볼 수 없으니, 공영달의 주장만큼 확실하지 못하다."

案

龔氏之意, 謂'相得'者, 言四方相次, 如一·三·七·九, 二·四·六·八是也; '有合'者, 言四方相交, 如一六·二七, 三八·四九是也. 此說極合圖意. 蓋'相得'者, 是二氣之迭運, 四時之順播, 所以'成變化'者此也; '有合'者, 是動靜之互根, 陰陽之互藏, 所以'行鬼神'者此也. 然'成變化'·'行鬼神', 不直言於'相得'·'有合'後, 必重敍'天地之數, 五十有五'者, 蓋非重敍細數, 則無以見'相得'者之自少而多, 自微而盛, '有合'者之多少相間, 微盛相錯, 而往來積漸之跡, 屈伸交互之機, 有所未明者矣.

공씨(龔氏 : 龔煥)의 뜻은, '서로 얻는다'는 것은 사방이 서로 차례가 되는 것을 말하니 예컨대 1·3·7·9과 2·4·6·8의 차례가 이것이며, '결합함이 있다'는 것은 사방이 서로 교착하는 것을 말하니 예컨대 1·6과 2·7과 3·8과 4·9의 결합이 이것이다. 이 주장은 「하도(河圖)」의 뜻에 아주 잘 부합한다. 대개 '서로 얻는다'는 것은 음양 두 기(氣)가 번갈아 운행하고 사계절이 순조롭게 베풀어져 '변화를 이루는 것'이 이것이며, '결합함이 있다'는 것은 움직임과 고요함이 서로 뿌리가 되고 음과 양이 서로를 감추어 '귀신의 작용을 시행

爲水; 地二與天七相得, 合爲火; 天三與地八相得, 合爲木; 地四與天九相得, 合爲金; 天五與地十相得, 合爲土也.」라고 하였다.

하는 것'이 이것이다. 그러나 '변화를 이루고' '귀신의 작용을 시행한다'는 것을 '서로 얻고' '결합함이 있다'는 구절 뒤에 곧바로 말하지 않고 굳이 '천지의 수 55'를 거듭 서술한 것은, 자세한 수를 거듭 서술하지 않으면 '서로 얻는 것'이 적은 것에서부터 많은 것으로 은미한 것에서부터 융성한 것으로 나아가고, '결합함이 있는 것'이 많고 적은 것이 서로 사이를 두고 은미한 것과 융성한 것이 서로 교착하여, 왕래(往來)하면서 점점 쌓이는 자취와 굴신(屈伸)하면서 서로 바꾸어가는 기틀을 알 수 없어 분명하지 않은 것이 있기 때문이다.

[계사상 9-3]

大衍之數五十, 其用四十有九. 分而爲二以象兩,
掛一以象三, 揲之以四以象四時, 歸奇於扐以象
閏. 五歲再閏, 故再扐而後掛.

대연(大衍)의 수(數)는 50이고, 그 가운데 사용하는 것은 49이다.
나누어 둘로 하는 것은 양의(兩儀)를 상징하고, '오른손에서 1개의
시초(蓍草)를 뽑아 왼손 새끼손가락과 넷째 손가락 사이에 걸어두는
[掛]' 것은 삼재(三才)를 상징하며, 4개씩 세는 것은 사계절을 상징하
고, 나머지를 되돌려서 '왼손의 셋째 손가락과 넷째 손가락 사이에
끼우는 것[扐]'은 윤년을 상징한다. 5년에 두 번 윤년이 드니, 그러므
로 '다시 한 번 오른손에 쥔 것을 4개씩 세고 남은 시초를 왼손의
둘째 손가락과 셋째 손가락 사이에 끼우고[再扐]', 그 뒤에 걸어둔다.

本義

'大衍之數五十', 蓋以「河圖」中宮天五乘地十而得之. 至用以
筮, 則又止用四十有九, 蓋皆出於理勢之自然, 而非人之知力
所能損益也. '兩', 謂天地也. '掛', 懸其一於左手小指之間也.
'三', 三才也. '揲', 間而數之也. '奇', 所揲四數之餘也. '扐', 勒
於左手中三指之兩間也. '閏', 積月之餘日而成月者也. 五歲
之間, 再積日而再成月, 故五歲之中, 凡有再閏, 然後別起積
分. 如一掛之後, 左右各一揲而一扐. 故五者之中, 凡有再扐,
然後別起一掛也.

'대연(大衍)의 수(數)가 50'이라는 것은 「하도(河圖)」의 중궁(中宮)에 있는 천(天)의 수 5를 가지고 지(地)의 수 10을 곱하여 얻은 것이다. 점(占)을 치는 데 사용함에 이르러는 또 다만 49를 쓴다는 것은, 모두 이치와 형세의 자연스러움에서 나온 것이지 사람이 지혜와 힘으로 보태거나 덜어낼 수 있는 것이 아니기 때문이다. '양(兩 : 兩儀)'은 천지를 말한다. '괘(掛 : 걸어둔다)'는 그 시초 하나를 왼손의 작은 손가락 사이에 걸어두는 것이다. '삼(三)'은 삼재(三才)이다. '설(揲 : 세다)'은 사이를 띄워서 그것을 세는 것이다. '기(奇 : 나머지)'는 넷으로 세고 남은 것이다. '늑(扐 : 끼우다)'은 왼손의 가운데 셋째 손가락의 양쪽 사이에 끼는 것이다. '윤(閏 : 윤년)'은 달의 남은 날을 모아 달을 이룬 것이다. 5년 사이에 두 번 날을 모아 두 번 달을 이루기 때문에 5년 가운데 모두 두 번 윤달이 있은 뒤에야 별도로 적분(積分 : 여분)을 일으킨다. 이것은 마치 한 번 걸어둔 뒤에 좌(左)·우(右)의 시초를 각각 한 번씩 세고, 한 번 끼우는 것과 같다. 그러므로 다섯 번 가운데 모두 두 번 끼운 뒤에 별도로 한 번 걸어두는 것을 일으킨다.

集說

● 韓氏伯曰 : "王弼曰, '演天地之數者, 五十也.[16] 其用四十有九, 則其一不用也. 不用而用以之通, 非數而數以之成, 斯易之太極也.'"[17]

-----

16) 五十也 : 백(韓伯), 『주역주소(周易註疏)』 권11에는 이 구절 앞에 "所賴者[의뢰할만한 것은]"라는 말이 더 있다.

17) 한백(韓伯), 『주역주소(周易註疏)』 권11.

한백(韓伯)이 말했다. "왕필은 '천지의 수를 연역한 것은 50이다. 그 가운데 49를 쓰니 그 1은 사용하지 않는다. 사용하지 않지만 사용하는 것이 그것으로 소통되고, 헤아리지 않지만 헤아리는 것이 그것으로 이루어지니 이것은 역(易)의 태극(太極)이다'라고 말했다."

● 孔氏穎達曰 : "'分而爲二以象兩'者, 五十之內去其一, 餘有四十九, 合同未分,[18] 今以四十九分而爲二, 以象兩儀也. '掛一以象三'者, 就兩儀之間, 於天數之中, 分掛其一, 以象三才也. '揲之以四以象四時'者, 分揲其蓍, 皆以四四爲數, 以象四時. '歸奇於扐以象閏'者, 謂四揲之餘, 歸此殘奇於扐而成數, 以象天道歸殘聚餘分而成閏也. '五歲再閏'者, 凡前閏後閏, 相去大略三十二月, 在五歲之中, 故'五歲再閏.'"[19]

공영달(孔穎達)이 말했다. "'나누어 둘로 하는 것은 양의(兩儀)를 상징한다'는 50 가운데 1을 버리고 나머지 49가 함께 합쳐 아직 나누지 않았다가, 이제 49를 나누어 둘로 하여 양의(兩儀)를 상징하였다는 말이다. '오른손의 1개의 시초를 뽑아 왼손 새끼손가락과 넷째 손가락 사이에 걸어두는[掛] 것은 삼재(三才)를 상징한다'는 양의(兩儀)에서 천의 수 가운데 1개를 가려 걸어서 삼재를 상징하였다는 말이다. '4개씩 세는 것은 사계절을 상징한다'는 그 시초(蓍草)를 나누어 세는데 모두 4개씩 세어 사계절을 상징하였다는 말이다. '나머지를 되돌려서 왼손의 셋째 손가락과 넷째 손가락 사이에 끼우는 것[扐]은 윤년을 상징한다'는 4개씩 세어낸 뒤 나머지를 끼

---

18) 合同未分 : 공영달 소(孔穎達 疏), 『주역주소(周易註疏)』 권11에는 이 구절 뒤에 "是象太一也.[이것은 태일을 상징한다.]"라는 말이 더 있다.
19) 공영달 소(孔穎達 疏), 『주역주소(周易註疏)』 권11.

우는 데 되돌려 수를 이루어, 천도(天道)에서 나머지를 되돌려 여분을 모아서 윤달을 이루는 것을 상징하였다는 말이다. '5년에 두 번 윤년이 든다'는 것은 무릇 앞의 윤달과 뒤의 윤달간의 거리가 대략 32개월로 5년의 가운데에 있기 때문에 '5년에 두 번 윤년이 든다'라고 하였다."

● 張氏浚曰 : "'歸奇於扐以象閏', 何也? 大衍用四十有九, 老陽餘數十有三, 老陰餘數二十有五, 合之爲三十有八; 少陽餘數二十有一, 少陰餘數十有七, 合之亦爲三十有八; 乘以六爻之位, 則二百二十有八也. 凡術於筮者, 率以二百二十八爲求閏之法, 蓋自然之紀如此."[20]

장준(張浚)이 말했다. "'나머지를 되돌려 왼손의 셋째 손가락과 넷째 손가락 사이에 끼우는 것[扐]은 윤년을 상징한다'라는 것은 무엇인가? 대연(大衍)의 수(數)에서 49를 사용하는데, 노양(老陽)의 나머지 수는 13이고 노음(老陰)의 나머지 수는 25이니 그것을 합하면 38이 되며, 소양(少陽)의 나머지 수는 21이고 소음(小陰)의 나머지 수는 17이니 그것을 합하면 38이 되며, 그것을 6효의 자리에 곱하면 228이 된다. 산술하는 사람들은 모두 228을 윤달을 구하는 방법으로 삼는데 대개 자연의 법도가 이와 같다."

● 朱子「蓍卦考誤」曰 : "五十之內去其一, 但用四十九策, 合同未分, 是象太一也. 以四十九策分置左右兩手, 左手象天, 右手象地, 是象兩儀也. '掛', 猶懸也. 於右手之中, 取其一策, 懸於左

20) 장준(張浚), 『자암역전(紫巖易傳)』 권10.

手小指之間, 所以象人而配天地, 是象三才. '揲', 數之也. 謂先
置右手之策於一處, 而以右手四四而數左手之策, 又置左手之
策, 而以左手四四而數右手之策也. 皆以四數, 是象四時. '奇',
零也. '扐', 勒也. 謂旣四數兩手之策, 則其四四之後, 必有零數,
或一或二或三或四. 左手者歸之於第四 · 第三指之間, 右手者歸
之於第三 · 第二指之間而扐之也. '象閏'者, 積餘分而成閏月也.
凡前後閏相去大略三十二月, 在五歲之中. 此掛一 · 揲四 · 歸奇
之法, 亦一變之間, 凡一掛 · 兩揲 · 兩扐爲五歲之象. 其間凡兩
扐以象閏, 是五歲之中, 凡有再閏. 然後置前掛扐之策, 復以見
存之策, 分二掛一而爲第二變也."[21]

주자가 「시괘고오(蓍卦考誤)」에서 말했다. "50개 시초 가운데에서
그 1개를 버리고 다만 49개 시초를 쓰는데, 함께 합쳐 아직 나누지
않은 것은 태일(太一)을 상징한다. 49개 시초를 왼손과 오른손 양
손에 나누어 두는데, 왼손은 천(天)을 상징하고, 오른손은 지(地)를
상징하니, 이것이 양의(兩儀)를 상징한다. '괘(掛)'는 '걸어둔다'는
것과 같다. 오른손에 있는 것 가운데 1개의 시초를 뽑아 왼손 새끼
손가락과 넷째 손가락 사이에 걸어두는 것은 그것으로 사람을 상징
하고 천지와 짝하니, 이는 삼재(三才)를 상징하는 것이다. '설(揲)'
은 그것을 세어내는 일이다. 먼저 오른손의 시초를 한 곳에 놓고
오른손으로 왼손의 시초를 4개씩 세어내며, 또 왼손의 시초를 한
곳에 놓고 왼손으로 오른손의 시책을 4개씩 세어내는 것을 말한다.
모두 4개씩 세어내니, 이것이 사계절을 상징한다. '기(奇)'는 나머지
이다. '늑(扐)'은 끼운다는 것이다. 이미 양손의 시초를 4개씩 세어
내고 나면 4개씩 세어낸 뒤에 반드시 나머지가 있으니, 혹은 1개,

21) 주희, 『주문공문집(朱文公文集)』 권66, 「시괘고오(蓍卦考誤)」.

혹은 2개, 혹은 3개, 혹은 4개이다. 왼손의 것은 왼손 셋째 손가락과 넷째 손가락 사이에 되돌려 끼우고, 오른손의 것은 왼손 둘째 손가락과 셋째 손가락 사이에 되돌려 끼운다. '윤달을 상징한다[象閏]'는 것은 나머지를 쌓아 윤달을 이루는 일이다. 무릇 앞 뒤 윤달의 상호 거리가 대략 32개월로 5년 가운데에 있다. 이것이 1개를 걸어두고, 4개씩 세어내며, 나머지를 되돌려 끼우는 방법이니, 또한 일변(一變) 사이에 1개를 걸어두고, 두 번 세어내며, 두 번 끼우는 것이 5년의 상(象)이 된다. 그 사이에 두 번 끼우는 것으로 윤달을 상징하니, 이것이 5년 가운데 모두 두 번 윤달이 있다는 말이다. 그런 뒤에 앞에서 걸어두고 끼운 시초를 놓아두고, 다시 남아 있는 시초를 둘로 나누고, 1개를 걸어두니 제2변(二變)이 된다."

● 又「答郭雍」曰: "過揲之數, 雖先得之, 然其數衆而繁; 歸奇之數, 雖後得之, 然其數寡而約. 紀數之法, 以約禦繁, 不以衆制寡. 故先儒舊說, 專以多少決陰陽之老少, 而過揲之數, 亦冥會焉, 初非有異說也. 然七·八·九·六所以爲陰陽之老少者, 其說又本於「圖」·「書」, 定於四象. 其歸奇之數, 亦因揲而得之耳. 大抵「河圖」·「洛書」者, 七·八·九·六之祖也; 四象之形體次第者, 其父也; 歸奇之奇偶方圓者, 其子也; 過揲而以四乘之者, 其孫也. 今自歸奇以上, 皆棄不錄, 而獨以過揲四乘之數爲說, 恐或未究象數之本原也."[22]

(주자가) 또 「곽옹(郭雍)에게 답함」에서 말했다. "4개씩 세어낸 시초의 수는 비록 그것을 먼저 얻지만 그 수는 많고 번거로우며, 나머지를 되돌려 왼손에 끼운 수는 비록 그것을 나중에 얻지만 그 수

22) 주희, 『주문공문집(朱文公文集)』 권37, 「여곽충회(與郭沖晦)」.

는 적고 간략하다. 수를 정리하는 방법은 간략한 것으로 번거로운 것을 제어하지, 많은 것으로 적은 것을 제어하지 않는다. 그러므로 선배 학자들의 구설(舊說)은 오로지 많고 적은 것으로 음양의 노소를 결정하였고, 세어낸 수도 은연중에 합치된 것이니 처음부터 이설(異說)이 있지 않았다. 그러나 7·8·9·6이 음양의 노소가 된 것은 그 학설이 또 「하도(河圖)」와 「낙서(洛書)」에 근본을 두어 사상(四象)으로 정해진 것이다. 그 나머지를 되돌려 끼운 수 또한 4개씩 세어낸 것에 따라서 얻는 것일 뿐이다. 대개 「하도」와 「낙서」는 7·8·9·6의 할아버지이고, 사상(四象)의 형체와 순서는 그 아버지이며, 나머지를 되돌려서 끼우는 데에 홀수와 짝수 네모와 원이 있는 것은 그 아들이고, 4개씩 세어내고 4로 곱한 것은 그 손자이다. 이제 나머지를 되돌려 끼우는 것 이전은 모두 버려 기록하지 않고, 오직 4개씩 세어내고 4로 곱한 수로만 말하는 것은, 아마 상수(象數)의 본원을 궁구하지 않았기 때문일 것이다."

● 吳氏澄曰: "衍母之一, 數之所起, 故大衍五十之數, 虛其一而不用, 所用者四十有九. 其數七七, 蓋以一一爲體, 七七爲用也."[23]

오징(吳澄)이 말했다. "연모(衍母 : 대연의 수의 모체)인 1은 수의 기점이므로 대연 50의 수 가운데 그 1을 비워두고 쓰지 않으며 사용하는 것은 49이다. 그 수는 7×7이니, 1×1을 본체로 삼고 7×7을 작용으로 삼는다."

----

23) 오징(吳澄), 『역찬언(易纂言)』 권7.

● 胡氏炳文曰 : "曆法再閏之後, 又從積分而起, 則筮法再扐之
後, 又必從掛一而起也."24)

호병문(胡炳文)이 말했다. "역법(曆法)에서 재윤(再閏 : 두 번 윤달
이 듬) 뒤에 또 나눈 것을 쌓는 일에서 시작하니, 서법(筮法)에서도
재륵(再扐 : 두 번 끼움) 뒤에 또 반드시 1개를 걸어두는 일에서 시
작한다."

附錄

● 虞氏翻曰 : "奇所掛一策, 扐所揲之餘, 不一則二, 不三則四也.
取奇以歸扐,25) 以閏月定四時成歲, 故'歸奇於扐以象閏也.'"26)

우번(虞翻)이 말했다. "나머지로 걸어둔 1개의 시초와 끼워둔 것으
로 세어낸 나머지는 1개가 아니면 2개이고, 3개가 아니면 4개이다.
나머지를 취하여 끼우는 것으로 되돌려 윤달로 사계절을 정하고 한
해를 이루기 때문에 '나머지를 되돌려 왼손의 셋째 손가락과 넷째
손가락 사이에 끼우는 것[扐]은 윤년을 상징한다'라고 하였다."

● 張子曰 : "'奇', 所掛之一也. '扐', 左右手四揲之餘也. '再扐後

---

24) 호병문(胡炳文), 『주역본의통석(周易本義通釋)』 권5.
25) 取奇以歸扐 : 이정조(李鼎祚), 『주역집해(周易集解)』 권14에는 이 구절
뒤에 "扐并合掛左手之小指爲一扐, 則[끼우는 것과 왼손 새끼손가락과
넷째 손가락 사이에 걸어두는 것을 모두 합하여 한 번 끼우는 것이 되니,
그러면]"이라는 말이 더 있다.
26) 이정조(李鼎祚), 『주역집해(周易集解)』 권14에 우번(虞翻)의 말로 기재
되어 있다.

掛'者, 每成一爻而後掛也, 謂第二·第三揲不掛也. 閏嘗不及三
歲而再至, 故曰'五歲再閏.' 此歸奇必俟於再扐者, 象閏之中間再
歲也."27)

장자(張子 : 張載)가 말했다. "'기(奇 : 나머지)'는 걸어두는 1개의 시
초이다. '늑(扐 : 끼운다)'은 왼손과 오른손의 시초를 4개씩 세어낸
나머지이다. '다시 한 번 오른손에 쥔 것을 4개씩 세고 남은 시초를
왼손의 둘째 손가락과 셋째 손가락 사이에 끼우고[再扐], 그 뒤에
걸어둔다'는 것은 매번 하나의 효(爻)를 이룬 뒤에 1개의 시초를 걸
어두는 일인데, 제2변과 제3변에서 세어낼 때는 1개의 시초를 걸어
두지 않는다는 것을 말한다. 윤달은 3년이 되기 전에 다시 이르기
때문에 '5년에 두 번 윤달이 든다'고 말했다. 이렇게 나머지를 되돌
리는 일이 반드시 다시 끼우기를 기다리는 것은 윤달 중간에 2년이
있음을 상징한다."

● 郭氏忠孝曰 : "'奇'者, 所掛之一也. '扐'者, 左右兩揲之餘也.
得左右兩揲之餘實於前, 以奇歸之也. '歸奇', 象閏也. '五歲再
閏', 非以再扐象再閏也, 蓋閏之後有再歲, 故歸奇之後亦有再扐
也. 再扐而後復掛, 掛而復歸, 則五歲再閏之義矣. 自唐初以來,
以奇爲扐, 故揲法多誤, 至橫渠先生而後奇扐復分."28)

곽충효(郭忠孝)29)가 말했다. "'기(奇 : 나머지)'는 걸어두는 1개의 시

---

27) 장재(張載), 『횡거역설(橫渠易說)』 권3.
28) 방문일(方聞一) 편, 『대역수언(大易粹言)』 권67.
29) 곽충효(郭忠孝, ?~1128) : 자는 입지(立之)이고, 호는 겸산(兼山)이다.
    북송대 낙양(현 하남성 낙양시) 사람으로 곽규(郭逵)의 아들이고 곽옹
    (郭雍)의 아버지이다. 정이(程頤)에게 『역(易)』과 『중용(中庸)』을 배웠

초이다. '늑(扐 : 끼운다)'은 왼손과 오른손의 시초를 4개씩 세어낸 나머지이다. 왼손과 오른손에 있는 시초를 두 번 세어낸 나머지를 앞에다 놓아두는 것이 나머지를 가지고 그것을 되돌리는 일이다. '나머지를 되돌린다'는 것은 윤달을 상징한다. '5년에 두 번 윤달이 든다'는 것은 두 번 끼우는 것으로 두 번 윤달이 드는 것을 상징하는 것이 아니라, 윤달이 든 뒤에 2년이 있어야 하기 때문에 나머지를 되돌린 뒤에 또한 다시 끼우는 것이 있다는 말이다. 두 번 끼운 뒤에 다시 걸어두고 걸어둔 것을 다시 되돌리는 것이 5년에 두 번 윤달이 든다는 의미이다. 당(唐)대 초기 이래로 나머지를 끼우는 것으로 삼았기 때문에 시초를 세어내는 방법이 대부분 잘못되었는데, 횡거선생(橫渠先生 : 張載)에 이른 뒤에 나머지와 끼우는 것이 다시 나누어졌다."

● 又曰 : "扐者數之餘也. 如『禮』言'祭用數之仂'是也, 或謂指間爲扐者非. 「繫辭」言'歸奇於扐', 則奇與扐爲二事也. 又言'再扐而後掛', 則扐與奇亦二事也. 由是知『正義』誤以奇爲扐, 又誤以左右手揲爲再扐. 如曰'最末之餘, 歸之合於扐掛之一處',[30] 其

....

다. 부친의 음사(蔭仕)로 우반전직(右班殿直)에 올랐다가 진사가 된 뒤 벼슬은 하동로제거(河東路提擧), 군기소감(軍器少監)을 역임했다. 금나라가 영흥(永興)을 침공할 때 수성(守城)하다가 성이 함락되자 전사했다. 그의 역학사상은 순희(淳熙) 연간에 편찬된 『대역수언(大易粹言)』에 정호(程顥)와 정이(程頤), 장재(張載), 양시(楊時), 유초(游酢), 곽옹(郭雍) 등의 학설과 함께 실려 있다. 저서에 『중용설(中庸說)』, 『겸산역해(兼山易解)』, 『역서(易書)』, 『사학연원론(四學淵源論)』 등이 있다.

30) 歸之合於扐掛之一處 : 방문일(方聞一) 편, 『대역수언(大易粹言)』 권67에는 이 구절 뒤에 "則是又以扐爲奇而扐爲掛, 亦不復爲二事也.[그렇다면 이것은 또 끼우는 것을 나머지로 여긴 것이고 끼우는 것을 걸어두는

說自相抵捂, 莫知所從, 唯當從橫渠先生之說爲正.[31]"[32]

(곽충효가) 또 말했다. "끼우는 것은 수(數)의 나머지이다. 예컨대
『예기』「왕제(王制)」에서 '제사에 쓰는 것은 수(數 : 경상비용의 수)
의 나머지이다'라고 말한 것이 이것이니, 어떤 사람이 사이를 가리
켜 끼우는 것으로 삼는다고 하는 것은 잘못이다. 「계사」에서 '나머
지를 되돌려 왼손의 셋째 손가락과 넷째 손가락 사이에 끼운다[扐]'
라고 말했으니, 나머지와 끼운다는 것은 두 가지 일이 된다. (「계
사」에서) 또 '다시 한 번 오른손에 쥔 것을 4개씩 세고 남은 시초를
왼손의 둘째 손가락과 셋째 손가락 사이에 끼우고[再扐], 그 뒤에
걸어둔다'라고 말했으니, 끼우는 것과 나머지는 역시 두 가지 일이
다. 이것으로부터 『주역정의(周易正義)』에서 나머지를 끼우는 것으
로 여긴 잘못과 또 왼손과 오른손 두 손에 있는 시초를 세어내는
것을 다시 끼우는 것으로 여긴 잘못을 알 수 있다. (『주역정의(周易
正義)』에서) 예컨대 '가장 나중에 남은 것은 끼우고 걸어둔 것을 한
곳에 합쳐 되돌린다'라고 말한 것은 그 자체가 서로 일치되지 않아
좇을 곳을 알지 못하니, 오직 횡거선생(橫渠先生 : 張載)의 말에 따
라 바로잡아야 할 것이다."

것으로 여긴 것이니, 또한 다시는 두 가지 일이 되지 못한다.]'라는 말이
더 있다.

31) 唯當從橫渠先生之說爲正 : 방문일(方聞一) 편, 『대역수언(大易粹言)』
권67에는 "唯當從橫渠先生之說曰, ' 奇, 所掛之一也. 扐, 左右手四揲
之餘也.' 以此爲正.[오직 횡거선생이 '기(奇 : 나머지)는 걸어두는 1개의
시초이다. 늑(扐 : 끼운다)은 왼손과 오른손의 시초를 4개씩 세어낸 나머
지이다'라고 한 말에 따라야 할 것이니, 이로써 바로잡는다.]"이라고 되어
있다.

32) 방문일(方聞一) 편, 『대역수언(大易粹言)』 권67.

● 又曰 : "「繫辭」以兩扐一掛爲三變而成一爻, 是有三歲一閏之
象;『正義』以每一揲左右兩手之餘卽爲再扐, 是一變之中, 再扐
一掛皆具, 則一歲一閏之象也. 凡揲蓍第一變必掛一者, 謂不掛
一則無變, 所餘皆得五也. 唯掛一則所餘非五則九, 故能變. 第
二・第三揲雖不掛, 亦有四・八之變, 蓋不必掛也. 故聖人必再扐
後掛者以此."[33]

(곽충효가) 또 말했다. 「계사」에서 두 번 끼우고 1개를 걸어두는
것으로 세 번 변(變)하여 1개의 효를 이루는 것으로 삼은 것은 3년
에 한 번 윤달이 드는 것을 상징한 것이다. 『주역정의(周易正義)』
에서 매번 왼손과 오른손 두 손에 있는 시초를 한 번 세어낸 나머
지를 곧 두 번 끼우는 것으로 여긴 것은 한 번의 변(變) 가운데 다
시 끼우고 1개를 걸어두는 것이 모두 갖추어지니 1년에 한 번 윤달
이 드는 것을 상징한다. 시초를 세어내는 데 제1변에서 반드시 1개
를 걸어두는 것은, 1개를 걸어두지 않으면 변(變)이 없어 남은 것이
모두 5개를 얻는다는 것을 말한다. 오직 1개를 걸어두면 남은 것이
5개가 아니면 9개이기 때문에 변(變)할 수 있다. 제2변과 제3변에
서 세어낼 때 비록 1개를 걸어두지 않아도 또한 4개가 아니면 8개
라는 변(變)이 있으니, 굳이 걸어둘 필요가 없다. 그러므로 성인이
반드시 '다시 한 번 오른손에 쥔 것을 4개씩 세고 남은 시초를 왼손
의 둘째 손가락과 셋째 손가락 사이에 끼우고[再扐], 그 뒤에 걸어
둔다'라고 한 것은 이것 때문이다."

案

郭雍本其先人郭忠孝之說, 以爲蓍說, 引張子之言爲據. 朱子與

之往復辨論, 今附錄於後以備參考. 大約孔『疏』·『本義』, 則以左右揲餘爲奇, 而卽以再扐象再閏; 張子·郭氏, 則以先掛一者爲奇, 而歸之於扐以象閏. 其說謂唯初變掛一而後二變不掛, 故初歲有閏, 又須更越二歲, 如初變有掛, 又須更越二變, 以應'再扐後掛'之文也.

곽옹(郭雍)은 그의 선친인 곽충효의 주장에 근본하여 시초를 헤아리는 이론으로 삼고, 장자(張子:張載)의 말을 인용하여 근거로 삼았다. 주자가 그와 왕복한 변론을 이제 뒤에 부록으로 실어 참고하도록 했다. 대체로 공영달의 『주역주소(周易註疏)』와 주자의 『주역본의』는 왼손과 오른손의 시초를 4개씩 세어내고 남은 것을 나머지로 삼으니 곧 다시 끼우는 것으로 두 번 윤달이 드는 것을 상징하였다. 장자(張子:張載)와 곽씨(郭氏:곽충효와 곽옹)는 먼저 1개의 시초를 걸어두는 것으로 나머지를 삼아 그것을 끼우는 것에 되돌린 것을 윤달로 상징하였다. 그 주장은 오직 제1변에서만 1개의 시초를 걸어두고 뒤의 제2변에서는 걸어두지 않기 때문에, 첫 해에 윤달이 있으면 또 반드시 다시 2년을 지나야 하니, 예컨대 제1변에 걸어두는 것이 있고 반드시 다시 두 번의 변(變)을 지나야 한다는 것으로 '다시 끼운 뒤에 걸어둔다'라는 「계사」의 글에 호응한다.

如郭氏說, 則'再閏'·'再扐'兩'再'字, 各異義而不相應, 故須以朱子之論爲確. 然以歸奇爲歸掛一之奇, 則自虞翻已爲此說, 且玩經文語氣, '歸奇於扐', '奇'與'扐'自是兩物而並歸一處爾, 此義則郭氏之說可從. 蓋『疏』·『義』之意, 是以掛象閏也; 張·郭之意, 是以扐象閏也. 今折其中, 則掛·扐皆當倂以象閏. 以天道論之, 氣盈·朔虛, 必倂爲一法; 以筮儀論之, 掛與扐, 必倂在一處; 以經文考之, 曰'歸奇於扐', 又曰'再扐後掛', 則象閏者, 當倂掛與扐明矣.

만약 곽씨(郭氏 : 곽충효와 곽옹)의 주장과 같으면 '다시 윤달이 든다'와 '다시 끼운다'라는 말에서 '다시'라는 말이 각각 의미를 달리하고 상응하지 않기 때문에 반드시 주자의 이론으로 확정해야 한다. 그러나 나머지를 되돌리는 것을 1개를 걸어두는 것을 되돌려 나머지로 삼는 것은 우번(虞翻)에서 이미 이것을 주장하였고, 또「계사」경문의 어투를 완미하여도 '나머지를 되돌려 끼우는 것으로 한다'라는 말에서 '나머지'와 '끼우는 것'은 본래 두 가지 일이면서 아울러 한 곳에 되돌아갈 뿐이니, 이 의미는 곽씨의 주장을 따를 만하다. 대개『주역주소(周易註疏)』와『주역본의』의 뜻은 걸어두는 것으로 윤달을 상징하고, 장재와 곽씨의 뜻은 끼우는 것으로 윤달을 상징한다. 이제 그것을 절충하면 걸어두는 것과 끼우는 것은 모두 아울러 윤달을 상징해야 한다. 천도(天道)로 논하면 기영(氣盈)과 삭허(朔虛)[34]가 반드시 아울러 하나의 법칙이 되어야 하고, 서의(筮儀)

---

34) 기영(氣盈)과 삭허(朔虛) : 주자는『주자어류』권2, 14조목에서 "천체는 지극히 둥글고 바깥 둘레가 365와 1/4도이다. 땅을 둘러싸고 왼쪽으로 도는데 늘 하루에 한 바퀴를 돌고 1도를 지나친다. 태양은 하늘에 걸려 있는데 그보다 약간 더디므로, 태양도 또한 하루에 지구를 둘러싸고 한 바퀴를 돌지만 하늘에서는 1도를 못 미치게 된다. 365와 235/940일을 누적하고 하늘과 만나니, 이것이 1년에 태양이 운행하는 수이다. 달도 하늘에 걸려 있는데 그 보다 더욱 더디어서 하루에 늘 13과 7/19도를 하늘에 미치지 못한다. 29와 499/940일을 누적하고 태양과 만난다. 12번 만나는 데 온전한 날 348일과 여분으로 누적된 5,988/940일을 얻고, 예컨대 일법(日法)으로 940을 1일로 하면 5988/940일은 6과 348/940일을 얻는다. 총계 354와 348/940일이니, 이것이 1년에 달이 운행하는 수이다. 1년에는 12개월이 있고, 1달에는 30일이 있다. 360은 1년의 상수(常數)이다. 그러므로 태양이 하늘과 만나되 5와 235/940일이 많은 것이 '기영'이 되고, 달이 태양과 만나되 5와 592/940일이 적은 것이 '삭허'이다. 기영과 삭허를 합하여 윤달이 생겨난다. 따라서 1년의 윤율(閏率 :

로 논하면 걸어두는 것과 끼우는 것이 반드시 아울러 한 곳에 있어야 하며, 「계사」의 경문으로 고찰해 보면 '나머지를 되돌려 끼우는 것으로 한다'고 말했고 또 '다시 끼운 뒤에 걸어둔다'라고 말했으니 윤달을 상징하는 것은 마땅히 걸어두고 끼우는 일을 아우르는 것이 분명하다.

윤달의 비율)은 10과 827/940일이다. 3년에 한 번 윤년이 들면 32와 601/940일이다. 5년에 두 번 윤년이 들면 54와 375/940일이다. 19년에 7번 윤년이 들면 기영과 삭허의 몫이 가지런해지니 이것이 1장(一章)이 된다.[天體至圓, 周圍三百六十五度四分度之一. 繞地左旋, 常一日一周而過一度. 日麗天而少遲, 故日行一日, 亦繞地一周, 而在天爲不及一度. 積三百六十五日九百四十分日之二百三十五而與天會, 是一歲日行之數也. 月麗天而尤遲, 一日常不及天十三度十九分度之七. 積二十九日九百四十分日之四百九十九而與日會. 十二會, 得全日三百四十八, 餘分之積, 又五千九百八十八. 如日法, 九百四十而一, 得六, 不盡三百四十八. 通計得日三百五十四, 九百四十分日之三百四十八, 是一歲月行之數也. 歲有十二月, 月有三十日. 三百六十日者, 一歲之常數也. 故日與天會, 而多五日九百四十分日之二百三十五者, 爲'氣盈'; 月與日會, 而少五日九百四十分日之五百九十二者, 爲'朔虛.' 合氣盈朔虛而閏生焉. 故一歲閏率則十日九百四十分日之八百二十七; 三歲一閏, 則三十二日九百四十分日之六百單一; 五歲再閏, 則五十四日九百四十分日之三百七十五. 十有九歲七閏, 則氣朔分齊, 是爲一章也.]"라고 하였다.

> 乾之策二百一十有六, 坤之策百四十有四, 凡三
> 百有六十, 當期之日.

건(乾)괘의 시초(蓍草) 수는 216개이고 곤(坤)괘의 시초 수는 144개이며 모두 360개이니, 1주년의 일수(日數)에 해당한다.

本義

凡此策數, 生於四象, 蓋「河圖」四面, 太陽居一而連九, 少陰居二而連八, 少陽居三而連七, 太陰居四而連六. 揲蓍之法, 則通計三變之餘, 去其初掛之一, 凡四爲奇, 凡八爲耦, 奇圓圍三, 耦方圍四. 三用其全, 四用其半. 積而數之, 則爲六・七・八・九, 而第三變揲數策數, 亦皆符會. 蓋餘三奇則九, 而其揲亦九, 策亦四九三十六, 是爲居一之太陽. 餘二奇一耦則八, 而其揲亦八, 策亦四八三十二, 是爲居二之少陰. 二耦一奇則七, 而其揲亦七, 策亦四七二十八, 是爲居三之少陽. 三耦則六, 而其揲亦六, 策亦四六二十四, 是爲居四之老陰. 是其變化往來・進退離合之妙, 皆出自然, 非人之所能爲也. 少陰退而未極乎虛, 少陽進而未極乎盈. 故此獨以老陽・老陰計乾・坤六爻之策數, 餘可推而知也. '期', 周一歲也. 凡三百六十五日四分日之一, 此特擧成數而槪言之耳.

무릇 이 시초의 수(數)는 사상(四象)에서 생겼으니, 「하도(河圖)」의 네 방위에서 태양(太陽)은 1에 자리 잡아 9와 연접하고, 소음(少陰)은 2에 자리 잡아 8과 연접하며, 소양(少陽)은 3에 자리 잡아 7과 연접하고, 태음(太陰)은 4에 자리 잡아 6과 연접한다. 시초를 세는 법은 세 번 변(變)한 나머지를 통틀어 계산하는데, 처음 걸어두었던 1개를 제거하고 모두 4개인 것을 홀[奇]이라 하고 8개인 것을 짝[耦]이라 하니, 홀[奇]은 원(圓)으로 둘레가 3이고 짝[耦]은 네모로 둘레가 4이다. 3은 그 전부를 쓰고 4는 그 절반을 쓴다. 이것을 누적해서 세면 6·7·8·9가 되고 세 번 변(變)하여 세어낸 수(數)와 남은 시초의 수(數)가 또한 모두 들어맞는다. 남은 것이 3개의 홀[奇]이면 3×3=9이고 그 세어낸 것도 역시 9이며, 남은 시초의 수 또한 4×9=36이니, 이것이 1에 자리 잡은 태양(太陽)이 된다. 남은 것이 2개의 홀[奇]과 1개의 짝[耦]이면 8(3×2+2)이고 그 세어낸 것도 역시 8이며, 남은 시초의 수 또한 4×8=32이니, 이것이 2에 자리 잡은 소음(少陰)이 된다. 남은 것이 2개의 짝[耦]과 1개의 홀[奇]이면 7(2×2+3)이고 그 세어낸 것도 역시 7이며, 남은 시초의 수 또한 4×7=28이니, 이것이 3에 자리 잡은 소양(少陽)이 된다. 남은 것이 3개의 짝[耦]이면 6(2×3)이고 그 세어낸 것도 또한 6이며, 남은 시초의 수 또한 4×6=24이니, 이것이 4에 자리 잡은 노음(老陰)이 된다. 이것은 변화하고 왕래하며 나아가고 물러가며 떨어지고 결합하는 오묘함이 모두 저절로 그러한 데서 나온 것이지, 사람이 그렇게 할 수 있는 것이 아니다. 소음(少陰)은 물러가지만 아직 지극히 텅 빈 데 이르지 않았고, 소양(少陽)은 나아가지만 아직 지극히 가득 찬 데 이르지 않았다. 그러므로 여기에서는 다만 노양(老陽)과 노음(老陰)으로 건(乾)괘와 곤(坤)괘 6개 효의 시초의 수(數)를 계산하였으니, 나머지는 미루어 알 수 있다. '기(期)'는 1년을 도는 것이다. 모두 365와 1/4일인데, 이는 다만 성수(成數)를 들어 대략 말한 것일 뿐이다.

集說

● 孔氏穎達曰 : "乾之少陽,35) 一爻有二十八策, 六爻則有一百
六十八策. 此經據老陽之策也. 若坤之少陰,36) 一爻有三十二,
六爻則有一百九十二. 此經據坤之老陰, 故百四十有四也."37)

공영달(孔穎達)이 말했다. "건(乾)괘의 소양(少陽)은 1개 효에 28개
의 시초가 있고 6개 효에는 168개의 시초가 있다. 이것이 경(經)에
근거한 노양(老陽)의 시초의 수이다. 만약 곤(坤)괘의 소음(少陰)이
라면 1개 효에 32개의 시초가 있고 6개 효에는 192개의 시초가 있
다. 이것이 경(經)에 근거한 곤(坤)의 노음(老陰)이니 144개의 시초
이다."

● 『朱子語類』云 : "大凡易數皆六十. 三十六對二十四, 三十二
對二十八, 皆六十也. 十甲十二辰,38) 亦湊到六十也. 鍾律五聲

---

35) 乾之少陽 : 공영달 소(孔穎達 疏), 『주역주소(周易註疏)』 권11에는 이
　　구절 앞에 "乾之策二百一十有六者, 以乾老陽一爻有三十六策, 六爻凡
　　有二百一十六策也.[건괘의 시초 수가 216개라는 것은 건괘의 노양은 1
　　개 효에 36개의 시초가 있기 때문에 6개 효는 모두 216개의 시초가 있다
　　는 것이다.]"라는 말이 더 있다.
36) 若坤之少陰 : 공영달 소(孔穎達 疏), 『주역주소(周易註疏)』 권11에는
　　이 구절 앞에 "坤之策百四十有四者, 坤之老陰一爻有二十四策, 六爻故
　　一百四十有四策也.[곤괘의 시초 수가 144개라는 것은 곤괘의 노음은 1
　　개 효에 24개의 시초가 있고 6개 효이기 때문에 144개의 시초라는 것이
　　다.]"라는 말이 더 있다.
37) 공영달 소(孔穎達 疏), 『주역주소(周易註疏)』 권11.
38) 十甲十二辰 : 주희, 『주자어류』 권65, 33조목에는 "以十甲十二辰[10갑
　　12신으로 해도]"라고 되어 있다.

十二律, 亦積爲六十也. 以此知天地之數, 皆至六十爲節."39)

『주자어류』에서 말했다. "무릇 역(易)의 수는 모두 60이다. 노양의
수 36이 노음의 수 24와 짝하고, 소음의 수 32가 노양의 수 28과
짝한 것이 모두 60이다. 천간(天干) 10갑과 지지(地支) 12신으로
해도 역시 60에 취합된다. 종율(鍾律) 5성(聲)과 12율(律)도 또한
곱해서 60이 된다. 이를 통해 천지의 수가 모두 60에 이르러 한 마
디가 되는 것을 알 수 있다."

● 又「答程大昌」曰 : "「大傳」專以六爻乘二老而言, 故曰, '乾之策
二百一十有六, 坤之策百四十有四. 凡三百有六十.' 其實六爻之
爲陰陽者, 老少錯雜 : 其積而爲乾者, 未必皆老陽; 其積而爲坤
者, 未必皆老陰; 其爲六子諸卦者, 或陽或陰, 亦互有老少焉."40)

(주자가) 또 「정대창에게 답함」에서 말했다. "「대전(大傳 : 「계사전」
을 가리킴)」에서는 오로지 6개의 효를 노양과 노음에 곱해서 말했
기 때문에 '건(乾)괘의 시초(蓍草) 수는 216개이고 곤(坤)괘의 시초
수는 144개이며 모두 360개이다'라고 말했다. 그런데 사실 6개의
효가 음·양이 되는 것은 노(老)·소(少)가 뒤섞여 있다. 그것이 쌓
여 건(乾)괘가 되는 것은 반드시 모두 노양이 아니고, 그것이 쌓여
곤(坤)괘가 되는 것은 반드시 모두 노음이 아니며, 그것이 '여섯 자
식[六子]'41)과 여러 괘가 되는 것은 혹은 양이거나 혹은 음이어서

---

39) 주희, 『주자어류』 권65, 33조목.
40) 주희, 『주문공문집』 권37, 「답정태지[대창](答程泰之[大昌]).
41) '여섯 자식[六子]' : 소성괘 8괘 가운데 건·곤을 뺀 나머지 여섯 괘, 즉
　　진(震 : 장남), 손(巽 : 장녀), 감(坎 : 중남), 리(離 : 중녀), 간(艮 : 소남),
　　태(兌 : 소녀)를 가리킨다.

또한 서로 노·소를 가지고 있다."

● 胡氏炳文曰 : "前則掛扐象月之閏,[42]   此則過揲之數象歲之
周. 蓋揲之以四, 已合四時之象, 故總過揲之數, 又合四時成歲
之象也."[43]

호병문(胡炳文)이 말했다. "앞[계사상 9-3]에서는 걸어두고 끼우는
것으로 윤달을 상징했는데, 여기[계사상 9-4]서는 세어낸 시초의 수
로 1주년을 상징했다. 시초를 4개씩 세어내는 것은 이미 사계절의
모습과 합치되기 때문에 세어낸 수의 총합은 또 사계절이 한 해를
이루는 모습과 합치된다."

案

「大傳」不言乾之掛扐若干, 坤之掛扐若干, 而但言乾之策·坤之
策, 則以策數定七·八·九·六者似是.

「대전(大傳 :「계사전」을 가리킴)」에서 건(乾)괘의 걸어두고 끼운
시초의 수가 몇 개인지와 곤(坤)괘의 걸어두고 끼운 시초의 수가
몇 개인지를 말하지 않고, 다만 건괘의 시초의 수와 곤괘의 시초의
수만을 말한 것은, 시초의 수로 7·8·9·6을 정한 것이 이와 비슷
하다.

---

42) 前則掛扐象月之閏 : 호병문(胡炳文), 『주역본의통석(周易本義通釋)』
    권5에는 "前則掛扐之數象月之閏[앞에서는 걸어두고 끼운 시초의 수로
    윤달을 상징했는데]"라고 되어 있다.
43) 호병문(胡炳文), 『주역본의통석(周易本義通釋)』 권5.

[계사상 9-5]

> 二篇之策, 萬有一千五百二十, 當萬物之數也.

『역』상·하 두 편의 시초 수 11,520개는 만물의 수에 해당한다.

本義

'二篇', 謂上·下經. 凡陽爻百九十二, 得六千九百一十二策, 陰爻百九十二, 得四千六百八策, 合之得此數.

'두 편[二篇]'은 상경(上經)과 하경(下經)을 말한다. 무릇 양효(陽爻) 192개에서 6,912개의 시초 수를 얻고 음효(陰爻) 192개에서 4,608개의 시초 수를 얻어 합하면 이 수(數)를 얻게 된다.

[계사상 9-6]

> 是故四營而成易, 十有八變而成卦.
>
> 그러므로 네 번 경영하여 역(易)을 이루고, 18변(變)을 통해 괘를
> 이룬다.

本義

'四營', 謂分二掛一揲四歸奇也. '易', 變易也, 謂一變也. 三變
成爻, 十八變則成六爻也.

'네 번 경영한다'는 것은 둘로 나누고 하나를 걸어두고 넷으로 세고
나머지 수를 되돌리는 일이다. '역(易)'은 변역(變易)이니 한 번 변
(變)함을 이른다. 세 번 변하여 효를 이루니, 18번 변하면 6효(六
爻)를 이룬다.

集說

● 陸氏績曰 : "分而爲二以象兩, 一營也. 掛一以象三, 二營也.
揲之以四以象四時, 三營也. 歸奇於扐以象閏, 四營也."[44]

육적(陸績)[45]이 말했다. "나누어서 둘로 하여 양의(兩儀)를 상징하

---

44) 요사린(姚士粦) 편, 『육씨역해(陸氏易解)』.

는 것이 한 번 경영하는 일이다. 시초 1개를 걸어두어 삼재(三才)를 상징하는 것이 두 번 경영하는 일이다. 4개씩 세어내어 사계절을 상징하는 것이 세 번 경영하는 일이다. 나머지를 되돌려 끼우는 것으로 하여 윤달을 상징하는 것이 네 번 경영하는 일이다."

● 孔氏穎達曰 : "'營', 謂經營, 謂四度經營蓍策, 乃成易之一變也. 每一爻有三變, 初一揲不五則九, 是一變也; 第二揲不四則八, 是二變也; 第三揲亦不四則八, 是三變也. 若三者俱多爲老陰, 謂初得九, 第二‧第三俱得八也. 若三者俱少爲老陽, 謂初得五, 第二‧第三俱得四也. 若兩少一多爲少陰, 謂初與二‧三之間, 或有四有五而有八, 或有二四而有一九也. 其兩多一少爲少陽, 謂三揲之間, 或有一九, 一八而有一四, 或爲二八而有一五也. 三變旣畢, 乃定一爻. 六爻則十有八變, 乃始成卦也."[46]

공영달(孔穎達)이 말했다. "'영(營)'은 경영한다는 말이니, 네 번 시초를 경영하여 이에 역(易)의 1변(變)을 이룬다는 것을 말한다. 매 1개의 효에는 3변이 있으니, 처음에 한 번 세어내면 그 나머지가

....

45) 육적(陸績, 188~219) : 자는 공기(公紀)이다. 삼국 시대 오(吳)나라 오군 오현(吳郡吳縣 : 현 강소성 소주〈蘇州〉) 사람이루 한말(漢末) 여강태수(廬江太守) 육강(陸康)의 아들이다. 어려서 '육적회귤(陸績懷橘)'이라는 고사성어의 주인공이 될 정도로 효심(孝心)으로 이름이 났고, 천문과 역산(曆算) 등 다방면으로 박학다식했다. 벼슬은 손권(孫權)이 강동(江東)을 장악했을 때 주조연(奏曹掾 : 상소를 의론하는 직책)이 되어 직언(直言)을 잘 했으며, 울림태수(鬱林太守), 편장군(偏將軍) 등을 역임하였다. 저서에는 『혼천도(渾天圖)』, 『주역주(周易注)』, 『태현경주(太玄經注)』 등이 있다.

46) 공영달 소(孔穎達 疏), 『주역주소(周易註疏)』 권11.

5개가 아니면 9개이니, 이것이 1변이다. 두 번째 세어내면 그 나머지가 4개가 아니면 8개이니, 이것이 2변이다. 세 번째 세어내면 그 나머지가 또한 4개가 아니면 8개이니, 이것이 3변이다. 만약 세 번이 모두 많은 수이면 노음(老陰)이 되니, 처음에 9개를 얻고 두 번째와 세 번째는 모두 8개를 얻는 것을 말한다. 만약 세 번이 모두 적은 수이면 노양(老陽)이 되니, 처음에 5개를 얻고 두 번째와 세 번째는 모두 4개를 얻는 것을 말한다. 만약 두 번은 적은 수, 한 번은 많은 수이면 소음(少陰)이 되니, 처음과 두 번, 세 번 사이에 나머지가 혹 4개, 5개, 8개가 있는 경우와 혹 4개 둘과 9개 하나가 있는 경우를 말한다. 만약 두 번이 많은 수, 한 번이 적은 수이면 소양(少陽)이 되니, 세 번 시초를 세어내는 사이에 혹 9개가 하나, 8개가 하나, 4개가 하나인 경우와 혹 8개가 둘, 5개가 하나인 경우를 말한다. 3변이 끝난 뒤에 1개의 효가 정해진다. 6개 효는 18변이라야 비로소 괘를 이룬다.”

● 『朱子語類』云 : “這處未下得'卦'字, 亦未下得'爻'字, 只下得 '易'字.”[47]

『주자어류』에서 말했다. “여기에서는 아직 '괘(卦)'라는 글자를 쓰지 않고 또한 '효(爻)'라는 글자도 쓰지 않았으며, 다만 '역(易)'이라는 글자를 썼을 뿐이다.”

....

47) 주희, 『주자어류』 권75, 33조목.

八卦而小成.

8괘가 되어 역(易)의 도가 작게 이루어졌다.

本義

謂九變而成三畫, 得內卦也.

아홉 번 변(變)하여 세 획을 이루어 내괘(內卦)를 얻었다는 것을 말한다.

集說

● 孔氏穎達曰："'八卦而小成'者, 象天·地·雷·風·日·月·山·澤, 於大象略盡, 是易道小成."[48]

공영달(孔穎達)이 말했다. "8괘가 되어 역(易)의 도가 작게 이루어졌다'는 것은 천(天)·지(地)·뇌(雷)·풍(風)·일(日)·월(月)·산(山)·택(澤)을 상징하여 큰 모습에 대해서는 어느 정도 다 표현했으니, 역(易)의 도가 작게 이루어졌다는 것이다."

---

48) 공영달 소(孔穎達 疏), 『주역주소(周易註疏)』 권11.

> 引而伸之, 觸類而長之, 天下之能事畢矣.

그것들을 늘여 펼치고 부류에 따라 확장하면, 천하에 할 수 있는
일이 끝날 것이다.

本義

謂已成六爻, 而視其爻之變與不變, 以爲動·靜, 則一卦可變
而爲六十四卦, 以定吉凶, 凡四千九十六卦也.

이미 6효(六爻)를 이루고 나서 그 효의 변(變)과 불변(不變)을 보아
움직이는 것과 움직이지 않는 것으로 삼으면, 1개의 괘가 변해서
64괘가 되어 길흉을 정한다는 것을 말하니, 모두 4,096괘이다.

案

六十四卦變爲四千九十六卦之法, 卽如八卦變爲六十四卦之法,
畫上加畫, 至於四千九十六卦, 則六畫者積十二畫矣. 如引寸以
爲尺, 引尺以爲丈, 故曰'引而伸之.' 聖人設六十四卦, 又繫以辭,
則事類大略已盡. 今又就其變之所適而加一卦焉, 彼此相觸, 或
相因以相生, 或相反以相成, 其變無窮, 則義類亦無窮, 故曰'觸
類而長之.' 如此則足以該事變而周民用, 故曰'天下之能事畢.'

64괘가 변하여 4,096괘가 되는 방법은 곧 8괘가 변하여 64괘가 되

는 방법과 같으니, 획 위에 획을 첨가해서 4,096괘에 이르면 6획은 12획으로 쌓이게 된다. 마치 촌(寸)을 늘여 척(尺)이 되고, 척을 늘여 장(丈)이 되는 것과 같기 때문에 '그것들을 늘여 펼친다'고 하였다. 성인이 64괘를 설립하고 또 설명을 붙였으니 일의 종류는 대략이미 다 발휘했다. 이제 또 그 변(變)이 가는 곳에서 1개의 괘를 첨가하여 피차간에 서로 접촉할 때, 혹은 서로 따라 서로 생겨나기도 하고 혹은 서로 반대되어 이루기도 하여, 그 변화가 끝이 없으면 의미의 종류도 또한 끝이 없을 것이기 때문에 '부류에 따라 확장한다'고 하였다. 이와 같이 하면 일의 변(變)을 갖추어 백성들이 두루 사용하기에 충분하기 때문에 '천하에 할 수 있는 일이 끝날 것이다'라고 하였다.

顯道神德行, 是故可與酬酢, 可與祐神矣.

도(道)를 드러내고 덕행을 펼쳐내니, 이 때문에 더불어 수작(酬酢
: 응대함)할 수 있고 더불어 신(神)을 도울 수 있다.

本義

'道'因辭顯, '行'以數神. '酬酢', 謂應對. '祐神', 謂助神化之功.

'도(道)'는 말에 따라 드러나고 '행위'는 수(數)로 펼쳐진다. '수작(酬
酢)'은 응대(應對)함을 말하고, '신(神)을 돕는다'는 펼쳐나가는 조화
(造化)의 공효(功效)를 돕는 것을 말한다.

集說

● 韓氏伯曰 : "可以應對萬物之求, 助成神化之功也. '酬酢', 猶
應對."[49]

한백(韓伯)이 말했다. "만물이 추구하는 것에 응대(應對)할 수 있
고, 펼쳐나가는 조화(造化)의 공효(功效)를 도와 이룰 수 있다. '수
작(酬酢)'은 응대하는 것과 같다."

----

49) 한백(韓伯), 『주역주소(周易註疏)』 권11.

● 張子曰 : "示人吉凶, 其道顯; 陰陽不測, 其德神. 顯故可與酬酢, 神故可與祐神."[50]

장자(張子 : 張載)가 말했다. "사람들에게 길흉을 보여줌은 그 도가 드러난 것이고, 음양을 헤아릴 수 없음은 그 덕이 펼쳐진 것이다. 드러나기 때문에 더불어 수작할 수 있고, 펼쳐지기 때문에 더불어 신(神)을 도울 수 있다."

● 又曰 : "'顯道'者, 危使平, 易使傾, 懼以終始, 其要無咎之道也. '神德行'者, 寂然不動, 冥會於萬化之感, 而莫知爲之者也. 受命如響, 故'可與酬酢'; 曲盡鬼謀, 故'可與祐神.' '顯道神德行', 此言蓍龜之德也.[51]"[52]

(장재가) 또 말했다. "'도를 드러낸다'는 위태롭게 여기는 자를 평안하게 하고 쉽게 여기는 자를 기울어지게 하여, 두려워하면서 마치고 시작하면 그 요지(要旨)는 허물이 없는 도(道)라는 뜻이다.[53]

....

50) 장재(張載), 『횡거역설(橫渠易說)』 권3.
51) 此言蓍龜之德也 : 장재(張載), 『횡거역설(橫渠易說)』 권3에는 "此言蓍龜之行也.[이것은 시초와 귀갑(龜甲)으로 점치는 일을 시행함을 말한다.]"라고 되어 있다.
52) 장재(張載), 『횡거역설(橫渠易說)』 권3.
53) 위태롭게 여기는 자를 평안하게 하고 … 허물이 없는 도(道)라는 것이다 : 『역』「계사하」 제11장에서 "역(易)이 흥기한 것은 은(殷)나라 말기와 주(周)나라의 덕이 융성할 때였을 것이고, 문왕(文王)과 주(紂)의 일이 있었을 때였을 것이다! 그러므로 그 말은 위태로워서, 위태롭게 여기는 자를 평안하게 하고 쉽게 여기는 자를 기울어지게 하였다. 그 도(道)는 매우 커서, 온갖 것을 폐기하지 않았지만 두려워하여 마치고 시작하면 그 요지(要旨)는 허물이 없을 것이다. 이것을 일러 역(易)의 도(道)라 한

'덕행을 펼치게 한다'는 적연(寂然)하여 움직이지 않는 가운데 온갖 조화(造化)의 느낌을 그윽하게 이해하지만, 어떻게 하는지를 알 수 없는 것이다. 명령을 받은 것이 메아리와 같기 때문에[54] '더불어 수작할 수 있으며', 귀신에게 도모하는 것을 곡진히 하였기 때문에 '더불어 신(神)을 도울 수 있다.' '도(道)를 드러내고 덕행을 펼치게 한다'는 것은 시초와 귀갑(龜甲)의 덕을 말한다."

● 項氏安世曰 : "天道雖幽, 可闡之以示乎人; 人事雖顯, 可推之以合乎天. 明可以酬酢事物之宜, 幽可以贊出鬼神之命."[55]

항안세(項安世)가 말했다. "천도(天道)는 비록 그윽하지만 그것을 천명하여 사람들에게 보여줄 수 있고, 인사(人事)는 비록 드러나지만 그것을 미루어 천(天)에 합치시킬 수 있다. 밝음은 사물의 마땅함에 수작할 수 있고, 그윽함은 귀신의 명령을 도와서 낼 수 있다."

······································

다.[易之興也, 其當殷之末世, 周之盛德邪, 當文王與紂之事邪! 是故其辭危, 危者使平, 易者使傾. 其道甚大, 百物不廢, 懼以終始, 其要无咎. 此之謂易之道也.]"라고 하였다.

54) 명령을 받은 것이 메아리와 같기 때문에 : 『역』「계사상」 제10장에서 "그러므로 군자가 장차 일을 하려고 하고 시행하려고 함에 물어서 말하려고 하면, 그 명령을 받은 것이 메아리와 같아 멀거나 가까움과 그윽하거나 깊음이 없이 마침내 앞으로 올 것을 안다. 천하의 지극히 정밀한 사람이 아니면 그 누가 여기에 참여하겠는가?[是以君子將有爲也, 將有行也, 問焉而以言, 其受命也如嚮, 无有遠近幽深, 遂知來物. 非天下之至精, 其孰能與於此?]"라고 하였다.

55) 항안세(項安世), 『주역완사(周易玩辭)』 권13.

> 子曰 : "知變化之道者, 其知神之所爲乎!"

공자가 말했다. "변화(變化)의 도(道)를 아는 사람은 신(神)이 하
는 일을 알 것이다!"

本義

'變化之道', 卽上文數法是也, 皆非人之所能爲. 故夫子歎之,
而門人加'子曰'以別上文也.

'변화(變化)의 도(道)'는 바로 윗글의 시초를 세는 법이 이것이니,
모두 사람이 할 수 있는 일이 아니다. 그러므로 공자가 감탄하였고,
문인(門人)들이 '자왈(子曰 : 공자가 말했다)'이라는 말을 첨가하여
윗글과 구별하였다.

此第九章, 言天地大衍之數, 揲蓍求卦之法, 然亦略矣. 意其
詳具於大卜 · 筮人之官, 而今不可考耳. 其可推者, 『啓蒙』備
言之.

이는 제9장이니, 천지의 대연(大衍)의 수(數)와 시초를 세어내서 괘
를 구하는 방법을 말했는데, 또한 간략하다. 짐작컨대 그 상세한 내
용이 태복(太卜)과 서인(筮人)의 관직(官職)에 갖추어져 있었는데,
지금은 상고할 수 없을 뿐이다. 추론해 볼 수 있는 것은 『역학계몽
(易學啓蒙)』에서 자세히 말했다.

集說

● 韓氏伯曰 : "'變化之道', 不爲而自然. 故知變化之道者,56) 則知神之所爲."57)

한백(韓伯)이 말했다. "'변화(變化)의 도(道)'는 어떤 일을 하지 않지만 저절로 그러하다. 그러므로 변화의 도를 아는 사람이라면 신(神)이 하는 일을 알 것이다."

● 張子曰 : "唯神爲能變化, 以其一天下之動也. 人能知變化之道, 其必知神之所爲也."58)

장자(張子 : 張載)가 말했다. "오직 신(神)이 변화(變化)할 수 있으니, 그것은 천하의 움직임을 한결 같게 할 수 있기 때문이다. 사람이 변화의 도(道)를 알 수 있는 것은 반드시 신(神)이 하는 일을 알기 때문이다."

● 蘇氏軾曰 : "神之所爲不可知, 觀變化而知之矣. 變化之間, 神無不在."59)

소식(蘇軾)이 말했다. "신(神)이 하는 일은 알 수 없으니 변화를 살펴보고 그것을 알 수 있다. 변화하는 사이에 신(神)이 있지 않은 경우가 없다."

---

56) 故知變化之道者 : 한백(韓伯), 『주역주소(周易註疏)』 권11에는 "故知變化者[그러므로 변화를 아는 사람은]"이라고 되어 있다.

57) 한백(韓伯), 『주역주소(周易註疏)』 권11.

58) 장재(張載), 『정몽(正蒙)』 권4, 「신화편(神化篇)」.

59) 소식(蘇軾), 『동파역전(東坡易傳)』 권7.

● 董氏銖曰 : "陽化爲陰, 陰變爲陽者, 變化也. 所以變化者, 道也. 道者本然之妙, 變化者所乘之機. 故陰變陽化, 而道無不在, '兩在故不測.' 故曰'知變化之道者, 其知神之所爲乎!'"

동수(董銖)가 말했다. "양(陽)이 화(化)하여 음(陰)이 되고 음이 변(變)하여 양이 되는 것이 변화(變化)이다. 변화의 근거는 도(道)이다. 도는 본디 그러한 오묘함이고 변화는 그것을 타는 기틀이다. 그러므로 음이 변하고 양이 화하지만 도는 있지 않은 경우가 없으니, '두 가지로 있기 때문에 헤아릴 수 없다.'[60] 그러므로 '변화(變化)의 도(道)를 아는 사람은 신(神)이 하는 일을 알 것이다!'라고 하였다."

● 龔氏煥曰 : "此所謂'知變化之道者, 其知神之所爲', 卽承上文所謂'成變化而行鬼神'爲言也. 蓋「河圖」之數體也, 故曰'所以成變化而行鬼神'; 大衍之數用也, 故曰'知變化之道, 其知神之所爲.' 成變化所以行鬼神, 故知變化之道, 則知神之所爲. 變化者神之所爲, 而神不離於變化, 知道者必能知之."

공환(龔煥)[61]이 말했다. "여기에서 이른바 '변화(變化)의 도(道)를

---

60) 두 가지로 있기 때문에 헤아릴 수 없다 : 장재(張載), 『정몽(正蒙)』권2, 「삼량편(參兩篇)」, "一故神.[하나이기 때문에 신(神)이다.]"이라는 구절의 원주(原註)이다.

61) 공환(龔煥) : 자는 유문(幼文)이고, 천봉선생(泉峯先生)이라고 불렸다. 원(元)대 임천(臨川)사람이다. 進賢人 通五經 요응중(饒應中)에게 사사하여 본체를 밝히고 실천에 옮기는 데 힘썼다. 당시 아직 과거제도가 시행되지 못했는데, 시행되면 반드시 정자와 주자의 학문을 법식으로 삼아야 한다고 주장했다. 과연 뒤에 그의 말대로 시행되었다.

아는 사람은 신(神)이 하는 일을 알 것이다!'는 곧 윗글[계사상 9-2]
의 이른바 '변화(變化)를 이루며 오므리고 펼침을 시행한다'라는 구
절을 이어서 말한 것이다. 대개 「하도(河圖)」의 수(數)는 체(體)이
기 때문에 '변화(變化)를 이루며 오므리고 펼침을 시행하는 것이다'
라 하였고, 대연(大衍)의 수(數)는 용(用)이기 때문에 '변화(變化)의
도(道)를 아는 사람은 신(神)이 하는 일을 알 것이다!'라고 하였다.
변화를 이루는 것이 오므리고 펼침을 시행하는 것이기 때문에 변화
의 도를 알면 신(神)이 하는 일을 알게 된다. 변화는 신(神)이 하는
일이고 신(神)은 변화에서 분리되지 않으니, 도를 아는 사람은 반
드시 그것을 알 수 있다."

● 陸氏振奇曰 : "神妙變化而爲言, 故知鬼神之行, 卽在成變化處."

육진기(陸振奇)[62]가 말했다. "신묘하게 변화한다고 말하니, 오므리고
펼침을 시행하는 것이 곧 변화를 이루는 곳에 있음을 알 수 있다."

● 谷氏家杰曰 : "神之所爲, 是因「圖」數之神, 以贊衍法之神, 見
其亦如天地之成變化而行鬼神也. 指著法之變化爲神, 非總承
數法而並贊其神也."

곡가걸(谷家杰)이 말했다. "신(神)이 하는 일은 「하도(河圖)」의 수
(數)의 신묘함에 따라 대연(大衍)의 법칙의 신묘함을 돕는 것이니,
그 또한 마치 천지가 변화를 이루고 오므리고 펼침을 시행하는 일

---

62) 육진기(陸振奇) : 자는 용성(庸成)이고 명(明)대 전당(錢塘 : 현 절강성
   항주〈杭州〉) 사람이다. 만력(萬曆) 34년(1606)에 거인(擧人)이 되었다.
   저서에 『역개(易芥)』가 있다.

과 같은 것임을 알 수 있다. 시초를 세는 방법의 변화를 가리켜 신
묘하다고 하지, 셈하는 방법 전체를 이어 받아 그 신묘함을 함께
돕는다는 뜻이 아니다.”

此節是承蓍卦而贊之. 龔氏穀氏之論爲得. 蓋蓍卦之法, 乃所以
寫變化之機, 而陰陽合一不測之妙, 行乎其間也. 下文象變辭占,
卽是‘變化之道’; 至精至變以極於至神, 卽是‘神之所爲.’

이 구절은 시초로 괘를 찾는 일을 이어 그것을 찬미하였다. 공환
(龔煥)과 곡가걸(谷家杰)의 주장이 타당하다. 시초로 괘를 찾는 방
법은 바로 그것으로 변화의 기틀을 모사하여, 음양이 하나로 합쳐
져 헤아릴 수 없는 오묘함이 그 사이에서 시행되는 일이다. 아래
글[계사상 10-1]에서 변(變)을 상징하고 점(占)에 말을 붙이는 것
은 곧 ‘변화의 도(道)’이고, 지극히 정밀하고 지극히 변(變)하는 것
이 지극히 신묘한 것에 끝까지 이르는 것이 바로 ‘신(神)이 하는
일’이다.

계사상 10

[계사상 10-1]

> 易有聖人之道四焉, 以言者尙其辭, 以動者尙其
> 變, 以制器者尙其象, 以卜筮者尙其占.

역(易)에 성인의 도(道)가 네 가지 있으니, 말하는 사람은 그 설명[辭]
을 숭상하고, 움직이는 사람은 그 변(變)을 숭상하고, 기물(器物)을
만드는 사람은 그 상(象)을 숭상하고, 복서(卜筮)하는 사람은 그 점
(占)을 숭상한다.

本義

四者皆變化之道, 神之所爲者也.

네 가지는 모두 변화의 도(道)이니, 신(神)이 하는 일이다.

集說

● 虞氏翻曰: "'以言者尙其辭', 聖人之情見於辭, 繫辭焉, 以盡

言也. 動則玩其占, 故尙其占者也."1)

우번(虞翻)이 말했다. "'(역으로써) 말하는 사람은 그 설명을 숭상한다'는 성인의 정(情)이 설명에 나타나니 설명을 붙여 말을 다 한 것이다. 움직이면 그 점을 완미하기 때문에 그 점을 숭상한다."

● 孔氏穎達曰 : "策是筮之所用, 並言卜者, 卜雖龜之見兆, 亦有陰陽五行變動之狀."2)

공영달(孔穎達)이 말했다. "점대는 시초가 쓰였는데 거북점을 함께 말한 것은 거북점이 비록 거북의 조짐을 나타낸 것이지만 또한 음양오행이 변동하는 모습이 있기 때문이다."

● 程子曰 : "言所以述理. '以言者尙其辭', 謂以言求理者, 則存意於辭也. '以動者尙其變', 動則變也, 順變而動, 乃合道也. 制器作事當體乎象, 卜筮吉凶當考乎占."3)

정자(程子 : 程頥)가 말했다. "말은 그것으로 이치를 서술한다. '(역으로써) 말하는 사람은 그 설명을 숭상한다'는 말로 이치를 구하는 사람은 말에 마음을 둔다는 것을 말한다. '움직이는 사람은 그 변(變)을 숭상한다'는 움직이면 변하니 변(變)에 순응하여 움직이는 것이 바로 도(道)에 합치된다는 뜻이다. 기물(器物)을 만들어 일을

----

1) 이정조(李鼎祚), 『주역집해(周易集解)』 권14에 우번(虞翻)의 말로 기재되어 있다.
2) 공영달 소(孔穎達 疏), 『주역주소(周易註疏)』 권11.
3) 정이(程頥), 『하남정씨경설(河南程氏經說)』 권1.

할 때는 마땅히 상(象)을 체인해야 하고, 복서(卜筮)하여 길흉을 정할 때는 마땅히 점(占)을 고찰해야 된다."

● 『朱子語類』, 問: "'以卜筮者尙其占', 卜用龜, 亦使易占否?" 曰: "不用. 則是文勢如此."[4]

『주자어류』에서 물었다. "'복서(卜筮)하는 사람은 그 점(占)을 숭상한다'라고 했는데, 거북점에서 거북을 사용하는 것 또한 역(易)의 점으로 사용하는 것입니까?"
(주자가) 대답했다. "사용하지 않는다. 그렇게 표현한 것은 문장의 기세가 이와 같다는 뜻이다."

● 胡氏炳文曰: "辭以明變象之理, 占以斷變象之應, 故四者之目, 以辭與占始終焉."[5]

호병문(胡炳文)이 말했다. "설명[辭]으로 변하는 상(象)의 이치를 밝히고, 점으로 변하는 상의 호응을 결단하기 때문에 네 가지 항목 가운데 설명과 점으로 그 처음과 끝을 삼았다."

● 蔡氏淸曰: "尙辭與尙占有別. 後章云, '繫辭焉所以告也, 定之以吉凶所以斷也.' 於此可見尙辭·尙占之別矣."[6]

---

4) 주희, 『주자어류』 권75, 43조목.
5) 호병문(胡炳文), 『주역본의통석(周易本義通釋)』 권5.
6) 채청(蔡淸), 『역경몽인(易經蒙引)』 권10하(下).

채청(蔡淸)이 말했다. "설명을 숭상하는 것과 점을 숭상하는 것은 구별이 있다. 뒷장[계사상 11-9]에서 '설명을 붙인 것은 그것으로 알려준 것이며, 길흉을 정한 것은 그것으로 결단한 것이다'라고 말했다. 여기에서 설명을 숭상하는 것과 점을 숭상하는 것의 구별을 알 수 있다."

● 又曰 : "言·動·制器·卜筮, 不必俱以筮易言. '君子居則觀其象而玩其辭', 亦可用易也; '動則觀其變而玩其占', 亦可用易也."[7]

(채청이) 또 말했다. "말과 움직임과 기물을 만드는 것과 복서(卜筮)에서 굳이 모두 시초로 점치는 일로서의 역(易)을 말할 필요는 없다. ([계사상 2-6]에서) '군자는 자리 잡으면 그 상(象)을 살펴보고 그 말을 완미한다'고 한 것에서도 또한 역(易)을 사용할 수 있고, ([계사상 2-6]에서) '움직이면 그 변(變)을 살펴보고 그 점을 완미한다'고 한 것에서도 또한 역(易)을 사용할 수 있다."

● 何氏楷曰 : "此章與第二章'觀象'·'玩辭'·'觀變'·'玩占'相應."[8]

하해(何楷)가 말했다. "이 장과 제2장의 '상을 살펴봄', '말을 완미함', '변(變)을 살펴봄', '점을 완미함'은 서로 호응한다."

---

7) 채청(蔡淸), 『역경몽인(易經蒙引)』 권10하(下).
8) 하해(何楷), 『고주역정고(古周易訂詁)』 권11.

是以君子將有爲也, 將有行也, 問焉而以言, 其
受命也如響, 無有遠近幽深, 遂知來物. 非天下
之至精, 其孰能與於此?

그러므로 군자가 장차 일을 하려 하고 시행하려 함에 물어서 말하
려고 하면, 그 명령을 받은 것이 메아리와 같아 멀거나 가까움과
그윽하거나 깊음이 없이 마침내 앞으로 올 것을 안다. 천하의 지극
히 정밀한 사람이 아니면 그 누가 여기에 참여할 수 있겠는가?

本義

此尚辭 · 尚占之事. 言人以蓍問易, 求其卦爻之辭, 而以之發
言處事, 則易受人之命而有以告之, 如響之應聲, 以決其未來
之吉凶也. ‘以言’, 與‘以言者尚其辭’之‘以言’義同. ‘命’, 則將
筮而告蓍之語, 『冠禮』‘筮日宰自右贊命’是也.

이는 설명을 숭상하고 점(占)을 숭상하는 일이다. 사람이 시초로 역
(易)을 물어 괘사와 효사(爻辭)를 구하고 이것으로 말로 표현하고
일을 처리하면, 역(易)이 사람의 명령을 받아 알려주는 것이 마치
메아리가 목소리에 호응하듯이 하여 미래의 길흉을 결단한다는 것
을 말한다. ‘이언(以言 : 말하려고 하면)’은 ‘이언자상기사(以言者尚
其辭 : 말하는 사람은 그 설명을 숭상한다)’의 ‘이언(以言)’과 의미가
같다. ‘명(命 : 명령)’은 장차 점(占)을 치려 하면서 시초에게 고하는

말이니,「관례(冠禮)」에서 날짜를 점칠 때 '재(宰)가 오른쪽에서 명령을 돕는다'라고 한 것이 이것이다.[9]

集說

● 『朱子語類』云 : "'問焉而以言', 以上下文推之, '以言'卻是命筮之詞. 古人亦大段重這命筮之詞."[10]

『주자어류』에서 말했다. "'물어서 말하려고 하면'이라는 구절은 위아래 글로 미루어보면, '말하려고 하면'은 도리어 시초에 고하는 말이다. 옛 사람들은 또한 이 시초에 고하는 말을 매우 중시했다."

● 吳氏澄曰 : "'有爲', 謂作內事; '有行', 謂作外事."[11]

오징(吳澄)이 말했다. "'일을 하려는 것'은 내면의 일을 하려는 것을 말하고, '시행하려는 것'은 외부의 일을 하려는 것을 말한다."

● 蔡氏淸曰 : "行之於身是'有爲', 措之事業是'有行.'"[12]

채청(蔡淸)이 말했다. "자신에게 행하는 것이 '일을 하려는 것'이고,

---

9)「관례(冠禮)」에서 '날짜를 점칠 때 … 한 것이 이것이다 :『의례(儀禮)』
　　「사관례(士冠禮)」에는 "재(宰)가 오른쪽에서 조금 물러나 명령을 돕는다.[宰自右少退, 贊命.]"라고 되어 있다.
10) 주희,『주자어류』권75, 45조목.
11) 오징(吳澄),『역찬언(易纂言)』권7.
12) 채청(蔡淸),『역경몽인(易經蒙引)』권10하(下).

외부의 사업을 처리하는 것이 '시행하려는 것'이다."

案

此節是釋'動則觀其變而玩其占'之意, 又起下章所謂'蓍之德'也.
蓍以知來, 故曰'邃知來物.' '至精'者, 虛明鑒照, 如水鏡之無纖
翳也.

이 구절은 ([계사상 2-6]의) '움직이면 그 변(變)을 살펴보고 그 점
을 완미한다'는 뜻을 풀이한 것이고, 또 아래 장([계사상 11-2])의
이른바 '시초의 덕(德)'을 일으키는 것이다. 시초로 앞으로 올 것을
알기 때문에 '마침내 앞으로 올 것을 안다'라고 하였다. '지극히 정
밀한 사람'은 텅 비워서 밝게 비춰보는 것이 마치 물이 비출 때 조
금의 장애물도 없는 것과 같다.

[계사상 10-3]

> 參伍以變, 錯綜其數. 通其變, 遂成天地之文; 極其數, 遂定天下之象. 非天下之至變, 其孰能與於此?

삼(參)으로 세고 오(伍)로 세어 변(變)하며 그 수(數)를 교착(交錯)하고 종합(綜合)한다. 그 변(變)을 통달하여 마침내 천지의 문(文)을 이루고,[13] 그 수(數)를 지극히 하여 마침내 천하의 상(象)을 정한다. 천하의 지극히 변(變)하는 사람이 아니면 그 누가 여기에 참여할 수 있겠는가?

本義

此尙象之事. ‘變’則象之未定者也. ‘參’者三數之也, ‘伍’者五數之也. 旣參以變, 又伍以變, 一先一後, 更相考覈, 以審其多寡之實也. ‘錯’者, 交而互之, 一左一右之謂也; ‘綜’者, 總而挈之, 一低一昂之謂也. 此亦皆謂揲蓍求卦之事. 蓋通三揲兩手之策, 以成陰陽·老少之畫, 究七·八·九·六之數, 以定卦爻·動靜之象也. ‘參伍’·‘錯綜’皆古語, 而‘參伍’尤難曉. 按『荀子』云, “窺敵制變, 欲伍以參.” 韓非曰, “省同異之言, 以知朋黨之分; 偶參伍之驗, 以責陳言之實.” 又曰, “參之以比物, 伍之以合參.” 『史記』曰, “必參而伍之.” 又曰, “參伍不失.” 『漢

---

13) 천지의 문(文)을 이루고 : 『역』「계사하」제10장에서 “만물이 서로 섞여있기 때문에 문(文)이라고 한다.[物相雜, 故曰文.]”라고 하였다.

書』曰, "參伍其賈, 以類相準." 此足以相發明矣.

이는 상(象)을 숭상하는 일이다. '변(變)'은 상(象)이 아직 정해지지
않은 것이다. '삼(參)'은 3으로 셈하는 것이고 '오(伍)'는 5로 셈하는
것이다. 이미 3으로 셈하여 변(變)하고 또 5로 셈하여 변해서, 한
번은 먼저하고 한 번은 뒤에 하는 것으로 번갈아 서로 사실을 확인
하여 많고 적음의 실제를 살핀다. '착(錯 : 교착)'은 교대로 바꾸어가
는 것이니 한 번은 왼쪽으로 하고 한 번은 오른쪽으로 하는 것을
말하며, '종(綜 : 종합)'은 총괄하여 제기하는 것이니 한 번은 낮추고
한 번은 높이는 것을 말한다. 이것들은 또한 모두 시초를 세어내 괘
를 구하는 일을 말한다. 두 손에 있는 시초를 통틀어 세 번 세어내
어 음양과 노소(老少)의 획(畫)을 이루고, 7·8·9·6의 수(數)를 캐
내어 괘(卦)·효(爻)와 동정(動靜)의 상(象)을 정한다. '삼오(參伍)'
와 '착종(錯綜)'은 모두 옛말인데, '삼오(參伍)'가 더욱 알기 어렵다.
살펴보건대『순자(荀子)』「의병(議兵)」에서 "적을 몰래 살펴보고 변
(變)을 제어하는 것은 오(伍)로 하고 삼(參)으로 하려는 것이다"[14]
라 하였고,『한비자(韓非子)』「비내(備內)」에서 "같고 다른 말을 살
펴보아 붕당(朋黨)이 나누어지는 것을 알고, 세 사람과 다섯 사람의
징험을 비교하여 진술하는 말의 실제를 따진다"라 하였으며, 또『한
비자(韓非子)』「양권(揚權)」에서 "삼(參)으로 하여 사물을 유추하고,
오(伍)로 하여 삼(參)에 합한다"[15]라 하였고,『사기(史記)』「몽념열

14) 적을 몰래 살펴보고 변(變)을 제어하는 것은 오(伍)로 하고 삼(參)으로
    하려는 것이다 :『순자(荀子)』「의병(議兵)」에는 "적을 몰래 살펴보고 변
    (變)을 관찰하는 것은 깊이 잠입하려는 것이고 오(伍)로 하고 삼(參)으로
    하려는 것이다.[窺敵觀變, 欲潛以深, 欲伍以參.]"라고 되어 있다.
15) 삼(參)으로 하여서 사물을 유추하고, 오(伍)로 하여서 삼(參)에 합한다

전(蒙恬列傳)」에서 "반드시 삼(參 : 三卿)으로 의논하고 오(伍 : 五大
夫)로 의논한다"라 하였으며, 또 『사기(史記)』「태사공자서(太史公
自序)」에서 "삼(參)으로 하고 오(伍)로 하여 실수하지 않는다"라 하
였고, 『한서(漢書)』「조광한전(趙廣漢傳)」에 "그 값을 삼(參)으로 하
고 오(伍)로 하여 부류로써 서로 기준을 삼는다"라 하였다. 이것을
보면 그 의미를 충분히 서로 드러낼 수 있을 것이다.

集說

● 虞氏翻曰 : "觀變陰陽始立卦, 故'成天地之文.' '物相雜, 故曰
文也.' '數', 六畫之數. 六爻之動, 三極之道, 故定天下吉凶之象
也."16)

우번(虞翻)이 말했다. "변(變)을 살펴보아 음양으로 처음 괘를 세웠
기 때문에 '천지의 문(文)을 이루었다.' '만물이 서로 섞여 있기 때
문에 문(文)이라고 한다.' '수(數)를 지극히 한다'고 할 때의 '수(數)'
는 6획의 수이다. 6효의 움직임이 천·지·인 삼극(三極)의 도(道)
이기 때문에 천하의 길흉의 상(象)을 정한다."

● 『朱子語類』云 : "紀數之法, 以三數之則遇五而齊, 以五數之

....

: 『한비자(韓非子)』「양권(揚權)」에는 "삼(參)으로 하여서 사물을 유추하
고, 오(伍)로 하여서 허(虛)에 합한다.[參之以比物, 伍之以合虛.]"라고 되
어 있다.
16) 이정조(李鼎祚), 『주역집해(周易集解)』 권14에 우번(虞翻)의 말로 기재
되어 있다.

則遇三而會. 所謂'參伍以變'者,[17] 前後多寡, 更相反覆, 以不齊
而要其齊."[18]

『주자어류』에서 말했다.[19] "수를 헤아리는 방법은 3으로 세면 5를
만나 가지런해지고, 5로 세면 3을 만나 모이게 된다. 이른바 '삼
(參)으로 세고 오(伍)로 세어 변(變)한다'는 것은 앞뒤에 많고 적은
것이 교대로 서로 반복하여 가지런하지 않은 것을 가지런하게 하려
는 것이다."

● 又云 : "參伍所以通之, 其治之也簡而疏; 錯綜所以極之, 其
治之也繁而密."[20]

(주자가) 또 말했다. "삼오(參伍)는 통달하기 때문에 그 다스림이
간단하고 소략하며, 착종(錯綜)은 극진하기 때문에 그 다스림이 번
다하고 치밀하다."

---

17) 所謂'參伍以變'者 : 주희, 『주문공문집(朱文公文集)』 권54, 「답왕백풍
(答王伯豊)」에는 "『易』所謂'參伍以變'者, 蓋言或以三數而變之, 或以五
數而變之.[『역』에서 이른바 '삼(參)으로 세고 오(伍)로 세어 변(變)한다'
는 것은 대개 혹은 3으로 세어 변하게 하고, 혹은 5로 세어 변하게 한다
는 것을 말한다.]"라고 되어 있다.
18) 주희, 『주문공문집(朱文公文集)』 권54, 「답왕백풍(答王伯豊)」.
19) 『주자어류』에서 말했다 : 주희, 『주문공문집(朱文公文集)』 권54, 「답왕
백례(答王伯禮)」에 있는 말이다.
20) 주희, 『주문공문집(朱文公文集)』 권54, 「답왕백풍(答王伯豊)」.

案

此節是釋'居則觀其象而玩其辭'之意, 又起下章所謂'卦之德'·
'六爻之義'也. 卦·爻以藏往, 故曰'遂成天地之文'·'遂定天下之
象.' 成文, 謂八卦也, 雷·風·水·火·山·澤之象具, 而天地之文
成矣. 定象, 謂六爻也, 內·外·上·下·貴·賤之位立, 而天下之
象定矣. '參伍'·'錯綜', 亦是互文, 總以見卦爻·陰陽互相參錯
爾. '至變'者, 變動周流, 如云物之無定質也.

이 구절은 ([계사상 2-6]의) '(군자는) 자리 잡으면 그 상(象)을 살펴
보고 그 말을 완미한다'라는 뜻을 풀이하였고, 또 다음 장[계사상
11-2]의 이른바 '괘의 덕'과 '6효의 의미'를 일으킨 것이다. 괘와 효
로써 지나간 것을 간직해 두었기 때문에 '마침내 천지의 문(文)을
이루고'라 하고 '마침내 천하의 상(象)을 정한다'라 하였다. 문(文)
을 이룬다는 것은 8괘를 말하니, 우레·바람·물·불·산·못의 상
(象)이 갖추어져 천지의 문(文)이 이루어졌다는 뜻이다. 상(象)이
정해졌다는 것은 6효를 말하니, 안과 밖, 위와 아래, 귀함과 비천함
의 자리가 세워져 천하의 상(象)이 정해졌다는 말이다. '삼오(參伍)'
와 '착종(錯綜)'도 또한 서로 호응하는 문구이니, 총괄해서 괘와 효,
음과 양이 서로 가지런하지 않게 뒤섞여 있다는 것을 나타낼 뿐이
다. '지극히 변(變)하는 사람'은 변동함이 두루 유행하니, 마치 어떤
것이 정해진 바탕이 없다고 말하는 것과 같다.

> 易無思也, 無爲也, 寂然不動, 感而遂通天下之故.
> 非天下之至神, 其孰能與於此?

역(易)은 사려함이 없고 작위함이 없어, 적연(寂然)히 움직이지 않다가 감동하여 마침내 천하의 일에 통달한다. 천하의 지극히 신묘한 사람이 아니면 그 누가 이에 참여할 수 있겠는가?

本義

此四者之體所以立, 而用所以行者也. '易'指著·卦, '無思'·'無爲', 言其無心也, '寂然'者, 感之體; '感通'者, 寂之用. 人心之妙, 其動靜亦如此.

이 네 가지의 체(體)가 정립되어 용(用)이 행해지는 것이다. '역(易)'은 시초와 괘를 가리킨다. '사려함이 없고' '작위함이 없다'는 마음씀이 없다는 것을 말한다. '적연(寂然)'은 감동함의 체(體)이고 '감동하여 마침내 천하의 일에 통달한다'는 적연함의 용(用)이다. 사람의 마음은 신묘하니, 그 움직임과 고요함이 또한 이와 같다.

集說

● 孔氏穎達曰 : "旣'無思'·'無爲', 故'寂然不動.' 有感必應, 萬事皆通, 是'感而遂通天下之故'也. 言易理神功不測.21)"22)

공영달(孔穎達)이 말했다. "이미 '사려함이 없고' '작위함이 없기' 때문에 '적연(寂然)히 움직이지 않는다.' 감동함이 있으면 반드시 대응하여 온갖 일에 모두 통달하니, 이것이 '감동하여 마침내 천하의 일에 통달한다'는 것이다. 역(易)의 이치에서 신령한 공효를 헤아릴 수 없음을 말한다."

● 邵子曰 : "'無思'·'無爲'者, 神妙致一之地也. 所謂一以貫之, '聖人以此洗心退藏於密.'"23)

소자(邵子 : 邵雍)가 말했다. "'사려함이 없고' '작위함이 없다'는 것은 신묘하여 하나에 귀결되는 경지이다. 이른바 '하나로 꿰뚫었다'24)는 것이니, '성인은 이것으로 마음을 닦아 은밀한 곳에 물러나 감춘다.'25)"

....

21) 言易理神功不測 : 공영달 소(孔穎達 疏),『주역주소(周易註疏)』권11에는 이 구절 앞에 "'非天下之至神, 其孰能與於此'者['천하의 지극히 신묘한 사람이 아니면 그 누가 이에 참여할 수 있겠는가?'라는 것은]"라는 말이 더 있다.
22) 공영달 소(孔穎達 疏),『주역주소(周易註疏)』권11.
23) 소옹(邵雍),『황극경세서(皇極經世書)』권14,「관물외편 하(觀物外篇下)」.
24) 하나로 꿰뚫었다 :『논어』「이인(里仁)」에서 "공자가 말했다. '삼(參)아! 나의 도(道)는 하나로 꿰뚫었다.'[子曰, '參乎! 吾道一以貫之.']"라고 하였다.
25) 성인은 이것으로 마음을 닦아 은밀한 곳에 물러나 감춘다 :『역』「계사상」제11장에서 "성인이 이것으로 마음을 닦아 은밀한 곳에 물러나 감추고, 길흉을 백성과 더불어 근심하였다.[聖人以此洗心, 退藏於密, 吉凶與民同患.]"라고 하였다.

● 程子曰 : "老子曰'無爲', 又曰'無爲而無不爲.'26) 聖人作『易』
未嘗言無爲, 惟曰'無思也, 無爲也', 此戒夫作爲也. 然下卽曰'寂
然不動, 感而遂通天下之故', 是動靜之理, 未嘗爲一偏之說矣
.27)

정자(程子 : 程頤)가 말했다. "노자는 '작위함이 없다'28)고 말하고
또 '작위함이 없지만 하지 않음이 없다'29)고 말했다. 성인이 『역』을
지을 때 작위함이 없다고 말하지 않고 오직 '사려함이 없고 작위함
이 없다'고 말한 것은 작위함을 경계한 것이다. 그러나 바로 아래에
서 '적연(寂然)히 움직이지 않다가 감동하여 마침내 천하의 일에 통
달한다'고 말했으니, 이것은 움직임과 고요함의 이치에 대해 한쪽
으로 치우치는 주장을 하지 않은 것이다."

● 胡氏居仁曰 : "天下之理, 雖萬殊而實一本, 皆具於心, 故'感
而遂通.' 若原不曾具得此理, 如何通得?"30)

호거인(胡居仁)31)이 말했다. "천하의 이치는 비록 만 가지로 다르

....

26) 又曰'無爲而無不爲.' : 정호·정이(程顥·程頤), 『하남정씨유서(河南程氏
遺書)』 권5에는 이 구절 뒤에 "當有爲而以無爲爲之, 是乃有爲爲也.[마
땅히 어떤 일을 해야 되는데 작위하지 않는 것으로써 그것을 하는 것이
바로 작위함으로 하는 것이다.]"라는 말이 더 있다.

27) 정호·정이(程顥·程頤), 『하남정씨유서(河南程氏遺書)』 권5.

28) 작위함이 없다 : 『도덕경』 제2장, 제3장 등.

29) 작위함이 없지만 하지 않음이 없다 : 『도덕경』 제37장.

30) 호거인(胡居仁), 『거업록(居業錄)』 권8.

31) 호거인(胡居仁 : 1434~1484) : 자는 숙심(叔心)이고, 호는 경재(敬齋)이
며, 시호는 문경(文敬)이다. 명(明)대 여간현(餘幹縣 : 현 강서성 여간

지만 실제로는 근본을 하나로 하여 모두 마음에 갖추기 때문에 '감동하여 마침내 통달한다'는 것이다. 만약 원래 이 이치를 갖춘 적이 없다면 어떻게 통달할 수 있겠는가?"

● 林氏希元曰 : "'感而遂通天下之故', 卽是上文'遂成天地之文'· '遂定天下之象'·'受命如響'·'遂知來物'之意. 蓋卽上文而再贍說以歸於'至神'也."[32]

임희원(林希元)이 말했다. "'감동하여 마침내 천하의 일에 통달한다'는 것은 곧 윗글 가운데 '마침내 천지의 문(文)을 이룬다'와 '마침내 천하의 상(象)을 정한다'와 '명령을 받은 것이 메아리와 같다'와 '마침내 앞으로 올 것을 안다'라는 구절의 뜻이다. 대개 윗글에 붙여 다시 그대로 말하여 '지극히 신묘한 사람'으로 귀결한 것이다."

● 張氏振淵曰 : "上數'遂'字, 已含有'神'字意, 非'精'·'變'之外別有'神.'"

장진연(張振淵)이 말했다. "윗글 가운데 몇 군데의 '마침내'라는 말

현) 사람이다. 젊어서 성인의 학문에 뜻을 두고, 오여필(吳與弼) 문하에 들어가 진헌장(陳獻章), 누량(婁諒 : 왕수인의 스승), 사복(謝復), 정간(鄭侃) 등과 교유하면서 정주학(程朱學)의 정통을 이어받았다. 백록서원(白鹿書院)과 동원서원(洞源書院) 등에서 오랫동안 강의했고, 회왕(淮王)에게 『역(易)』을 강의하기도 했다. 저서에 『거업록(居業錄)』, 『역상초(易象抄)』, 『역통해(易通解)』, 『경재집(敬齋集)』, 『호문경공집(胡文敬公集)』 등이 있다.
32) 임희원(林希元), 『역경존의(易經存疑)』 권10.

에는 이미 '신묘하다'는 뜻이 함유되어 있으니, '지극히 정밀한 사람'과 '지극히 변하는 사람' 밖에 별도로 '지극히 신묘한 사람'이 있는 것은 아니다."

案

此節是總著·卦·爻之德而贊之. '遂通天下之故', 卽上文'遂知來物'·'遂成天地之文.' 而此謂之'至神'者, 以其皆感通於寂然不動之中, 其知來物非出於思, 其成文·定象非出於爲也. 神不在精·變之外, 其卽精·變之自然而然者與!

이 구절은 시초와 괘와 효의 덕을 총괄하여 찬미한 것이다. '마침내 천하의 일에 통달한다'는 것은 바로 윗글의 '마침내 앞으로 올 것을 안다'와 '마침내 천지의 문(文)을 이룬다'는 말이다. 그리고 여기에서 '지극히 신묘한 사람'이라고 한 것은 그 사람이 적연(寂然)하여 움직이지 않는 가운데 모두 감동하여 통달했기 때문에, 앞으로 올 것을 아는 것이 사려에서 나온 것이 아니고, 천지의 문(文)을 이루고 천하의 상(象)을 정하는 것이 작위에서 나온 것이 아니라는 뜻이다. '지극히 신묘한 사람'은 '지극히 정밀한 사람'과 '지극히 변하는 사람' 밖에 있는 것이 아니니, 곧 '지극히 정밀한 사람'과 '지극히 변하는 사람'이 저절로 그러하여 그렇게 되는 것이다!

夫易, 聖人之所以極深而研幾也.

역(易)은 성인이 그것으로 심오한 것을 극진히 발휘하고 기미를 살펴본 것이다.

本義

'研', 猶審也. '幾', 微也. 所以極深者, 至精也, 所以研幾者, 至變也.

'연(研)'은 살펴본다와 같다. '기(幾)'는 기미이다. 그것으로 심오한 것을 극진히 발휘하는 사람은 지극히 정밀한 사람이고, 그것으로 기미를 살펴본 사람은 지극히 변(變)하는 사람이다.

集說

● 韓氏伯曰 : "極未形之理則曰'深', 適動微之會則曰'幾.'"[33]

한백(韓伯)이 말했다. "아직 드러나지 않은 이치를 극진히 발휘하는 것이 '심오함'이고, 움직임의 미세한 것이 모이는 것을 만나는 일이 '기미'이다."

---

33) 한백(韓伯), 『주역주소(周易註疏)』 권11.

● 孔氏穎達曰: "言易道弘大, 故聖人用之, 所以窮極幽深而研覆幾微也. '無有遠近幽深',34) 是'極深'也. '參伍以變, 錯綜其數',35) 是'研幾'也."36)

공영달(孔穎達)이 말했다. "역(易)의 도가 광대하기 때문에 성인이 그것을 사용하면, 그것으로 그윽하고 깊은 것을 끝까지 궁구하고 기미를 연구하고 살펴본다. '멀거나 가까움과 그윽하거나 깊음이 없다'는 것은 '심오한 것을 극진히 발휘한다'는 뜻이다. '삼(參)으로 세고 오(伍)로 세어 변(變)하며 그 수(數)를 교착(交錯)하고 종합(綜合)한다'는 것은 '기미를 살펴본다'는 말이다."

● 俞氏琰曰: "'深', 蘊奧而難見也. '幾', 細微而未著也. '極深', 謂以易之至精, 窮天下之至精. '研幾', 謂以易之至變, 察天下之至變."37)

유염(俞琰)이 말했다. "'심오한 것'은 깊이 온축되어 보기 어렵다. '기미'는 미세하여 아직 드러나지 않은 것이다. '심오한 것을 극진히

······································

34) 無有遠近幽深 : 공영달 소(孔穎達 疏), 『주역주소(周易註疏)』 권11에는 이 구절 앞에 "君子將有爲, 將有行, 問焉而以言, 其受命如響[군자가 장차 일을 하려 하고 시행하려 함에 물어서 말하려고 하면, 그 명령을 받은 것이 메아리와 같아]"라는 말이 더 있다.

35) 參伍以變, 錯綜其數 : 공영달 소(孔穎達 疏), 『주역주소(周易註疏)』 권11에는 이 구절 뒤에 "通其變, 遂成天地之文; 極其數, 以定天下之象.[그 변(變)을 통달하여 마침내 천지의 문(文)을 이루고, 그 수(數)를 지극히 하여 마침내 천하의 상(象)을 정한다.]"라는 말이 더 있다.

36) 공영달 소(孔穎達 疏), 『주역주소(周易註疏)』 권11.

37) 유염(俞琰), 『주역집설(周易集說)』 권30.

발휘한다'는 말은 역(易)의 지극히 정밀한 것으로 천하의 지극히 정밀한 것을 캐물음을 말한다. '기미를 살펴본다'는 말은 역(易)의 지극히 변(變)하는 것으로 천하의 지극히 변하는 것을 살펴봄이다."

[계사상 10-6]

> 唯深也, 故能通天下之志; 唯幾也, 故能成天下
> 之務; 唯神也, 故不疾而速, 不行而至.

오직 심오하기 때문에 천하 사람들의 의지를 통달할 수 있고, 오직
기미이기 때문에 천하의 일을 이룰 수 있으며, 오직 신묘하기 때문에
서두르지 않아도 빠르고 움직이지 않아도 도달한다.

本義

所以通志而成務者, 神之所爲也.

그것으로 의지를 통달하고 일을 이루는 것은 신(神)이 하는 일이다.

集說

● 虞氏翻曰: "'深'謂'幽贊神明.' 無有遠近幽深, 遂知來物, 故通
天下之志, 謂蓍也. '務', 事也. 謂易研幾,[38] 故成天下之務, 謂卦
也. 寂然不動, 感而遂通,[39] 故'不行而至'者也."[40]

---

38) 謂易研幾 : 이정조(李鼎祚), 『주역집해(周易集解)』 권14에는 "謂易研幾
開物.[역(易)은 기미를 살펴보아 사물을 열어주는 것이라고 한다.]"라고
되어 있다.

39) 寂然不動, 感而遂通 : 이정조(李鼎祚), 『주역집해(周易集解)』 권14에는
"星寂然不動, 隨天右周, 感而遂通.[별은 적연(寂然)히 움직이지 않고 천

우번(虞翻)이 말했다. "'심오한 것'은 '그윽하게 신명(神明)을 돕는다'[41]는 말이다. 멀거나 가까움과 그윽하거나 깊음이 없이 마침내 앞으로 올 것을 알기 때문에 천하 사람들의 의지를 통달하니, 그것은 시초(蓍草)를 말한다. '무(務 : 힘쓸 것)'는 일이다. 역(易)은 기미를 살펴보는 것이기 때문에 천하의 일을 이루니, 괘를 말한다. 적연(寂然)히 움직이지 않다가 감동하여 마침내 통달하기 때문에 '서두르지 않아도 빠른 것이다.'"

● 孔氏穎達曰 : "'唯深也, 故能通天下之志'者, 聖人用易道以極深, 故聖人德深也, 能通天下之志意, 即是'受命如響, 遂知來物.' '唯幾也, 故能成天下之務'者, 聖人用易道以研幾, 故能知事之幾微, '通其變, 遂成天地之文'是也."[42]

공영달(孔穎達)이 말했다. "'오직 심오하기 때문에 천하 사람들의 의지를 통달할 수 있다'는 것은 성인이 역(易)의 도를 사용하여 심오한 것을 극진히 발휘했기 때문에 성인의 덕은 심오하여 천하 사람들의 의지를 통달할 수 있으니, 곧 '명령을 받은 것이 메아리와 같아 마침내 앞으로 올 것을 안다'는 뜻이다. '오직 기미이기 때문에 천하의 일을 이룰 수 있다'는 것은 성인이 역(易)의 도를 사용하여 기미를 살펴보았기 때문에 일의 기미를 알 수 있으니, '그 변(變)

....

(天)을 따라 오른쪽으로 돌면서 느껴 마침내 통달한다.]"이라고 되어 있다.
40) 이정조(李鼎祚), 『주역집해(周易集解)』 권14에 우번(虞翻)의 말로 기재되어 있다.
41) 그윽하게 신명(神明)을 돕는다 : 『역』 「설괘(說卦)」 제1장에서 "옛날에 성인이 『역(易)』을 지을 때 그윽하게 신명(神明)을 도와 시초(蓍草)를 내었다.[昔者聖人之作『易』也, 幽贊於神明而生蓍.]"라고 하였다.
42) 공영달 소(孔穎達 疏), 『주역주소(周易註疏)』 권11.

을 통달하여 마침내 천지의 문(文)을 이룬다'는 말이 이것이다."

● 張子曰 : "'一故神', 譬之人身, 四體皆一物, 故能觸之而無不
覺, 不待心使至此而後覺也. 此所謂'感而遂通'·'不行而至'·'不
疾而速'也."[43]

장자(張子 : 張載)가 말했다. "'하나이기 때문에 신(神)이다'[44]라는
것은 사람의 몸에 비유하면 사지(四肢)가 모두 한 몸뚱이기 때문에
감촉하면 느끼지 않을 수 없으니, 마음이 여기에 이르도록 한 뒤에
느낄 필요가 없는 것과 같다. 이것이 이른바 '감동하여 마침내 통달
한다'와 '움직이지 않아도 도달한다'와 '서두르지 않아도 빠르다'라
는 뜻이다."

● 張氏浚曰 : "精之所燭, 來物遂知, 天下之志, 於此而可通. 變
之所該, 萬象以定, 天下之務, 於此而可成."[45]

장준(張浚)이 말했다. "정밀함이 밝히는 것은 앞으로 올 것을 마침
내 아는 것이니, 천하 사람들의 의지를 여기에서 통달할 수 있다.
변함이 갖추는 것은 온갖 상(象)을 그것으로 정하니, 천하의 일을
여기에서 이룰 수 있다."

● 『朱子語類』云 : "'通天下之志', 猶言'開物', 開通其閉塞也. 故

----

43) 장재(張載), 『횡거역설(橫渠易說)』 권3.
44) 장재(張載), 『정몽(正蒙)』 권2, 「삼량편(參兩篇)」.
45) 장준(張浚), 『자암역전(紫巖易傳)』 권7.

其下對'成務.'"46)

『주자어류』에서 말했다. "'천하 사람들의 의지를 통달한다'는 마치 '사물을 열어준다'고 말하는 것과 같으니, 막힌 것을 열어 소통시키는 것이다. 그러므로 그 아래에 '일을 이룬다'라는 말과 짝하였다."

● 又「易精變神說」曰 : "變化之道, 莫非神之所爲也. 故知變化之道, 則知神之所爲矣. '易有聖人之道四焉', 所謂變化之道也. 觀變玩占, 可以見其精之至矣; 玩辭觀象, 可以見其變之至矣. 然非有寂然感通之神, 則亦何以爲精爲變而成變化之道哉? 此變化之所以爲神之所爲也."47)

(주자가) 또 「역정변신설(易精變神說)」에서 말했다. "변화의 도는 신(神)이 하는 것이 아님이 없다. 그러므로 변화의 도를 알면 신이 하는 것을 안다. '역(易)에 성인의 도(道)가 네 가지 있다'고 한 것은 이른바 변화의 도이다. 변(變)을 살펴보고 점(占)을 완미하는 것은 그것으로 정밀함[精]이 지극함을 볼 수 있고, 설명을 완미하면서 상(象)을 살펴보는 것은 변함[變]이 지극함을 볼 수 있다. 그러나 적연(寂然)히 움직이지 않다가 감동하여 통달하는 신(神)이 있지 않다면, 또한 어떻게 정밀함[精]이 되고 변함[變]이 되어 변화의 도를 이루겠는가? 이것이 변화는 신(神)이 하는 것이 되는 까닭이다."

---

46) 주희, 『주자어류』 권75, 57조목.
47) 주희, 『주문공문집』 권67, 「역정변신설(易精變神說)」.

案

『本義』以至精爲尙辭·尙占之事, 至變爲尙象·尙變之事, 而「易
說」以至精爲變·占, 至變爲象·辭. 蓋本第二章'居則觀象玩辭,
動則觀變玩占'而來, 此與下章'蓍之德'·'卦之德'旣相應, 而第二
章'觀'·'玩'之義, 亦因以明, 當從此說.

『주역본의(周易本義)』에서는 지극히 정밀한 것을 설명을 숭상하고
점을 숭상하는 일로 여기며, 지극히 변하는 것을 상(象)을 숭상하
고 변(變)을 숭상하는 일로 여겼다. 그러나 「역정변신설(易精變神
說)」에서는 지극히 정밀한 것을 변(變)을 살펴보고 점(占)을 완미
하는 것으로 여기며, 지극히 변하는 것을 상(象)을 살펴보고 설명
을 완미하는 것으로 여겼다. 대개 「계사상」 제2장의 '자리 잡으면
상(象)을 살펴보고 설명을 완미하며, 움직이면 변(變)을 살펴보고
점(占)을 완미한다'라는 말에 근본을 둔 이래로, 이것(「역정변신설
(易精變神說)」)이 이미 다음 장[계사상 11-2]의 '시초(蓍草)의 덕'과
'괘의 덕'[48]과 상응하고, 제2장의 '살펴보고' '완미한다'는 의미도 또
한 그에 따라 밝혀지니, 마땅히 이 주장을 따라야 할 것이다.

---

48) 다음 장의 '시초(蓍草)의 덕'과 '괘의 덕' : 『역』「계사상」 제11장에서 "그
러므로 시초(蓍草)의 덕은 원만하여 신묘(神妙)하고, 괘의 덕은 방정(方
正)하여 지혜로우며, 6효(六爻)의 의미는 변역(變易)하여 길흉을 알려준
다.[是故蓍之德圓而神, 卦之德方以知, 六爻之義易以貢.]"라고 하였다.

[계사상 10-7]

> **子曰 : "易有聖人之道四焉者, 此之謂也."**
>
> 공자가 말했다. "역(易)에 성인의 도(道)가 네 가지가 있다는 것은
> 이를 말한다."

本義

此第十章, 承上章之意, 言易之用有此四者.

이는 제10장이니, 위 장(章)의 뜻을 이어 역(易)의 쓰임이 이 네 가
지가 있다는 것을 말했다.

集說

● 蔡氏淸曰 : "上章'四營而成易', 至'顯道神德行', 則辭·變·象·
占四者俱有, 但未及枚擧而明言之耳. 故此章詳之."[49]

채청(蔡淸)이 말했다. "위 장에서 '네 번 경영하여 역(易)을 이룬다'
에서부터 '도(道)를 드러내고 덕행을 펼치게 한다'에 이르기까지는
설명·변(變)·상(象)·점(占) 네 가지를 갖추고 있지만 아직 하나하
나를 들어 분명하게 말하지 않았을 뿐이다. 그러므로 이 장에서 그
것을 상세하게 말했다."

---

49) 채청(蔡淸), 『역경몽인(易經蒙引)』 권10하(下).

계사상 11

[계사상 11-1]

> 子曰 : "夫易何爲者也? 夫易開物成務, 冒天下之道, 如斯而已者也. 是故聖人以通天下之志, 以定天下之業, 以斷天下之疑.

공자가 말했다. "역(易)은 무엇을 하는 것인가? 역(易)은 사물을 열어주고 일을 이루어 천하의 도(道)를 포괄하니, 이와 같을 뿐이다. 그러므로 성인이 이로써 천하 사람들의 의지를 통달하고 천하의 공업(功業)을 확정하며 천하의 의심을 결단한다.

本義

'開物成務', 謂使人卜筮, 以知吉凶而成事業. '冒天下之道', 謂卦爻旣設, 而天下之道皆在其中.

'사물을 열어주고 일을 이룬다'는 사람들에게 점을 쳐서 길흉을 알아내어 사업(事業)을 이루도록 하는 것을 말한다. '천하의 도(道)를 포괄한다'는 괘와 효(爻)가 이미 만들어지니 천하의 도(道)가 모두 그 가운데 있다는 것을 말한다.

● 『朱子語類』云 : "古時民淳俗樸, 風氣未開, 於天下事全未知識. 故聖人立龜與之卜, 作『易』與之筮, 使人趨吉避害以成天下之事. 故曰'開物成務.' '物'是人物, '務'是事務, '冒'是罩得天下許多道理在裏."[1]

『주자어류』에서 말했다. "옛날에는 백성들이 순박하고 풍속이 질박하며 기풍이 아직 개화되지 않아 천하의 일에 대해 전혀 지식이 없었다. 그러므로 성인이 거북점을 만들어 점을 치게 하고 『역(易)』을 만들어 점을 치게 하여, 사람들에게 길한 것을 추구하고 해로운 것을 피하도록 해서 천하의 일을 이루었다. 그 때문에 '사물을 열어주고 일을 이룬다'고 하였다. '사물[物]'은 인물(人物)이고, '일[務]'은 사무(事務)이며, '포괄한다[冒]'는 것은 천하의 수많은 도리를 그 안에 담아 덮는다는 뜻이다."

● 又云 : "讀「繫辭」者, 須要就卦中一一見得許多道理, 然後可讀「繫辭」也. 蓋『易』之爲書, 大抵皆是因卜筮以敎, 逐爻開示吉凶, 將天下許多道理, 包藏在其中, 故'冒天下之道.'"[2]

(주자가) 또 말했다. "「계사」를 읽는 사람은 반드시 괘 가운데 수많은 도리를 일일이 알아낸 뒤에, 「계사」를 읽을 수 있다. 『역』이라는

---

1) 주희, 『주자어류』 권66, 6조목.
2) 주희, 『주자어류』 권75, 62조목.

책은 대개 모두 점을 치는 것으로 가르치고, 각각의 효에 따라 길흉을 가리켜 보이며, 천하의 수많은 도리를 그 가운데 감싸 간직하고 있기 때문에 '천하의 도를 포괄한다'고 하였다."

● 龔氏煥曰: "通志以'開物'言, 定業以'成務'言, 斷疑以'冒天下之道'言. 惟其能冒天下之道, 所以能斷天下之疑. 苟其道有不備, 又何足以斷天下之疑也哉?"

공환(龔煥)이 말했다. "천하 사람들의 의지를 통달한다는 것은 '사물을 열어준다'는 뜻으로 말하였고, 천하의 공업(功業)을 확정한다는 것은 '일을 이룬다'는 뜻으로 말하였으며, 천하의 의심을 결단한다는 것은 '천하의 도를 포괄한다'는 뜻으로 말하였다. 오직 천하의 도를 포괄할 수 있기 때문에 천하의 의심을 결단할 수 있다. 만약 그 도를 갖추지 못한 것이 있다면, 또 어떻게 천하의 의심을 충분히 결단할 수 있겠는가?"

案

此通志, 卽是上章通志; 定業·斷疑, 則是上章成務. 言通志·成務, 則斷疑在其中矣. 又多此一句者, 以起下文蓍·卦·爻三事.

여기에서 말하는 천하 사람들의 의지를 통달한다는 것은 곧 위의 제10장에서 말한 천하 사람들의 의지를 통달할 수 있다는 뜻이고, 천하의 공업(功業)을 확정한다는 것과 천하의 의심을 결단한다는 것은 곧 위의 제10장에서 말한 천하의 일을 이룬다는 말이다. 천하 사람들의 의지를 통달한다는 것과 천하의 일을 이룬다는 것을 말하면 천하의 의심을 결단하는 것이 그 가운데 있다. 그런데 또 이렇

게 한 구절을 더 말한 것은 그것으로 아래 글[계사상 11-2]의 시초
(蓍草)·괘·효 세 가지 일을 일으키려는 것이다.

[계사상 11-2]

> 是故著之德圓而神, 卦之德方以知, 六爻之義易以
> 貢. 聖人以此洗心, 退藏於密, 吉凶與民同患. 神以
> 知來, 知以藏往, 其孰能與於此哉? 古之聰明睿知,
> 神武而不殺者夫!

그러므로 시초(蓍草)의 덕은 원만하여 신묘(神妙)하고, 괘의 덕은
방정(方正)하여 지혜로우며, 6효(六爻)의 의미는 변역(變易)하여 길
흉을 알려준다. 성인이 이것으로 마음을 닦아 은밀한 곳에 물러나
감추고, 길흉을 백성과 더불어 근심하였다. 신(神)으로 앞으로 올
것을 알고 지혜로 지나간 것을 간직하니, 그 누가 여기에 참여할
수 있겠는가? 옛날에 총명하고 예지(叡智)하며 신묘한 무용(武勇)을
가지고도 죽이기를 좋아하지 않는 사람일 것이다!

本義

圓神, 謂變化無方. 方知, 謂事有定理. '易以貢', 謂變易以告
人. 聖人體具三者之德, 而無一塵之累, 無事則其心寂然, 人
莫能窺, 有事則神·知之用, 隨感而應, 所謂無卜筮而知吉凶
也. 神武不殺, 得其理而不假其物之謂.

원만하여 신묘(神妙)한 것은 변화가 일정한 방소(方所)가 없음을
말한다. 방정(方正)하여 지혜롭다는 것은 일에 정해진 이치가 있음
을 말한다. '변역(變易)하여 길흉을 알려준다'는 변역(變易)하여 사

314 주역절중 9

람에게 알려주는 것을 말한다. 성인은 이 세 가지의 덕을 체인하여 갖추어 티끌만한 얽매임도 없으니, 일이 없으면 그 마음이 적연(寂然)하여 사람들이 엿볼 수 없고, 일이 있으면 신묘함과 지혜로움의 작용이 감동함에 따라 대응하니, 이른바 점을 치는 일이 없어도 길흉을 안다는 것이다. 신묘한 무용(武勇)을 가지고도 죽이기를 좋아하지 않는다는 것은 무용의 이치는 얻지만 그 물건을 빌리지 않음을 말한다.

集說

● 虞氏翻曰 : "'吉凶與民同患', 謂作『易』者其有憂患也."[3]

우번(虞翻)이 말했다. "'길흉을 백성과 더불어 근심하였다'는 것은 『역』을 지은 사람이 그러한 우환을 가지고 있었음을 말한다."

● 韓氏伯曰 : "'圓'者運而不窮, '方'者止而有分. 唯變所適, 無數不周, 故曰'圓'; 卦列爻分, 各有其體, 故曰'方'."[4]

한백(韓伯)이 말했다. "'원만하다'는 것은 운행하여 끝이 없음이고, '방정하다'는 그쳐서 분수가 있다는 말이다. 오직 변(變)이 향해 가는 곳은 제한 없이 두루 미치지 않음이 없기 때문에 '원만하다'고 하며, 괘가 진열되고 효가 나누어진 것이 각각 그 체(體)가 있기 때

---

3) 이정조(李鼎祚), 『주역집해(周易集解)』 권14에 우번(虞翻)의 말로 기재되어 있다.
4) 한백(韓伯), 『주역주소(周易註疏)』 권11.

문에 '방정하다'고 하였다."

● 又曰:"表吉凶之象, 以同民所憂患之事, 故曰'吉凶與民同患'也."5)

(한백이) 또 말했다. "길흉의 상징을 표시하여 백성들이 우환으로 여기는 일을 함께 했기 때문에, '길흉을 백성과 더불어 근심하였다'고 말하였다."

● 孔氏穎達曰:"易道深遠, 故古之聰明睿知神武之君, 用此易道, 不用刑殺而威服之也."6)

공영달(孔穎達)이 말했다. "역(易)의 도(道)는 심원하기 때문에, 옛날에 총명하고 예지(叡智)하며 신묘한 무용(武勇)을 가진 군주는 이 역의 도를 사용했지, 사람들을 사형에 처하여 위협으로 복종시키는 방법을 쓰지 않았다."

● 崔氏憬曰:"蓍之數, 七七四十九, 象陽圓. 其爲用變通不定, 因之以知來物, 是'蓍之德圓而神'也. 卦之數, 八八六十四, 象陰方. 其爲用也爻位有分, 因之以藏往知事, 是'卦之德方以知'也."7)

---

5) 한백(韓伯), 『주역주소(周易註疏)』 권11.
6) 공영달 소(孔穎達 疏), 『주역주소(周易註疏)』 권11.
7) 이정조(李鼎祚), 『주역집해(周易集解)』 권13에 최경의 말로 실려 있다.

최경(崔憬)이 말했다. "시초의 수(數)는 7×7=49이고 양(陽)인 원(圓)을 상징한다. 그 쓰임이 되는 것은 변통(變通)함이 일정하지 않고 그것에 따라 앞으로 올 것을 아니, 이것이 '시초(蓍草)의 덕은 원만하여 신묘(神妙)하다'는 뜻이다. 괘의 수는 8×8=64이고 음(陰)인 방(方)을 상징한다. 그 쓰임이 되는 것은 효(爻)의 자리에 나뉨이 있고 그것에 따라 지나간 것을 간직하여 일을 아니, 이것이 '괘의 덕은 방정(方正)하여 지혜롭다'는 뜻이다."

● 張子曰 : "圓神故能通天下之志, 方知故能定天下之業, 易貢故能斷天下之疑.8)"9)

장자(張子 : 張載)가 말했다. "원만하여 신묘하기 때문에 천하 사람들의 의지를 통달할 수 있고, 방정하여 지혜롭기 때문에 천하의 공업(功業)을 확정할 수 있으며, 변역(變易)하여 길흉을 알려주기 때문에 천하의 의심을 결단할 수 있다."

● 程子曰 : "安有識得易後, 不知'退藏於密?' '密'是用之源, 聖人之妙處."10)

정자(程子 : 程頤)가 말했다. "어찌 역(易)을 이해한 뒤에 '은밀한 곳에 물러나 감춘다'는 것을 모를 수 있겠는가? '은밀한 곳'은 쓰임의

----

8) 易貢故能斷天下之疑 : 장재(張載), 『횡거역설(橫渠易說)』 권3에는 "爻貢故能斷天下之疑.[효로써 길흉을 알려주기 때문에 천하의 의심을 결단할 수 있다.]"라고 되어 있다.
9) 장재(張載), 『횡거역설(橫渠易說)』 권3.
10) 정호・정이(程顥・程頤), 『하남정씨유서(河南程氏遺書)』 권15.

근원이고 성인의 오묘한 곳이다."

● 龔氏原曰：“‘圓’者其體動而不窮, ‘神’者其用虛而善應. ‘卦’者
象也, 象則示之以定體. ‘爻’者變也, 變則其義不可爲典要. ‘以此
洗心’者, 所以‘無思’也; 以此‘退藏於密’者, 所以‘無爲’也; 以此‘吉
凶與民同患’者, ‘感而遂通天下之故’也.”[11]

공원(龔原)[12]이 말했다. "‘원(圓)’은 그 몸체[體]가 움직여 끝이 없
고, ‘신(神)’은 그 작용[用]이 비어서 잘 대응한다. ‘괘(卦)’는 상(象)
이니 상은 고정된 몸체를 보여주는 것이다. ‘효(爻)’는 변(變)이니
변은 그 의미가 불변하는 법칙이 될 수 없다는 것이다. ‘이것으로
마음을 닦는다’는 것은 그것으로 ‘사려가 없다’는 뜻이고, 이것으로
‘은밀한 곳에 물러나 감춘다’는 것은 그것으로 ‘작위함이 없다’는 뜻
이며, 이것으로 ‘길흉을 백성과 더불어 근심하였다’는 것은 ‘감동하
여 마침내 천하의 일에 통달한다’는 뜻이다.

----

11) 이형(李衡), 『주역의해촬요(周易義海撮要)』 권7에 공원(龔原)의 말로
실려 있다.

12) 공원(龔原, ?~1110) : 자는 심지(深之) 또는 심부(深父)이고, 호는 무릉
(武陵)이며 당시 괄창선생(括蒼先生)으로 불렸다. 북송 처주 수창(處州
遂昌 : 현 절강성 수창현) 사람이다. 인종(仁宗) 가우(嘉祐) 8년(1063)에
진사에 급제하여, 벼슬은 국자직강(國子直講), 태상박사(太常博士), 공
부시랑(工部侍郎) 겸 시강(侍講), 급사중(給事中), 보문각대제(寶文閣
待制) 등을 역임하였다. 젊었을 때 육전(陸佃)과 함께 왕안석(王安石)에
게 수학했다. 저서에 『주역신강의(周易新講義)』, 『역전(易傳)』, 『춘추해
(春秋解)』, 『논어해(論語解)』, 『맹자해(孟子解)』 등이 있었는데, 모두
전해지지 않는다.

● 王氏宗傳曰: "聖人以此蓍·卦·六爻, 洗去夫心之累, 則是心也, 廓然而大公. 用能退藏於密, 而不窮之用, 默存於我焉. 此卽『易』之所謂'寂然不動'也. 夫妙用之源, 默存於聖人之心, 則發而爲用也, 酬酢萬物而不窮, 樂以天下, 憂以天下, 故曰'吉凶與民同患.' 此卽'感而遂通天下之故'也."[13]

왕종전(王宗傳)이 말했다. "성인이 이 시초·괘·6효로 마음의 얽매임을 씻어버리면 이 마음은 확연(廓然)히 크게 공정하게 된다. 그것을 가지고 은밀한 곳에 물러나 감출 수 있으면 끝이 없는 작용이 묵묵히 나에게 보존된다. 이것이 바로 『역』에서 말하는 '적연(寂然)히 움직이지 않는다'는 말이다. 무릇 오묘한 작용의 근원이 묵묵히 성인의 마음에 보존되면 발산하여 작용하는데, 만물에 수작(酬酢)하여 끝이 없기 때문에 천하로 즐거워하고 천하로 걱정하니, '길흉을 백성과 더불어 근심하였다'고 말하였다. 이것이 곧 '감동하여 마침내 천하의 일에 통달한다'는 뜻이다."

● 『朱子語類』云: "此言聖人所以作『易』之本也. 蓍動卦靜, 而爻之變易無窮, 未畫之前, 此理已具於聖人之心矣. 然物之未感, 則寂然不動, 而無朕兆之可名; 及其出而應物, 則憂以天下, 而圓神·方知者, 各見於功用之實. '聰明睿知, 神武而不殺者', 言其體用之妙也. '洗心'·'退藏'言體, '知來'·'藏往'言用. 然亦只言體用具矣, 而未及使出來處. 到下文'是興神物, 以前民用', 方發揮許多道理, 以盡見於用也."[14]

....

13) 왕종전(王宗傳), 『동계역전(童溪易傳)』 권28.
14) "此言聖人所以作『易』之本也 … 言其體用之妙也"는 주희, 『주문공문집』 권32, 「답장경부문목(答張敬夫問目)」에 실려 있고, "'洗心'·'退藏'

『주자어류』에서 말했다.[15] "이는 성인이 『역(易)』을 지은 까닭의 근본을 말한 것이다. 시초는 움직이고 괘는 고요한데 효의 변역은 끝이 없으니, 아직 획을 긋기 전에 이 이치는 이미 성인의 마음에 갖추어져 있었다. 그러나 아직 사물에 감동하지 못했을 때는 적연히 움직이지 않아 조짐이라고 말할 수 있는 것이 없다. 그것(성인의 마음)이 밖으로 드러나 사물에 대응하면 천하로 근심을 하며, 이른바 원만하여 신묘하고 방정하여 지혜롭다는 것이 각각 공용의 실제에 나타난다. '총명하고 예지(叡智)하며 신묘한 무용(武勇)을 가지고도 죽이기를 좋아하지 않는 사람이다'는 그 본체와 작용의 오묘함을 말한 것이다. '마음을 닦는다'와 '물러나 감춘다'는 것은 본체를 말하였고, '앞으로 올 것을 안다'와 '지나간 것을 간직한다'는 것은 작용을 말하였다. 그렇지만 또한 다만 본체와 작용이 갖추어졌다는 것을 말할 뿐, 밖으로 드러나도록 하는 것에 대해서는 언급하지 않았다. 아래 글[계사상 11-3] '이에 신물(神物 : 시초와 귀갑)을 일으켜 백성이 사용하기 전에 앞서서 열어준다'라는 구절에 이르러야 비로소 수많은 도리를 발휘하여 작용에 모두 나타난다."

● 項氏安世曰 : "蓍用七, 其德圓; 卦用八, 其德方; 爻用九·六, 其義易貢."[16]

항안세(項安世)가 말했다. "시초는 7을 사용하니 그 덕이 원만하고,

......
言體 … 以盡見於用也"는 주희, 『주자어류』 권75, 64조목에 실려 있다.

15) 『주자어류』에서 말했다 : "이것은 성인이 역(易)을 … 그 본체와 작용의 오묘함을 말한 것이다"는 주희, 『주문공문집』 권32, 「답장경부문목(答張敬夫問目)」의 말이고, 그 뒤는 주희, 『주자어류』 권75, 64조목의 말이다.

16) 항안세(項安世), 『주역완사(周易玩辭)』 권13.

괘는 8을 사용하니 그 덕이 방정하며, 효는 9·6을 사용하니 그 의
미가 변역(變易)하여 길흉을 알려준다."

● 胡氏居仁曰：“'退藏於密', 只是其心湛然無事, 而衆理具在
也."17)

호거인(胡居仁)이 말했다. "'은밀한 곳에 물러나 감춘다'는 다만 그
마음이 맑고 고요하여 일삼는 것이 없지만 뭇 이치를 갖추고 있다
는 것일 뿐이다."

● 何氏楷曰：“德統而義析, 故爻以義言."18)

하해(何楷)가 말했다. "덕(德)은 총괄하는 것이고 의미[義]는 분석하
는 것이기 때문에 효(爻)는 의미로 말했다."

● 又曰：“吉凶之幾, 兆端已發, 將至而未至者曰'來'; 吉凶之理,
見在於此, 一定而可知者曰'往.'"19)

(하해가) 또 말했다. "길흉의 기미가 발단이 이미 일어나 장차 이를
것이지만, 아직 이르지 않은 것을 '앞으로 올 것'이라고 한다. 길흉
의 이치가 여기에 나타나 확실하게 알 수 있는 것을 '지나간 일'이
라고 한다."

---

17) 호거인(胡居仁), 『거업록(居業錄)』 권8.
18) 하해(何楷), 『고주역정고(古周易訂詁)』 권11.
19) 하해(何楷), 『고주역정고(古周易訂詁)』 권11.

[계사상 11-3]

> 是以明於天之道, 而察於民之故, 是興神物以前民用. 聖人以此齋戒, 以神明其德夫.

그러므로 하늘의 도(道)에 밝고 백성의 사정을 살펴, 이에 신물(神物: 시초와 귀갑)을 일으켜 백성이 사용하기 전에 앞서서 열어준다. 성인이 이것으로 재계(齋戒)하여 그 덕을 신명(神明)하게 하였다.

本義

'神物', 謂蓍龜. 湛然純一之謂'齋', 肅然警惕之謂'戒.' 明天道, 故知神物之可興; 察民故, 故知其用之不可不有以開其先. 是以作爲卜筮以敎人, 而於此焉齋戒以考其占, 使其心神明不測, 如鬼神之能知來也.

'신물(神物)'은 시초(蓍草)와 귀갑(龜甲)을 말한다. 맑고 고요하게 순일(純一)한 것을 '재(齋)'라 하고, 숙연하게 경계하고 조심하는 것을 '계(戒)'라 한다. 천도(天道)에 밝기 때문에 신물(神物)을 일으킬 수 있다는 것을 알고, 백성들의 사정을 살피기 때문에 백성이 사용함에 앞서서 열어주지 않으면 안 된다는 것을 안다. 이 때문에 점치는 방법을 만들어 사람들을 가르치고, 여기에서 재계(齋戒)하여 그 점(占)을 고찰함에 그 마음이 신명(神明)하여 헤아릴 수 없도록 하는 것이 마치 귀신이 앞으로 올 것을 알 수 있는 것처럼 하였다.

● 韓氏伯曰 : “洗心曰‘齋’, 防患曰‘戒.’”20)

한백(韓伯)이 말했다. “마음을 닦는 것을 ‘재(齋)’라 하고, 우환을 방
비하는 것을 ‘계(戒)’라 한다.”

● 『朱子語類』云 : “此言作『易』之事也.21) ‘聖人以此齋戒, 以神
明其德夫’, 言用易之事也. ‘齋戒’, 敬也. 聖人無一時一事而不
敬. 此特因卜筮而尤見其精誠之至, 如孔子‘所愼, 齋·戰·疾’之
意也.”22)

『주자어류』에서 말했다.23) “이것은 『역(易)』을 지은 일을 말한 것
이다. ‘성인이 이로써 재계(齋戒)하여 그 덕을 신명(神明)하게 하였
다’는 역(易)을 사용하는 일을 말한 것이다. ‘재계(齋戒)’는 경건하
게 하는 것이다. 성인은 그 어떤 경우 그 어떤 일이라도 경건하지
않음이 없다. 여기서는 다만 점치는 일에서 특히 그 지극한 정성
(精誠)을 볼 수 있으니, 마치 공자가 ‘신중하게 했던 것은 재계와
전쟁과 질병이었다’24)라고 한 뜻과 같다.”

---

20) 한백(韓伯), 『주역주소(周易註疏)』 권11.
21) 此言作『易』之事也 : 주희, 『주문공문집』 권32, 「답장경부문목(答張敬夫
問目)」에는 이 구절 앞에 “‘是故明於天之道’止‘以前民用’‘그러므로 하늘
의 도(道)에 밝고’에서 ‘백성들이 사용하기 전에 앞서서 열어준다’까지
는”라는 말이 더 있다.
22) 주희, 『주문공문집』 권32, 「답장경부문목(答張敬夫問目)」.
23) 『주자어류』에서 말했다 : 이 구절은 주희, 『주문공문집』 권32, 「답장경부
문목(答張敬夫問目)」에 있는 말이다.
24) 신중하게 했던 것은 재계와 전쟁과 질병이었다 : 『논어』「술이(述而)」에

● 又云:"聖人旣具此理, 又將此理就蓍龜上發明出來, 使民亦得前知而用之也. 德, 卽聖人之德. 聖人自有此理, 又用蓍龜之理以神明之."25)

(주자가) 또 말했다. "성인은 이미 이 이치를 갖추었을 뿐만 아니라 이 이치를 시초와 귀갑에서 밝혀내어, 백성에게 또한 미리 안 것을 얻어 사용하도록 했다. 덕(德)은 곧 성인의 덕이다. 성인은 본래 이 이치를 가지고 있을 뿐만 아니라 시초와 귀갑의 이치를 써서 그것을 신명(神明)하게 하였다."

● 邱氏富國曰:"心卽神明之舍. 人能洗之而無一點之累, 則此心靜與神明一. 於揲蓍求卦之時, 能以齋戒存之, 則此心動與神明通, 心在則神在矣."

구부국(丘富國)이 말했다. "마음은 바로 신명(神明)이 머무는 집이다. 사람이 마음을 닦아 조금도 얽매임이 없어지면 이 마음이 고요해져 신명(神明)과 하나가 된다. 시초를 세어내 괘를 구할 때, 재계(齋戒)하여 마음을 보존할 수 있으면 이 마음이 움직여 신명(神明)과 소통되니, 마음이 있으면 신(神)도 있다."

案

'以此洗心'者, 聖人體易之事也. 在學者則居而觀象玩辭, 亦必如聖人

....

서 "공자가 신중하게 했던 것은 재계와 전쟁과 질병이었다.[子之所愼, 齊, 戰, 疾.]"라고 하였다.
25) 주희, 『주자어류』 권75, 64조목.

之洗心, 然後可以得其理. '以此齋戒'者, 聖人用易之事也. 在學者則
動而觀變玩占, 亦必如聖人之齋戒, 然後可以見其幾. 言聖人, 以爲君
子之楷則也.

'이것으로 마음을 닦는다'는 것은 성인이 역(易)을 체인하는 일이
다. 배우는 사람에게서는 거처할 때 상(象)을 살펴보고 말을 완미
하는 것 또한 반드시 성인이 마음을 닦는 것과 같아진 뒤에 그 이
치를 얻을 수 있다. '이것으로 재계(齋戒)한다'는 것은 성인이 역
(易)을 사용하는 일이다. 배우는 사람에게서는 움직일 때 변(變)을
살펴보고 점(占)을 완미하는 것 또한 반드시 성인이 재계(齋戒)하
는 것과 같아진 뒤에 그 기미를 볼 수 있다.

是故闔戶謂之坤, 闢戶謂之乾, 一闔一闢謂之變, 往來不窮謂之通. 見乃謂之象, 形乃謂之器, 制而用之謂之法, 利用出入, 民咸用之謂之神.

그러므로 문을 닫는 것을 곤(坤)이라 하고 문을 여는 것을 건(乾)이라 하며, 한 번은 닫히고 한 번은 열리는 것을 변(變)이라 하고, 왕래(往來)함이 끝이 없는 것을 통(通)이라 한다. 드러난 것을 상(象)이라 하고 나타난 것을 기(器)라 하며, 만들어 사용하는 것을 법(法)이라 하고, 사용하는 것을 이롭게 하여 드나들어 백성이 모두 그것을 사용하는 것을 신(神)이라 한다.

本義

'闔'·'闢', 動靜之機也. 先言坤者, 由靜而動也. 乾·坤·變·通者, 化育之功也. 見象·形器者, 生物之序也. 法者, 聖人修道之所爲. 而神者, 百姓自然之日用也.

'닫는 것[闔]'과 '여는 것[闢]'은 움직임과 고요함의 기틀이다. 먼저 곤(坤)을 말한 것은 고요함으로 말미암아 움직이기 때문이다. 건(乾)·곤(坤)과 변(變)·통(通)은 화육의 공효이다. 상(象)이 드러나고 기(器)가 나타나는 것은 만물이 생겨나는 순서이다. 법(法)은 성인이 도(道)를 닦아 만들어 낸 것이다. 신(神)은 백성들이 자연스럽게 나날이 사용하는 것이다.

集說

● 荀氏爽曰 : "'見乃謂之象', 謂日月星辰, 光見在天而成象也. '形乃謂之器', 萬物生長, 在地成形, 可以爲器用者也. 觀象於天, 觀形於地, 制而用之, 可以爲法."[26]

순상(荀爽)[27]이 말했다. " '드러난 것을 상(象)이라 한다'는 일월성신을 말하니, 빛이 하늘에 드러나서 상(象)을 이룬 것이다. '나타난 것을 기(器)라 한다'는 만물이 생장함에 땅에서 형(形)을 이루어 기(器)로 사용할 수 있다는 말이다. 하늘에서 상(象)을 살펴보고 땅에서 형(形)을 살펴보아 만들어 사용하면 법(法)이 될 수 있다."

---

26) 이정조(李鼎祚), 『주역집해(周易集解)』권14에 순상(荀爽)의 말로 기재되어 있다.

27) 순상(荀爽, 128~190) : 자는 자명(慈明)이고, 일명 서(諝)라고도 한다. 후한 영천 영음(潁川潁陰, 현 하남성 허창시〈許昌市〉) 사람으로, 상서령(尙書令) 순숙(荀淑)의 아들이다. 어릴 때부터 총명하여 12살 때『춘추』와『논어』에 정통했다고 한다. 환제(桓帝) 연희(延熹) 9년(166)에 지극한 효성으로 천거되어 낭중(郞中)에 임명되었지만, 대책(對策)을 올려 당시의 폐단을 상주(上奏)하고는 벼슬을 버리고 떠났다. 당고(黨錮)의 화(禍)가 일어나자 바닷가에 숨어 10여 년을 지냈다. 헌제(獻帝) 때 다시 등용되어 사공(司空)을 역임했으며, 사도(司徒) 왕윤(王允)과 함께 잔악한 동탁(董卓)을 제거하려 하였으나 뜻을 이루지 못하고 죽었다. 저서에 『역전(易傳)』,『시전(詩傳)』,『예전(禮傳)』,『상서정경(尙書正經)』,『춘추조례(春秋條例)』,『공양문(公羊問)』등이 있었지만 모두 없어졌고, 비직(費直)의 고문역학(古文易學)을 연구한『주역순씨주(周易荀氏注)』의 일부가 옥함산방집일서 및 『한위이십일가역주(漢魏二十一家易注)』에 전해지고 있다.

● 虞氏翻曰：“'闔', 閉翕也, 坤象夜, 故以閉戶也. '闢', 開也, 乾象晝, 故以開戶也. 陽變闔陰, 陰變闢陽, 剛柔相推而生變化也.”[28]

우번(虞翻)이 말했다. "'닫는 것[闔]'은 닫아 거두어들이는 일이고, 곤(坤)은 밤을 형상하기 때문에 문을 닫는 것으로 말했다. '여는 것[闢]'은 '여는 것[開]'이고, 건(乾)은 낮을 형상하기 때문에 문을 여는 것으로 말했다. 양(陽)이 변하여 음(陰)으로 닫히고 음이 변하여 양으로 열리니, 강(剛)·유(柔)가 서로를 밀쳐 변화를 낳는다."

● 陸氏績曰：“聖人制器以周民用, 用之不遺, 故曰'利用出入'也. 民皆用之而不知所由來, 故'謂之神'也.”[29]

육적(陸績)이 말했다. "성인이 기(器)를 만들어 백성이 사용하는 것을 완비하여 사용함에 빠트림이 없기 때문에 '사용하는 것을 이롭게 하여 드나든다'고 말했다. 백성들이 모두 그것을 사용하지만 그 유래를 알지 못하기 때문에 '신(神)이라 한다'고 했다."

● 朱氏震曰：“知'闔'·'闢'·'變'·'通'者, '明於天之道'; 知'利用出入, 民咸用之'者, '察於民之故.'”[30]

주진(朱震)이 말했다. "'닫는 것[闔]'·'여는 것[闢]'·'변(變)'·'통(通)'

----

28) 이정조(李鼎祚), 『주역집해(周易集解)』 권14에 우번(虞翻)의 말로 기재되어 있다.
29) 요사린(姚士粦) 편, 『육씨역해(陸氏易解)』.
30) 주진(朱震), 『한상역전(漢上易傳)』 권7.

을 아는 사람은 '하늘의 도(道)에 밝은' 사람이다. '사용하는 것을 이롭게 하여 드나들어 백성들이 모두 그것을 사용하는 것'을 아는 사람은 '백성들의 사정을 살피는' 사람이다."

● 『朱子語類』云 : "闔闢・乾坤, 理與事皆如此, 書亦如此. 這個只說理底意思多."31)

『주자어류』에서 말했다. "'닫는 것[闔]'・'여는 것[闢]'과 건(乾)・곤(坤)은 이치와 일이 모두 이와 같고 글 또한 이와 같다. 그렇지만 이것은 다만 이치를 말하는 의미가 많을 뿐이다."

● 問 : "'闔戶謂之坤'一段, 只是這一個物. 以其闔謂之坤, 以其闢謂之乾; 以其闔闢謂之變, 以其不窮謂之通; 以其發見而未成形謂之象, 以其成形則謂之器. 聖人修明以立教則謂之法,32) 百姓日用則謂之神." 曰 : "是如此." 又曰 : "'利用出入'者, 便是人生日用, 都離他不得."33)

물었다. "'문을 닫는 것을 곤(坤)이라 한다'는 단락은 단지 한 가지 일일 뿐이다. 그것이 닫히는 것을 곤(坤)이라 하고 그것이 열리는 것을 건(乾)이라 하며, 그것이 닫히고 열리는 것을 변(變)이라 하고 그것이 끝이 없는 것을 통(通)이라 하며, 그것이 발현하였지만 아

---

31) 주희, 『주자어류』 권75, 80조목.
32) 聖人修明以立教則謂之法 : 주희, 『주자어류』 권75, 81조목에는 "聖人修禮立教謂之法[성인이 예(禮)를 닦아 가르침을 세우는 것을 법(法)이라 하고]"라고 되어 있다.
33) 주희, 『주자어류』 권75, 81조목.

직 형태를 이루지 못한 것을 상(象)이라 하고 그것이 형태를 이룬 것을 기(器)라고 한다. 성인이 그것을 천명하여 가르침을 세우는 것을 법(法)이라 하고, 백성이 날마다 쓰는 것을 신(神)이라고 한다."

(주자가) 대답했다. "그렇다."

(주자가) 또 말했다. "'사용하는 것을 이롭게 하여 드나든다'는 것은 곧 사람들이 일상생활에서 전혀 그것을 떠날 수 없다는 말이다."

案

此節是說天道民故如此, '易有太極'一節,　是說聖人作『易』以模寫之.

이 구절은 하늘의 도(道)와 백성의 사정이 이와 같음을 말한 것이다. 아래[계사상 11-5]의 '역(易)'에 태극(太極)이 있다'는 구절은 성인이 『역(易)』을 지어 그것을 모사(模寫)했음을 말한 것이다.

是故易有太極, 是生兩儀, 兩儀生四象, 四象生八卦.

그러므로 역(易)에 태극(太極)이 있으니, 태극이 양의(兩儀)를 낳고 양의가 4상(四象)을 낳고 4상이 8괘(八卦)를 낳는다.

本義

一每生二, 自然之理也. 易者, 陰陽之變; 太極者, 其理也. 兩儀者, 始爲一畫以分陰陽; 四象者, 次爲二畫以分太·少. 八卦者, 次爲三畫而三才之象始備. 此數言者實聖人作『易』自然之次第, 有不假絲毫智力而成者. 畫卦揲蓍, 其序皆然, 詳見序例·『啓蒙』.

하나가 매번 둘을 낳는 것이 자연스런 이치이다. 역(易)은 음양의 변(變)이고, 태극(太極)은 그 이치이다. 양의(兩儀)는 처음 한 획을 그어 음(陰)·양(陽)을 나눈 것이고, 4상(四象)은 그 다음에 두 획을 그어 태(太)·소(少)를 나눈 것이다. 8괘(八卦)는 그 다음에 세 획을 그어 삼재(三才)의 상(象)이 비로소 갖추어진 것이다. 이 몇 마디 말은 실제로 성인이 『역(易)』을 지은 자연스런 차례이니, 털끝만큼의 지혜와 힘도 빌리지 않고 이룬 것이다. 괘를 긋고, 시초(蓍草)를 세어내는 것은 그 순서가 모두 그러하니, 이는 서례(序例)와 『역학계몽(易學啓蒙)』에 자세히 보인다.

● 邵子曰："'太極何物也?' 曰, '無爲之本也.' '太極生兩儀, 兩儀
天地之謂乎?' 曰, '兩儀天地之祖也.'34) 太極分而爲二, 先得一爲
一, 復得一爲二,35) 一·二謂兩儀.' 曰, '兩儀生四象, 四象何物
也?' 曰, '四象謂陰陽·剛柔. 有陰陽然後可以生天, 有剛柔然後
可以生地, 立功之本, 於斯爲極.' 曰, '四象生八卦, 八卦何謂也?'
曰, '謂乾·坤·離·坎·兌·艮·震·巽也. 迭相盛衰·終始於其間
矣. 因而重之, 則六十四卦由是而生也, 而易之道備矣.'"36)

소자(邵子 : 邵雍)가 말했다. "'태극은 어떤 것인가?' 대답한다. '무위
(無爲)의 근본이다.' '태극이 양의(兩儀)를 낳는다고 하는 데서, 양
의는 천지(天地)를 말하는가?' 대답한다. '양의는 천지의 조상이다.
태극이 나뉘어 둘이 되는 데, 먼저 하나를 얻어 하나[一]가 되고 뒤
에 하나를 얻어 둘[二]이 되니, 여기에서 하나[一]와 둘[二]을 양의라
고 한다.' '양의가 4상(四象)을 낳는다고 하는 데서, 4상은 어떤 것
인가?' 대답한다. '4상(四象)은 음양(陰陽)과 강유(剛柔)이다. 음양
이 있고 난 뒤 하늘이 생겨날 수 있고, 강유가 있고 난 뒤 땅이 생
겨날 수가 있으니, 공효를 세우는 근본이 바로 여기에서 지극하다.'
'4상이 8괘를 낳는다고 하는 데서 8괘는 무엇을 말하는가?' 대답한
다. '건(乾), 곤(坤), 리(離), 감(坎), 태(兌), 간(艮), 진(震), 손(巽)을

---

34) 兩儀天地之祖也 : 소옹(邵雍), 『황극경세서(皇極經世書)』 권7, 「어초문
대(漁樵問對)」에는 이 구절 뒤에 "非止爲天地而已也.[단지 천지만 되는
것이 아닐 뿐이다.]"라는 말이 더 있다.

35) 復得一爲二 : 소옹(邵雍), 『황극경세서(皇極經世書)』 권7, 「어초문대
(漁樵問對)」에는 "後得一爲二[뒤에 하나를 얻어 둘이 되니]"라고 되어
있다.

36) 소옹(邵雍), 『황극경세서(皇極經世書)』 권7, 「어초문대(漁樵問對)」.

말한다. 그 사이에 서로 갈마들어 융성하고 쇠퇴하며 시작하고 끝난다. 그것을 바탕으로 거듭해서 중첩하여 64괘가 이로부터 생겨나니, 역(易)의 도가 갖추어진다.'"

● 『朱子語類』云 : "太極中, 全是具一個善. 若三百八十四爻中, 有善有惡, 皆陰陽變化後方有."[37]

『주자어류』에서 말했다. "태극 가운데는 온전하게 하나의 선(善)을 갖추었다. 만약 384효 가운데 있는 것이라면 선도 있고 악도 있으니, 이것은 모두 음양이 변화한 뒤에 비로소 있게 된 것이다."

● 又云 : "若說其生則俱生, 太極依舊在陰陽裏. 但言其次序, 須有這實理, 方始有陰陽也. 自見在事物而觀之, 則陰陽函太極; 推其本, 則太極生陰陽."[38]

(주자가) 또 말했다. "만약 그것이 생겨나는 것으로 말하면 모두 함께 생겨나니, 태극은 여전히 음양 속에 있다. 그러나 그 순서를 말하면 반드시 이 실제적인 이치가 있어야 비로소 음양이 있게 된다. 지금 존재하는 사물에서 살펴보면 음양이 태극을 함유하고 있지만, 그 근본을 미루어 보면 태극이 음양을 낳는다."

● 又云 : "易有太極, 便是下面兩儀 · 四象 · 八卦. 自三百八十四爻總爲六十四, 自六十四總爲八卦, 自八卦總爲四象, 自四象總

---

37) 주희, 『주자어류』 권75, 82조목.
38) 주희, 『주자어류』 권75, 83조목.

爲兩儀, 自兩儀總爲太極. 以物論之, 易之太極, 如木之有根, 浮
圖之有頂. 但木之根, 浮圖之頂, 是有形之極; 太極卻不是一物,
無方所頓放, 是無形之極. 故周子曰, '無極而太極', 是他說得有
功處. 然太極之所以爲太極, 卻不離乎兩儀·四象·八卦, 如'一
陰一陽之謂道', 指一陰一陽爲道則不可, 然道不離乎陰陽也."[39]

(주자가) 또 말했다. "역(易)에 태극이 있다는 것은 바로 그 아래에
양의(兩儀), 4상, 8괘가 있다는 뜻이다. 384효에서 총괄하여 64효
가 되고, 64효에서 총괄하여 8괘가 되며, 8괘에서 총괄하여 4상이
되고, 4상에서 총괄하여 양의가 되고, 양의에서 총괄하여 태극이
된다. 사물로 논한다면, 역(易)에 태극이 있다는 것은 나무에 뿌리
가 있고 부처에게 정수리가 있다는 것과 같다. 그렇지만 나무의 뿌
리와 부처의 정수리는 형체가 있는 것의 극치이고, 태극은 도리어
어떤 사물이 아니어서 놓아 둘 곳이 없으니 형체가 없는 것의 극치
이다. 그러므로 주자(周子 : 周敦頤)가 '무극(無極)이면서 태극(太
極)이다'라고 했는데, 이것이 그가 말한 것 가운데 공로가 있는 것
이다. 그러나 태극이 태극이 되는 까닭은 도리어 양의(兩儀)·4상
·8괘를 떠나지 않는 것에 있으니, 마치 '한 번은 음(陰)이 되고 한
번은 양(陽)이 되는 것을 도(道)라고 한다'는 말은 한 번은 음이 되
고 한번은 양이 되는 것 자체를 가리켜서 도라고 하면 안 되지만,
도는 음양을 떠나지 않는다는 것과 같다."

● 陳氏淳曰 : "太極只是渾淪極至之理, 非可以形氣言. 「傳」曰,
'易有太極.' 易只是陰陽變化, 其所以爲陰陽變化之理, 則太極
也. 又曰, '三極之道', 三極云者, 只是三才極至之理. 其謂之三

---

39) 주희, 『주자어류』 권75, 87조목.

極者, 以見三才之中, 各具一太極, 而太極之妙, 無不流行於三
才之中也.

진순(陳淳)[40]이 말했다. "태극은 다만 지극히 혼륜한 이치이니 형
기(形氣)로 말할 수 있는 것이 아니다. 「계사상」에서 '역(易)에 태
극이 있다'라고 했다. 역(易)은 다만 음양의 변화일 뿐이고, 그것이
음양의 변화가 되는 까닭으로서 이치는 태극이다. (「계사상」에서)
또 '삼극(三極 : 천·지·인)의 도(道)'를 말했는데, 삼극(三極)이라고
말한 것은 다만 삼재(三才)의 지극한 이치일 뿐이다. 그것을 삼극
이라고 한 것은 삼재 가운데 각각 하나의 태극을 갖추어 태극의 오
묘함이 삼재 가운데 유행하지 않음이 없음을 보이려고 한 것이다.

外此百家諸子,[41] 都說屬氣形去. 如『漢志』謂'太極函三爲一', 乃
是指天·地·人, 氣形已具而渾淪未判. 老子說'有物混成, 先天
地生', 正指此也. 莊子謂'道在太極之先', 所謂太極, 亦是指此渾
淪未判者. 而道又別懸空在太極之先,[42] 則道與太極分爲二矣.

....

40) 진순(陳淳, 1159~1223) : 자는 안경(安卿)이고, 호는 북계(北溪)이다. 송
   대 용계(龍溪 : 현 복건성 장주(漳州)) 사람으로 주희가 장주 지사일 때
   제자가 되어, 주희에게 "남쪽에 와서 나의 도가 진순 한 사람을 얻었다."
   라는 칭찬을 받았다. 평생 육구연(陸九淵)의 심학을 배척하고 주자학을
   선양하는 데 힘썼으며, 영가학파(永嘉學派)의 대표 학자인 진량(陳亮)
   의 공리학(功利學)도 배척했다. 시호는 문안(文安)이다. 저서는 『북계자
   의(北溪字義)』, 『엄릉강의(嚴陵講義)』, 『논맹학용구의(論孟學庸口義)』,
   『북계문집(北溪文集)』 등이 있다.
41) 外此百家諸子 : 진순(陳淳), 『북계자의(北溪字義)』 권 하(下), 「태극(太
   極)」에는 "外此百家諸子都說差了[이것을 제외하고 제자백가들은 모두
   잘못 말했으니]"라고 되어 있다.

不知道卽是太極, 道是以理之通行者而言, 太極是以理之極至
者而言. 惟理之極至, 所以古今人物通行; 惟古今人物通行, 所
以爲理之極至, 更無二理也."[43]

이것을 제외하고 제자백가들은 모두 형기에 소속시켜 말했다. 예컨
대 『전한서(前漢書)』 「율력지(律歷志)」에서 '태극은 셋을 함유하여
하나가 되었다'[44]라고 한 것은 바로 천·지·인이 형기를 이미 갖추
었으나 혼륜하여 아직 갈라지지 않음을 가리킨다. 노자(老子)가 '어
떤 것이 혼연히 만물을 이루는데 천지에 앞서 생겨났다'[45]라고 말
한 것은 바로 이것을 가리킨다. 장자(莊子)는 '도(道)는 태극보다
앞서 존재한다'라고 했는데, 여기에서 이른바 태극도 또한 이 혼륜
하여 아직 갈라지지 않은 것을 가리킨다. 그런데 도(道)는 또 별도
로 태극에 앞서 공허한 데 매달려 있으니 도와 태극은 나뉘어 둘이
되었다. 도가 곧 태극이니, 도는 이치가 두루 유행하는 것으로 말
하였고, 태극은 이치의 지극한 것으로 말하였음을 몰랐다. 오직 지
극한 이치이기 때문에 예로부터 지금까지 사람과 사물에 두루 유행
하였고, 오직 예로부터 지금까지 사람과 사물에 두루 유행했기 때
문에 지극한 이치가 되었으니, 다시 두 개의 이치가 없다."

....

42) 而道又別懸空在太極之先 : 진순(陳淳), 『북계자의(北溪字義)』 권 하
   (下), 「태극(太極)」에는 "而道又別是一個懸空底物, 在太極之先[그런데
   도(道)는 또 별도로 하나의 공허한 데 매달려 있는 것으로 태극에 앞서
   있으니]"라고 되어 있다.
43) 진순(陳淳), 『북계자의(北溪字義)』 권 하(下), 「태극(太極)」.
44) 태극은 셋을 함유하여 하나가 되었다 : 『전한서(前漢書)』 권21상(上),
   「율력지(律歷志)」에는 "태극인 원기가 셋을 함유하여 하나가 되었다.[太
   極元氣函三爲一.]"라고 하였다.
45) 어떤 것이 혼연히 만물을 이루는데 천지에 앞서 생겨났다 : 노자, 『도덕
   경』 제25장.

● 胡氏居仁曰：“太極, 理也. 道理最大, 無以復加, 故曰‘太極.’ 凡事到理上, 便是極了, 再改移不得. ‘太’是尊大之義, ‘極’是至當無以加也.”[46]

호거인(胡居仁)이 말했다. “태극은 리(理)이다. 도리(道理)가 가장 커서 다시 보탤 것이 없기 때문에 ‘태극’이라고 했다. 모든 일이 리(理)에 이르면 지극해지니 다시 고칠 수 없다. ‘태(太)’라는 글자는 지극히 높고 크다는 의미이고, ‘극(極)’이라는 글자는 지극히 마땅하여 더 보탤 것이 없다는 말이다.”

● 鄭氏維嶽曰：“「繫辭傳」中, 乾坤多指奇耦二畫言. 三畫·六畫, 皆此二畫之所生. 而坤又乾之所生, 乾者一而已. 一者太極也.”

정유악(鄭維嶽)이 말했다. “「계사전」 가운데 건(乾)과 곤(坤)은 대부분 홀과 짝 두 획을 가리켜 말한다. 3획과 6획도 모두 이 두 획에서 생겨난 것이고 곤(坤)은 또 건에서 생겨난 것이므로 건(乾) 하나일 뿐이다. 하나는 태극이다.”

● 徐氏在漢曰：“同一乾坤也, 以其一神則謂之太極, 以其兩化則謂之兩儀. 奇參耦中, 乾體而有坎象; 耦參奇中, 坤體而有離象, 故謂之四象. 乾體而有坎象, 則震·艮之形成矣; 坤體而有離象, 則巽·兌之形成矣, 故謂之八卦.”

서재한(徐在漢)이 말했다. “같은 하나의 건곤인데 그것이 하나로

---

46) 호거인(胡居仁), 『거업록(居業錄)』 권8.

신묘하면 태극이라 하고 그것이 둘로 화(化)하면 양의(兩儀)라고
한다. 홀이 짝 가운데에 섞이면 건(乾)의 몸체이면서 감(坎☵)의 상
(象)이 있고, 짝이 홀 가운데 섞이면 곤(坤)의 몸체이면서 리(離☲)
의 상(象)이 있기 때문에 4상(四象)이라고 한다. 건의 몸체이면서
감(坎)의 상이 있으면 진(震☳)과 간(艮☶)의 형(形)이 이루어지고,
곤의 몸체이면서 리(離)의 상이 있으면 손(巽☴)과 태(兌☱)의 형
이 이루어지기 때문에 8괘라고 한다."

八卦定吉凶, 吉凶生大業.

8괘(八卦)가 길흉을 정하고 길흉은 큰 사업(事業)을 낳는다.

本義

有吉有凶, 是生大業.

길함이 있고 흉함이 있어 이것이 큰 사업을 낳는다.

集說

● 俞氏琰曰 : "八卦具而定吉凶, 則足以'斷天下之疑'矣; 吉凶定
而生大業, 則有以'成天下之務'矣."[47]

유염(俞琰)이 말했다. "8괘가 갖추어져 길흉을 정하면 그것으로 '천
하의 의심을 결단하기에' 충분하고, 길흉이 정해져 큰 사업을 낳으
면 그것으로 '천하의 일을 이룰 수' 있다."

案

聖人作『易』, 準天之道, 故陰陽互變而定爲八卦之象·形; 效民

---

47) 유염(俞琰),『주역집설(周易集說)』권31.

之故, 故制爲典禮而推之生民之利用.

성인이 『역(易)』을 지을 때, 하늘의 도를 기준으로 삼았기 때문에 음과 양이 번갈아 변하게 하여 8괘의 상(象)과 형(形)을 정하였으며, 백성들의 사정을 효험으로 삼았기 때문에 전례(典禮)를 제정하여 백성들이 이롭게 사용하는 것을 미루어 보았다.

是故法·象莫大乎天地; 變·通莫大乎四時; 縣象著
明莫大乎日月; 崇高莫大乎富貴; 備物致用, 立成
器以爲天下利, 莫大乎聖人; 探賾索隱, 鉤深致遠,
以定天下之吉凶, 成天下之亹亹者, 莫大乎蓍龜.

그러므로 법(法)과 상(象)은 천지보다 큰 것이 없고, 변(變)과 통(通)
은 사계절보다 큰 것이 없으며, 상(象)을 매달아 분명하게 드러낸
것은 일월(日月)보다 큰 것이 없고, 숭고(崇高)함은 부귀(富貴)보다
큰 것이 없으며, 사물을 구비하여 그 쓰임을 다하고 기물(器物)을
이루어 천하의 이로움을 삼는 것은 성인보다 큰 것이 없고, 번잡한
것을 탐구하고 은미한 것을 밝히며 심오한 것을 찾아내고 요원한
것을 불러 모아 천하의 길흉을 정하며 천하 사람들이 힘써야 할 것을
이룬 것은 시초와 귀갑보다 큰 것이 없다.

本義

'富貴', 謂有天下履帝位. '立'下疑有闕文. '亹亹', 猶勉勉也.
疑則怠, 決故勉.

'부귀(富貴)'는 천하를 소유하고 황제(皇帝)의 지위에 오르는 것을
말한다. '입(立)'이라는 글자 아래에 빠진 글이 있는 것 같다. '미미
(亹亹)'는 부지런히 힘쓴다는 것과 같다. 의심하면 게을러지니, 결
단하기 때문에 힘쓰는 것이다.

● 侯氏行果曰 :“亹', 勉也. 夫幽隱深遠之情, 吉凶未兆之事物, 皆勉勉然願知之, 然不能也. 及蓍成卦, 龜成兆也, 雖神道之幽密, 未來之吉凶, 坐可觀也, 是蓍龜成天下之勉勉也.”48)

후행과(侯行果)49)가 말했다. “‘미(亹)’는 힘쓰는 것이다. 무릇 은미하고 심원한 사정과 길흉이 아직 조짐이 없는 사물들에 대해 모두 부지런히 힘써 그것을 알려고 하지만 알 수가 없다. 시초를 세어내어 괘를 이루고 귀갑이 조짐을 이루어 내게 되면, 비록 신묘한 도(道)의 은밀함과 미래의 길흉이라고 하더라도 저절로 살펴볼 수 있다. 이것이 바로 시초와 귀갑이 천하 사람들이 부지런히 힘써야 할 것을 이룬다는 뜻이다.”

● 『朱子語類』, 問 :“以定天下之吉凶, 成天下之亹亹”. 曰 :“人到疑而不能決處, 便放倒了, 不肯向前, 動有疑阻.50) 旣知其吉

---

48) 이정조(李鼎祚), 『주역집해(周易集解)』 권14에 후과(侯果)의 말로 기재되어 있다.

49) 후행과(侯行果) : 일명 후과(侯果)라고 하며, 당(唐)대 상곡(上谷 : 현 하북성 장가구시〈張家口市〉) 사람이다. 당 중엽 유명한 18학사(十八學士) 가운데 한 사람으로, 벼슬은 국자사업(國子司業), 대황태자독(待皇太子讀) 등을 역임하였다. 『역(易)』과 노장학 연구에 뛰어났다고 하는데, 저술은 이미 전해지지 않고 이정조(李鼎祚)의 『주역집해(周易集解)』에 그의 글이 보인다.

50) 人到疑而不能決處, 便放倒了, 不肯向前, 動有疑阻 : 주희, 『주자어류』 권75, 89조목에는 “人到疑而不能自明處, 往往便放倒, 不復能向前, 動有疑阻.[사람들은 의심스러운데도 스스로 분명하지 못한 곳에 이르면 가끔 내버려 두어 다시는 앞으로 나아갈 수도 없으니, 움직임에 의심과

凶, 自然勉勉住不得,51) 則其所以亹亹者, 卜筮成之也."52)

『주자어류』에서 "천하의 길흉을 정하며 천하 사람들이 힘써야 할 것을 이룬다"는 것에 대해 물었다.
(주자가) 대답했다. "사람들은 의심스러운데도 결단할 수 없는 곳에 이르면 내버려 두고 앞으로 나아가려하지 않아서, 움직임에 의심과 장애가 있게 된다. 이미 그 길·흉을 알면 저절로 부지런히 힘써 멈출 수 없으니, 그가 부지런히 힘쓰는 까닭은 점을 치는 일이 그것을 이루었기 때문이다."

● 俞氏琰曰 : "'賾', 謂雜亂. '探'者, 抽而出之也. '隱', 謂隱僻. '索'者, 尋而得之也. '深', 謂不可測. '鉤'者, 曲而取之也. '遠', 謂難至. '致'者, 推而極之也."53)

유염(俞琰)이 말했다. "'색(賾)'은 번잡한 것을 말한다. '탐(探)'은 뽑아서 드러내는 것이다. '은(隱)'은 궁벽한 것을 말한다. '색(索)'은 찾아서 얻는 것이다. '심(深)'은 헤아릴 수 없는 것을 말한다. '구(鉤)'는 자세히 뒤져 찾아내는 것이다. '원(遠)'은 이르기 어려운 곳을 말한다. '치(致)'는 미루어서 끝까지 가는 것이다."

장애가 있게 된다.]"라고 되어 있다.
51) 旣知其吉凶, 自然勉勉住不得 : 주희, 『주자어류』 권75, 89조목에는 "旣有卜筮, 知是吉是凶, 便自勉勉住不得.[이미 점을 쳐서 길한지 흉한지를 알면 스스로 부지런히 힘써 멈출 수 없다.]"라고 되어 있다.
52) 주희, 『주자어류』 권75, 89조목.
53) 유염(俞琰), 『주역집설(周易集說)』 권31.

● 趙氏玉泉曰 : "八卦定吉凶而生大業, 蓍龜定吉凶而成亹亹, 可見卦畫者蓍龜之體, 蓍龜者卦畫之用."

조옥천(趙玉泉)이 말했다. "8괘가 길흉을 정해 큰 사업을 낳고 시초와 귀갑이 길흉을 정해 힘써야 할 것을 이루니, 괘와 획은 시초와 귀갑의 본체이고 시초와 귀갑은 괘와 획의 작용임을 알 수 있다."

● 吳氏曰愼曰 : "上文'易有太極'四句, 言作『易』之序; '定吉凶·生大業', 言易之用. 此節贊蓍龜之大用而先之以五者, 又與'闔戶'八句相應."

오왈신(吳曰愼)이 말했다. "윗글[계사상 11-5] '그러므로 역(易)에 태극(太極)이 있으니, 태극(太極)이 양의(兩儀)를 낳고 양의(兩儀)가 4상(四象)을 낳고 4상(四象)이 8괘(八卦)를 낳는다'라는 구절은 『역(易)』을 지은 차례를 말하고, '8괘(八卦)가 길흉을 정하고 길흉은 큰 사업(事業)을 낳는다'라는 말은 역(易)의 작용을 말한다. 이 구절에서 시초와 귀갑의 큰 작용을 찬미하면서도 다섯 가지(천지, 사계절, 일월, 부귀, 성인을 말함)를 앞세운 것은 또 ([계사상 11-4] 의) '문을 닫는다'라는 8개 구절과 서로 호응한다."

案

此節是合上文造化·『易』書而通贊之. 天地卽乾坤, 四時卽變通, 日月卽見象. 不言形器者, 下文有'立成器'之文. 蓋在天者, 示人以象而已. 在地者, 則民生器用之資, 故上文'制而用之', 亦偏承形器而言也. 此'備物致用, 立成器'之聖人, 非富貴則不能, 故中間又著此一句, 明前文'制而用之'者, 是治世之聖人也. 至畫卦

生蓍, 乃是作『易』之聖人. 總而敍之, 則見作『易』之功, 與造物
者同符, 與治世者相配也.

이 구절은 윗글의 조화(造化)와 『易』이라는 책을 합쳐서 통괄하여
찬미한 것이다. 천지는 곧 건곤이고 사계절은 곧 변통이며 일월은
곧 현상이다. 형기(形器)를 말하지 않은 것은 아래 글에서 '기물(器
物)을 이룬다'는 글이 있기 때문이다. 대개 하늘에 있는 것은 상
(象)으로 사람들에게 보여줄 뿐이다. 땅에 있는 것은 백성의 생활
에 기물로 쓰는 밑천이기 때문에 윗글[계사상 11-4]에서 '만들어서
사용하는 것'이라고 한 것도 역시 형기(形器)를 한쪽으로 치우치게
이어받아 말한 것이다. 여기의 '사물을 구비하여 그 쓰임을 다하고
기물(器物)을 이루는' 성인은 부귀하지 않으면 그렇게 할 수 없기
때문에, 중간에 또 이 한 구절을 드러내어 앞글의 '만들어서 사용하
는 것'을 밝혔으니, 이는 세상을 다스리는 성인이다. 괘를 긋고 시
초를 만든 것은 바로 『역(易)』을 지은 성인이다. 총괄해서 말하면
『역』을 지은 공효는 조물주와 서로 합치하고 세상을 다스리는 사람
과 서로 짝한다는 것을 알 수 있다.

是故天生神物, 聖人則之; 天地變化, 聖人效之; 天
垂象, 見吉凶, 聖人象之; 河出圖, 洛出書, 聖人則之.

그러므로 하늘이 신물(神物 : 시초와 귀갑)을 만들어 내니 성인이 그
것을 따르고, 천지가 변화하니 성인이 그것을 본받으며, 하늘이 상
(象)을 드리워 길흉을 나타내니 성인이 그것을 상징하고, 황하에서
도(圖)가 나오고 낙수(洛水)에서 서(書)가 나오니 성인이 그것을 따
랐다.

本義

此四者, 聖人作『易』之所由也.「河圖」·「洛書」, 詳見『啓蒙』.

이 네 가지는 성인이 『역(易)』을 지은 연유이다.「하도(河圖)」와
「낙서(洛書)」는 『역학계몽(易學啓蒙)』에 자세히 보인다.

集說

● 孔氏穎達曰 : "'河出圖, 洛出書', 如鄭康成之義, 則『春秋緯』
云,「河以通乾出天苞, 洛以流坤吐地符. 河龍圖發, 洛龜書感,
「河圖」有九篇,「洛書」有六篇.」孔安國以爲「河圖」則八卦是也,
「洛書」則九疇是也. 輔嗣之義, 未知何從."[54]

공영달(孔穎達)이 말했다. "'황하에서 도(圖)가 나오고 낙수(洛水)에서 서(書)가 나왔다'는 것은 정강성(鄭康成 : 鄭玄)[55]의 생각과 같은 경우는, 『춘추위(春秋緯)』에서 황하는 건(乾)과 통하여 천포(天苞 : 「河圖」를 지칭함)를 내었고, 낙수는 곤(坤)으로 흘러 지부(地符 : 「洛書」를 지칭함)를 토했다. 황하에서 용도(龍圖 : 「河圖」를 지칭함)가 발현했고 낙수에서 구서(龜書 : 「洛書」를 지칭함)가 감촉했으니, 「하도」는 9편이 있고 「낙서」는 6편이 있다라고 했다'고 하였다. 공안국(孔安國)[56]은 「하도」는 8괘가 그것이고, 「낙서」는 9주(九疇)

---

54) 공영달 소(孔穎達 疏), 『주역주소(周易註疏)』 권11.

55) 정현(鄭玄, 127~200) : 자는 강성(康成)이며, 북해(北海 : 현 산동성 고밀〈高密〉) 사람이다. 후한(後漢) 말기의 대표적 유학자로서 시종 재야 학자로 지냈으며, 제자들에게는 물론 일반인들에게서도 훈고학·경학의 시조로 깊은 존경을 받았다. 젊었을 때부터 학문에 뜻을 두었고, 경학의 금문(今文)과 고문(古文) 외에 천문(天文)·역수(曆數)에 이르기까지 광범한 지식을 갖추었다. 처음에 향색부(鄕嗇夫)라는 지방의 말단관리가 되었으나 그만두고, 낙양(洛陽)에 올라가 태학에 입학하여, 마융(馬融) 등에게 배웠다. 그가 낙양을 떠날 때, 마융이 "나의 학문이 정현과 함께 동쪽으로 떠나는구나!"하고 탄식하였을 만큼 학문에 힘을 쏟았다. 그는 고문·금문에 모두 정통하였으며, 가장 옳다고 믿는 설을 취하여 『주역』·『상서』·『모시』·『주례』·『의례』·『예기』·『논어』·『효경』 등 경서에 주석을 하였고, 『의례』·『논어』 교과서의 정본(定本)을 만들었다. 그의 저서 가운데 완전하게 현존하는 것은 『모시』의 전(箋)과 『주례』·『의례』·『예기』의 주해뿐이고, 그 밖의 것은 단편적으로 남아 있다.

56) 공안국(孔安國, B.C.156~B.C.74), 자는 자국(子國)이며, 산동성 곡부(曲阜) 사람이다. 그는 서한(西漢) 무제 때의 학자로서, 공자의 제11대 자손이며, 박사(博士), 간대부(諫大夫)를 지내고, 임회(臨淮) 태수를 지냈다. 『시(詩)』는 신공(申公)에게서 배우고, 『상서』는 복생(伏生)에게서 전수 받았다. 공안국은 노(魯)나라의 공왕(共王)이 공자의 옛 집을 헐었을 때 나온 과두문자(蝌蚪文字)로 된 『고문상서(古文尙書)』, 『예기(禮

가 그것이라고 여겼다. 보사(輔嗣 : 왕필)57)의 생각은 어떤 것을 따랐는지 알 수 없다."

● 劉氏子翬曰 : "「河圖」昧乎太極, 則八卦分而無統; 「洛書」昧乎皇極, 則九疇滯而不通."58)

유자휘(劉子翬)59)가 말했다. "「하도」는 태극에서 명료하지 않으면 8괘가 분리되어 계통이 없고, 「낙서」는 황극에서 명료하지 않으면

記)」, 『논어(論語)』, 『효경(孝經)』을 금문(今文)과 대조·고증, 해독하여 주석을 붙였는데, 이것에서 고문학(古文學)이 비롯되었다고 하여, 공안국을 고문학의 시조라고 한다.

57) 왕필(王弼, 226~249) : 자는 보사(輔嗣)이고, 산양(山陽) 고평(高平 : 현 산동성 금향 현〈金鄉縣〉) 사람이다. 중국 삼국시대 위(魏)나라의 철학자이며, 상서랑(尙書郎)을 지냈다. 왕필은 24세의 나이로 죽을 때 이미 도가경전 『도덕경(道德經)』과 유교경전 『역(易)』의 탁월한 주석가였다. 이러한 주석서들을 통해 중국 사상에 형이상학을 소개하는 데 기여했으며, 유가와 도가가 회통할 수 있는 길을 열었다. 저서로는 『주역주(周易注)』, 『주역약례(周易略例)』, 『노자주(老子注)』, 『노자지략(老子指略)』, 『논어역의(論語繹疑)』가 있다.

58) 유자휘(劉子翬), 『병산집(屛山集)』 권1.

59) 유자휘(劉子翬, 1101~1147) : 자는 언충(彦沖)이고, 호는 병산병옹(屛山病翁)이며, 시호는 문정(文靖)이다. 남송(南宋) 건주 숭안(建州崇安 : 현 복건성 정주〈汀州〉) 사람으로, 유겹(劉韐)의 아들이다. 벼슬은 음보로 승무랑(承務郎)이 되고, 흥화군통판(興化軍通判)을 역임했다. 병으로 사직하고 병산(屛山)으로 내려가 강학에 전념하면서 호헌(胡憲), 유면지(劉勉之) 등과 도의(道義)로 교유했다. 주희(朱熹)가 그의 문하에서 배웠다. 젊어서는 불교를 좋아했는데, 나중에 유학으로 전향하여 역학(易學)에 잠심했다. 저서에 『병산집(屛山集)』이 있다.

9주(九疇)가 막혀 소통되지 않는다."

● 朱氏震曰 : "'天生神物', 謂蓍龜也. '天地變化', 四時也. '天垂象, 見吉凶', 日月也. 「河圖」·「洛書」, 象·數也. '則'者, 彼有物而此則之也."

주진(朱震)이 말했다. "'하늘이 신물(神物 : 시초와 귀갑)을 만들어 냈다'는 것은 시초와 귀갑을 말한다. '천지가 변화한다'는 것은 사계절이다. '하늘이 상(象)을 드리워 길흉을 나타낸다'는 것은 일월이다. 「하도」와 「낙서」는 상(象)과 수(數)이다. '따르다[則]'는 것은 저쪽에 어떤 것이 있으면 이쪽에서 그것을 따른다는 말이다."

● 郭氏雍曰 : "河出圖而後畫八卦, 洛出書而定九疇. 故「河圖」非卦也, 包犧畫而爲卦; 「洛書」非字也, 大禹書而爲字. 亦猶箕子因九疇而陳「洪範」, 文王因八卦而演『周易』. 其始則肇於「河圖」·「洛書」, 畫於八卦·九疇, 成於『周易』·「洪範」, 其序如此."[60]

곽옹(郭雍)이 말했다. "황하에서 도(圖)가 나온 뒤에 8괘가 그어졌고, 낙수에서 서(書)가 나온 뒤에 9주가 정해졌다. 그러므로 「하도」는 괘가 아니지만 복희씨가 그어서 괘가 되었으며, 「낙서」는 글자가 아니지만 우임금이 글로 써서 글자가 되었다. 그것은 또한 마치 기자(箕子)가 9주에 따라 「홍범(洪範)」을 진술하고, 문왕(文王)이 8괘에 따라 『주역』을 연역한 것과 같다. 그 시작은 「하도」와 「낙서」

60) 곽옹(郭雍), 『곽씨전가역설(郭氏傳家易說)』 권7.

에서 비롯되었고, 8괘와 9주에서 획이 그어졌으며,『주역』과「홍범」에서 이루어졌으니, 그 순서가 이와 같다."

● 胡氏炳文曰 : "四者言聖人作『易』之由, 而易之所以作, 由於卜筮, 故以'天生神物'始焉."[61]

호병문(胡炳文)이 말했다. "이 네 가지는 성인이 『역(易)』을 지은 연유를 말한 것이지만, 역이 지어진 까닭은 점을 치는 일에서 비롯했기 때문에 '하늘이 신물(神物 : 시초와 귀갑)을 만들어 냈다'는 말로 시작했다."

---

61) 호병문(胡炳文),『주역본의통석(周易本義通釋)』권5.

[계사상 11-9]

易有四象, 所以示也; 繫辭焉, 所以告也; 定之以
吉凶, 所以斷也."

역(易)에 4상(四象)이 있다는 것은 그것으로 보여준 것이고, 설명을 붙인 것은 그것으로 알려준 것이며, 길흉을 정한 것은 그것으로 결단한 것이다."

本義

'四象', 謂陰陽老少. '示', 謂示人以所値之卦爻.

'4상(四象)'은 음·양의 노(老)·소(少)를 말한다. '보여준대示]'는 것은 사람들이 만나게 되는 괘와 효(爻)를 보여주는 일을 말한다.

此第十一章, 專言卜筮.

이는 제11장(章)이니, 오로지 점치는 일을 말했다.

集說

● 游氏讓溪曰 : "'四象', 謂陰陽老少. '示', 謂示人以變化之道, 卽上文'以通天下之志'者也. '繫辭焉'以盡其言, 故曰'告', 卽上文 '以定天下之業'者也. '定之以吉凶', 則趨避之機決矣, 故曰'斷',

即上文'以斷天下之疑'者也. 此結上數節之意."

유양계(游讓溪)가 말했다. "'4상(四象)'은 음·양의 노(老)·소(少)를 말한다. '보여준다[示]'는 사람들에게 변화의 도(道)를 보여주는 것을 말하니, 곧 윗글[계사상 11-1]의 '이로써 천하 사람들의 의지를 통달한다'는 것이다. '설명을 붙인다'는 그것으로써 그 말을 다하는 것이기 때문에 '알려준다[告]'고 한 것이니, 곧 윗글[계사상 11-1]의 '이로써 천하의 공업(功業)을 확정한다'는 것이다. '길흉을 정하면' 이로움을 추구하고 해로움을 피하는 기틀이 결정되기 때문에 '결단한다[斷]'고 한 것이니, 곧 윗글[계사상 11-1]의 '이로써 천하의 의심을 결단한다'는 말이다. 이는 위의 여러 구절의 뜻을 끝맺은 것이다."

案

此上三章, 申'君子居則觀其象'一節之義. 首之以「河圖」, 次之以著策, 遡易之所因起, 是象·變之本, 辭·占之源也. 中間遂備列四者爲聖人之道, 其又以辭爲之先者, 明學易從辭入也. 辭生於變, 變出於象, 象歸於占, 故其序如此. 辭·變·象·占四者, 以其包含來物, 故謂之至精; 以其錯綜萬象, 故謂之至變; 以其無思無爲而感通萬故, 故謂之至神.

이상 세 장(章)은 ([계사상 2-6]의) '군자는 자리 잡으면 그 상(象)을 살펴본다'라는 구절의 의미를 펼쳤다. 첫머리를 「하도」로 하고 다음을 시초[著策]로 하여 역(易)이 기인한 것을 거슬러 올라갔으니, 이는 상(象)과 변(變)의 근본이고 설명[辭]과 점(占)의 근원이다. 중간에 마침내 이 네 가지를 모두 나열하여 성인의 도(道)로 삼았는데, 또 설명을 우선으로 삼은 것은 역(易)을 배울 때 설명에서부터 들어감을 밝힌 것이다. 설명은 변(變)에서 생겨나고 변은 상(象)에서 생겨나며 상은 점(占)으로 귀결되기 때문에 그 순서가 이와 같다. 상(象)·변(變)·설명[辭]·점(占) 네 가지는 그것으로 앞으로 올 것을 포함하기 때문에 지극히 정밀하다고 했고, 그것으로 온갖 사물의 형상을 뒤섞어 놓았기 때문에 지극히 변(變)한다고 했으며, 그것으로 사려하지도 않고 작위하지도 않지만 온갖 사정에 감응하여 통달하기 때문에 지극히 신묘하다고 했다.

其所以爲聖人之道者, 以其皆出於聖人之心也. 蓍德圓神, 至精也, 卽聖心之所以'知來.' 卦德方知, 爻義易貢, 至變也, 卽聖心之所以'藏往.' 蓍卦之寂然感通, 至神也, 卽聖心之所以'退藏於密, 吉凶與民同患'也. 以此洗心, 則爲聖人之德; 以此立教, 斯爲聖人之道. 故其易之所以作也.

그것이 성인의 도가 되는 까닭은 그것이 모두 성인의 마음에서 나왔기 때문이다. 시초(蓍草)의 덕이 원만하여 신묘한 것은 지극히 정밀한 일이니, 곧 성인의 마음이 그것으로 '앞으로 올 것을 아는 것이다.' 괘의 덕은 방정(方正)하여 지혜롭고 6효(六爻)의 의미는 변역(變易)하여 길흉을 알려 주는 것은 지극히 변(變)하는 일이니, 곧 성인의 마음이 그것으로 '지나간 것을 간직하는 것이다.' 시초와 괘가 적연(寂然)히 움직이지 않다가 감동하여 마침내 천하의 일에 통달하는 것은 지극히 신묘한 일이니, 곧 성인의 마음이 그것으로 '은밀한 곳에 물러나 감추고, 길흉을 백성과 더불어 근심하는' 것이다. 이것으로 마음을 닦으면 성인의 덕이 되고, 이것으로 가르침을 세우면 성인의 도가 된다. 그러므로 성인이 역(易)을 지은 것이다.

明於天道, 則變化·象形之類是也; 察於民故, 則制法·利用之類是也. 因而寫之於易, 其兩儀·四象·八卦之交錯, 則變化·象形具矣. 吉凶定, 事業起, 則制法·利用寓矣. 於是託之蓍龜以前民用, 蓋與天地·四時·日月, 及崇高有位·備物成器之聖人, 其道上下同流, 而未之有異也. 言易之道, 於此盡矣, 故復總言以結之.

하늘의 도(道)에 밝은 것은 변화(變化)와 상(象)·형(形) 따위가 이것이고, 백성들의 사정을 살피는 일은 법(法)을 만들고 사용하는 것을 이롭게 하는 따위가 이것이다. 그렇기 때문에 역(易)에 그것을 모사하여 양의(兩儀)·4상(四象)·8괘(八卦)가 교착하니 변화(變化)와 상(象)·형(形)이 갖추어졌다. 길흉이 정해지고 사업이 일어나니 법(法)을 만들고 사용하는 것을 이롭게 하는 것이 붙어살게 되었다. 이에 시초와 귀갑에 의탁하여 백성이 사용하기 전에 앞서서 열어주었으니, 천지·사계절·일월과 더불어 그 숭고함이 지위가 있고 사물을 구비함이 기물(器物)을 이루는 데까지 미친 성인이, 그 도(道)가 아래위로 함께 유행하지만 다름이 있지 않았기 때문이다. 역(易)의 도를 말한 것이 여기에서 다 발휘되었기 때문에 다시 총괄하여 말하며 끝을 맺었다.

‘天生神物’, 結大衍之數也. ‘天地變化’·‘垂象’, 結‘闔闢·變通·見象·形器’之類也. ‘河出圖, 洛出書’, 結「河圖」數也. 易以蓍策而興, 以仰觀俯察而作, 而其發獨智者, 則莫大於龍馬之祥, 故其序又如此. 四象, 兼象·變; 繫辭, 辭也; 定吉凶, 占也. 復說四者以起大有上爻之意, 而終‘自天祐之吉無不利’之指也.

‘하늘이 신물(神物: 시초와 귀갑)을 만들어 내었다’는 말은 대연(大

衍)의 수(數)를 끝맺은 것이다. '천지가 변화하여' '하늘이 상(象)을 드리웠다'는 말은 '문을 닫는 것을 곤(坤)이라 하고 문을 여는 것을 건(乾)이라 하며, 한 번은 닫히고 한 번은 열리는 것을 변(變)이라 하고, 왕래(往來)함이 끝이 없는 것을 통(通)이라 하며, 드러난 것을 상(象)이라 하고 나타난 것을 기(器)라 한다'는 부류들을 끝맺은 것이다. '황하에서 도(圖)가 나오고 낙수(洛水)에서 서(書)가 나왔다'는 말은 「하도」의 수(數)를 끝맺은 것이다. 역(易)은 시초[蓍策]로 흥기하고, 위로 우러러봄에는 천문(天文)을 관찰하고 아래로 굽어봄에는 지리(地理)를 살피는 것으로 지어졌으며, 그 독특한 지혜를 드러낸 것은 상서로운 용마(龍馬)보다 큰 것이 없기 때문에 그 순서가 또 이와 같았다. 4상(四象)은 상(象)과 변(變)을 겸하고, 설명을 붙인 것은 설명[辭]이며, 길흉을 정하는 것은 점(占)이다. 다시 네 가지를 말하여 대유(大有☲)괘 상구(上九)효의 뜻을 일으켜 '하늘에서 도와주니 길하여 이롭지 않음이 없다'[62]는 취지를 끝맺었다.

---

62) 하늘에서 도와주니 길하여 이롭지 않음이 없다 : 「대유(大有)」괘 상구(上九)의 효사이다. 주자는 『주역본의(周易本義)』에서 "대유(大有)의 세상에 굳셈으로 위에 자리 잡아 아래로 육오(六五)효를 따르니, 이는 신의를 이행하고 순응을 생각하며 현자를 높이는 것이다. 가득하지만 넘치지 않으므로 그 점이 이와 같다.(大有之世, 以剛居上而能下從六五, 是能履信思順而尙賢也. 滿而不溢, 故其占如此.)"라고 하였다.

계사상 12

[계사상 12-1]

> 易曰 : "自天祐之, 吉無不利." 子曰 : "'祐'者, 助也. 天之所助者順也, 人之所助者信也. 履信思乎順, 又以尙賢也. 是以'自天祐之, 吉無不利'也."

역(易)에서 말했다. "하늘에서 도와주니 길(吉)하여 이롭지 않음이 없다." 공자가 말했다. "'우(祐)'는 돕는다는 뜻이다. 하늘이 돕는 것은 '이치를 따르는 재[順]'이고, 사람이 돕는 것은 '신의를 지키는 재[信]'이다. 신의를 실천하면서 이치를 따르기를 생각하고 또 현명한 사람을 높인다. 이 때문에 '하늘에서 도와주니 길하여 이롭지 않음이 없다'는 것이다."

本義

釋大有上九爻義. 然在此無所屬, 或恐是錯簡. 宜在第八章之末.

대유(大有䷍)괘 상구(上九)효의 의미를 해석하였다. 그러나 여기에
서는 소속될 곳이 없으니 아마 착간(錯簡)인 것 같다. 마땅히 제8장
의 끝에 있어야 할 것이다.

集說

● 侯氏行果曰 : "此引大有上九辭以證之也.   大有上九履信思
順, '自天祐之', 言人能依四象所示, 繫辭所告,[1] 則天及人皆共
祐之, 吉無不利者也."[2]

후행과(侯行果)가 말했다. "이는 대유(大有)괘 상구(上九)효의 효사
를 인용하여 증명한 것이다. 대유괘 상구효가 신의를 실천하면서
이치를 따르기를 생각하여 '하늘에서 도와준다'는 것은, 사람들이 4
상(四象)이 보여주는 바와 설명을 붙인 것이 알려주는 바에 의거하
면 하늘과 사람이 모두 함께 도와주니 길(吉)하여 이롭지 않음이
없다는 것을 말한다."

● 朱氏震曰 : "'天之所助者順也,   人之所助者信也', 六五履信而
思乎順, 又自下以尙賢. 是以'自天祐之, 吉無不利', 言此明獲天人
之理, 然後吉無不利. 聖人明於天之道, 而察於民之故, 合天人者
也."[3]

---

1) 繫辭所告 : 이정조(李鼎祚), 『주역집해(周易集解)』 권14에는 이 구절 뒤
   에 "又能思順[또 이치를 따를 것을 생각하면]"이라는 말이 더 있다.
2) 이정조(李鼎祚), 『주역집해(周易集解)』 권14에 후과(侯果)의 말로 기재
   되어 있다.

주진(朱震)이 말했다. "하늘이 돕는 것은 이치를 따르는 자[順]이고, 사람이 돕는 것은 신의를 지키는 자[信]이다'라는 것은 (대유괘) 육오(六五)효에게 신의를 실천하면서 따르기를 생각하고 또 스스로 낮추어 현명한 사람을 높인다는 말이다. 이 때문에 '하늘에서 도와주니 길(吉)하여 이롭지 않음이 없다'는 것은, 이를 말하여 하늘과 사람의 이치를 얻은 뒤에 길하여 이롭지 않음이 없음을 밝힌 말이다. 성인은 하늘의 도에 밝고 백성의 사정을 살펴 하늘과 사람을 합치한 사람이다."

● 柴氏中行曰 : "聖人興易以示天下,　欲'居則觀其象而玩其辭, 動則觀其變而玩其占', 捨逆取順, 避凶趨吉而已. 六十四卦中, 如大有上九辭之順道而獲吉者多矣.　夫子於此再三擧之者, 以 '自天祐之, 吉無不利'之辭, 深見人順道而行, 自與吉會之意."

시중행(柴中行)이 말했다. "성인이 역(易)을 흥기시켜 천하 사람들에게 보여준 것은 '자리 잡으면 그 상(象)을 살펴보고 그 말을 완미하며, 움직이면 그 변(變)을 살펴보고 그 점을 완미하여' 이치에 거스르는 것을 버리고 따르는 것을 취하며 흉함을 피하고 길함을 추구하려는 것일 뿐이다. 64괘 가운데 예컨대 대유괘 상구효의 효사가 도(道)를 따라 길함을 얻는 것이 많다. 공자가 여기에서 재삼 그 것을 거론한 것은 '하늘에서 도와주니 길(吉)하여 이롭지 않음이 없다'라는 말로 사람들이 도(道)를 따라 실행하면 저절로 길함을 만나리라는 뜻을 깊이 이해한 것이다."

● 何氏楷曰 : "取大有上九爻辭以結上文. '居則觀象而玩辭, 動則觀變而玩占', 則孜孜尙賢之意也. 是以'自天祐之, 吉無不利'也. 與第二章'自天祐之'語遙應, 非錯簡也."[4]

하해(何楷)가 말했다. "대유괘 상구효의 효사로 윗글을 끝맺었다. '자리 잡으면 그 상(象)을 살펴보고 그 말을 완미하며, 움직이면 그 변(變)을 살펴보고 그 점을 완미한다'는 것은 부지런히 현명한 사람을 높인다는 뜻이다. 이 때문에 '하늘에서 도와주니 길(吉)하여 이롭지 않음이 없다.' 이는 제2장의 '하늘에서 도와준다'는 말과 멀리서 호응하니 착간(錯簡)이 아니다."

案

何氏說是. 然卽是申釋第二章結語之意, 非遙應也.

하해(何楷)의 주장이 옳다. 그러나 이는 제2장의 맺음말의 뜻을 거듭 해석한 것이지, 멀리서 호응한 것은 아니다.

---

4) 하해(何楷), 『고주역정고(古周易訂詁)』 권11.

子曰 : "書不盡言, 言不盡意. 然則聖人之意其不可
見乎? 子曰 : 聖人立象以盡意, 設卦以盡情僞, 繫
辭焉以盡其言, 變而通之以盡利, 鼓之舞之以盡神.

공자가 말했다. "글로는 말을 다 표현하지 못하고, 말로는 뜻을 다
표현하지 못한다. 그렇다면 성인의 뜻은 알 수 없는가? 성인이 상(象)
을 세워 뜻을 다 표현하고, 괘를 만들어 실정과 허위를 다 표현하며,
설명[辭]을 붙여 그 말을 다 표현하고, 변(變)하고 소통시켜 이로움을
다 표현하며, 고무(鼓舞)시켜 신묘(神妙)함을 다 표현하였다.

本義

言之所傳者淺, 象之所示者深, 觀奇耦二畫, 包含變化, 無有
窮盡, 則可見矣. 變通 · 鼓舞, 以事而言. 兩'子曰'字宜衍其一.
蓋'子曰'字皆後人所加, 故有此誤. 如近世『通書』, 乃周子所
自作, 亦爲後人每章加以'周子曰'字, 其設問答處, 正如此也.

말로 전하는 것은 얕고 상(象)으로 보여주는 것은 깊으니, 홀과 짝
두 획이 변화를 포함하여 다함이 없는 것을 보면 알 수 있다. 변통
(變通)과 고무(鼓舞)는 일로 말한 것이다. 두 개의 '자왈(子曰)'이라
는 글자 가운데 그 하나는 마땅히 연문(衍文)일 것이다. '자왈(子
曰)'이라는 글자는 모두 후대 사람이 붙인 것이기 때문에 이러한 잘
못이 있다. 예컨대 근세의 『통서(通書)』는 곧 주자(周子 : 周敦頤)가

스스로 지은 것인데, 또한 후대 사람이 매 장(章)마다 '주자왈(周子曰)'이라는 글자를 붙여 그것을 문답(問答) 형식으로 만든 것이 바로 이와 같다.

● 崔氏憬曰 : "言伏羲仰觀俯察, 而立八卦之象以盡其意. 設卦, 謂因而重之爲六十四卦, 情僞盡在其中矣. 作卦爻之辭以繫伏羲立卦之象,[5] 象旣盡意, 故辭亦盡言也."[6]

최경(崔憬)이 말했다. "복희씨가 위로 우러러봄에는 천문(天文)을 관찰하고 아래로 굽어봄에는 지리(地理)를 살펴보아 8괘의 상(象)을 세워 그 뜻을 다 표현했다는 것을 말한다. 괘를 만들었다는 것은 그것을 바탕으로 거듭해 중첩하여 64괘를 만들었음을 말하니, 실정과 허위가 그 가운데 다 표현되었다. (문왕이) 괘사와 효사를 지어 복희씨가 괘를 세운 상(象)에 붙였다는 것은, 상(象)이 이미 뜻을 다 표현했기 때문에 설명[辭] 또한 말을 다 표현했다는 것이다."

● 蘇氏軾曰 : "辭約而義廣, 故能盡其言."[7]

소식(蘇軾)[8]이 말했다. "설명[辭]은 간략하지만 의미가 넓기 때문에

---

5) 作卦爻之辭以繫伏羲立卦之象 : 이정조(李鼎祚), 『주역집해(周易集解)』 권14에는 "文王作卦爻之辭以繫伏羲立卦之象[문왕이 괘사와 효사를 지어서 복희씨가 괘를 세운 상(象)에 붙였다는 것은]"이라고 되어 있다.
6) 이정조(李鼎祚), 『주역집해(周易集解)』 권14에 최경의 말로 실려 있다.
7) 소식(蘇軾), 『동파역전(東坡易傳)』 권7.

그 말을 다 표현할 수 있다."

● 『朱子語類』云 : "'立象盡意', 是觀奇耦兩畫, 包含變化, 無有
窮盡. '設卦以盡情僞', 謂有一奇一耦, 設之於卦, 自是盡得天下
情僞. '繫辭焉'便斷其吉凶. '變而通之以盡利', 此言占得此卦,
陰陽老少交變, 因其變便有通之之理. '鼓之舞之以盡神', 旣占
則無所疑,9) 自然行得順便. 如言'顯道, 神德行', '成天下之亹亹',
皆是'鼓之舞之'意."10)

『주자어류』에서 말했다. "'상(象)을 세워 뜻을 다 표현한다'는 홀과
짝 두 획이 변화를 포함하여 다함이 없는 것을 본다는 말이다. '괘
를 만들어 실정과 허위를 다 표현한다'는 것은 한 번은 홀이 되고
한 번은 짝이 되는 것을 괘에 설치하여 이것으로부터 천하의 실정

....

8) 소식(蘇軾, 1037~1101) : 자는 자첨(子瞻), 화중(和仲)이고, 호는 동파거
사(東坡居士), 설당(雪堂), 단명(端明), 미산적선객(眉山謫仙客), 소염
경(笑髥卿), 적벽선(赤壁仙) 등이며, 북송 미주 미산(眉州眉山 : 현 사천
성 미산〈眉山〉) 사람이다. 소순(蘇洵)의 아들이고 소철(蘇轍)의 형으로
대소(大蘇)라고도 불렸다. 송대 저명한 문필가로 당송팔대가(唐宋八大
家)의 한 사람이다. 북송 인종(仁宗) 가우(嘉祐) 2년(1057) 진사에 급제
하여, 벼슬은 중서사인(中書舍人), 한림학사겸시독(翰林學士兼侍讀),
한림승지(翰林承旨), 예부상서(禮部尙書) 등을 역임했다. 저서에 『동파
칠집(東坡七輯)』, 『동파역전(東坡易傳)』, 『동파서전(東坡書傳)』, 『동파
악부(東坡樂府)』, 『논어설(論語說)』 등이 있다.
9) 旣占則無所疑 : 주희, 『주자어류』 권75, 90조목에는 이 구절 앞에 "未占
得則有所疑[아직 점을 치기 전에는 의심하던 것이 있지만]"라는 말이 더
있다.
10) 주희, 『주자어류』 권75, 90조목.

과 허위를 모두 얻는다는 말이다. '설명[辭]을 붙인다'는 말은 곧 길흉을 결단하는 것이다. '변(變)하고 소통시켜 이로움을 다 표현한다'는 것은 이 괘를 점쳐 얻어 음양의 노소(老少)가 교착하면서 변(變)할 때 그 변을 따르면 그것을 소통시키는 이치가 있다는 것을 말한다. '고무(鼓舞)시켜 신묘(神妙)함을 다 표현한다'는 것은 점을 치고 난 다음에는 의심하던 것이 없어지기 때문에, 자연스럽게 행동이 순조롭다는 말이다. 예컨대 ([계사상 9-9]에서) '도(道)를 드러내고 덕행을 펼치게 한다'고 말한 것과 ([계사상 11-7]에서) '천하 사람들이 힘써야 할 것을 이룬다'고 말한 것은 모두 '고무(鼓舞)시킨다'의 뜻이다."

● 又云 : "歐公說「繫辭」不是孔子作, 所謂'書不盡言, 言不盡意'者非. 蓋他不曾看'立象以盡意'一句. 惟其'言不盡意', 故立象以盡之. 學者於言上會得者淺, 於象上會得者深."[11]

(주자가) 또 말했다. "구공(歐公 : 歐陽修)[12]은 「계사전」은 공자가

---

11) 주희, 『주자어류』 권66, 66조목.
12) 구양수(歐陽修, 1007~1072) : 자는 영숙(永叔)이고, 호는 취옹(醉翁), 육일거사(六一居士)이며, 시호는 문충(文忠)이다. 북송(北宋)시대 길주 영풍(吉州永豐 : 현 강서성 갈안시 영풍현〈吉安市永豐縣〉) 사람으로 정치가, 문인, 학자로 저명하다. 가난한 집안에서 태어나 4살 때 아버지를 여의고 문구를 살 돈이 없어 어머니가 모래 위에 갈대로 글씨를 써서 가르쳤다고 한다. 10살 때 한유(韓愈)의 전집을 읽은 것이 문학의 길로 들어선 계기가 되었다. 1030년 진사에 급제하여, 벼슬은 한림원학사(翰林院學士), 추밀부사(樞密副使), 참지정사(參知政事) 등을 거쳐 태자소사(太子少師)를 역임하였다. 인종(仁宗)과 영종(英宗) 때 범중엄(范仲淹)을 중심으로 한 신관료파에 속하여 활약했으나, 신종(神宗) 때 동향

지은 것이 아니고, 이른바 '글로는 말을 다 표현하지 못하고, 말로는 뜻을 다 표현하지 못한다'는 것도 틀렸다고 말했다. 그 이유는 그가 '상(象)을 세워 뜻을 다 표현한다'라는 한 구절을 제대로 본 적이 없기 때문이다. 오직 '말로는 뜻을 다 표현하지 못하기' 때문에 상을 세워 그것을 다 표현한 것이다. 배우는 사람은 말에서 이해한 것이 얕더라도, 상(象)에서 이해한 것이 깊어야 한다."

● 問 : "'鼓之舞之以盡神', 又言, '鼓天下之動者存乎辭.' 鼓舞, 恐只是振揚發明底意思否?" 曰 : "然. 蓋提撕警覺, 使人各爲其所當爲也."13)

물었다. "'고무(鼓舞)시켜 신묘(神妙)함을 다 표현하였다'라 하였고, 또 '천하의 움직임을 고무시키는 것은 설명[辭]에 있다'라고 하였다. 여기에서 고무시킨다는 말은 진작시켜 분명하게 드러내도록 하는 뜻인 것 같습니다?"
(주자가) 대답했다. "그렇다. 경각심을 불러일으켜 사람들에게 각각 마땅히 해야 할 일을 하도록 하는 것이다."

후배인 왕안석(王安石)의 신법(新法)에 반대하여 관직에서 물러났다. 그는 한유(韓愈), 유종원(柳宗元), 소식(蘇軾)과 더불어 '천고문장사대가(千古文章四大家)'라고 일컬어지고, 한유(韓愈), 유종원(柳宗元), 소식(蘇軾), 소순(蘇洵), 소철(蘇轍), 왕안석(王安石), 증공(曾鞏)과 더불어 '당송산문팔대가(唐宋散文八大家)'라 불린다. 일찍이 『신당서(新唐書)』 편수에 참여했고, 『신오대사(新五代史)』와 『집고록(集古錄)』을 편집했다. 저서로 『구양문충집(歐陽文忠集)』이 있다.
13) 주희, 『주자어류』 권75, 95조목.

● 吳氏澄曰 : "'立象', 謂羲皇之卦畫, 所以示者也. '盡意', 謂雖無言, 而與民同患之意, 悉具於其中. '設卦', 謂文王設立重卦之名. '盡情僞', 謂六十四名, 足以盡天下事物之情. '辭', 謂文王·周公之象·爻, 所以告者也. 羲皇之卦畫, 足以盡意矣, 文王又因卦之象, 設卦之名以盡情僞. 然卦雖有名, 而未有辭也, 又繫象辭·爻辭, 則足以盡其言矣. '設卦'一句, 在'立象'之後, '繫辭'之前, 蓋竟盡意之緒, 啓盡言之端也."[14]

오징(吳澄)이 말했다. "'상(象)을 세웠다'는 복희씨가 괘의 획으로 보여준 것을 말한다. '뜻을 다 표현했다'는 비록 말이 없지만 백성들과 우환을 같이한다는 뜻이 모두 그 가운데 갖추었다는 것을 말한다. '괘를 만들었다'는 문왕이 8괘를 중첩한 64괘의 이름을 설립한 것을 말한다. '실정과 허위를 다 표현했다'는 64괘의 이름이 천하 사물의 실정을 충분히 다 표현했다는 것을 말한다. '설명[辭]'은 문왕과 주공이 단사(彖辭)와 효사(爻辭)로 알려준 것을 말한다. 복희씨의 괘와 획이 뜻을 충분히 다 표현했고, 문왕이 또 괘의 상(象)에 따라 괘의 이름을 만들어 실정과 허위를 다 표현했다. 그렇지만 괘에 비록 이름은 있어도 아직 설명이 없었기 때문에 또 단사(彖辭)와 효사(爻辭)를 붙였으니 그 말을 충분히 다 표현했다. '괘를 만들었다'는 구절이 '상(象)을 세웠다'는 구절 뒤 '설명[辭]을 붙였다'는 구절 앞에 있는 것은, 뜻을 다 표현하는 실마리를 끝마치고 말을 다 표현하는 단서를 열었기 때문이다."

● 梁氏寅曰 : "意非言可盡, 則立象以盡意矣; 言非書可盡, 而又謂繫辭盡其言, 何也? 曰, '言止於是而已矣, 而意之無窮, 聖

---

14) 오징(吳澄), 『역찬언(易纂言)』 권7.

人故貴於象也. 故特首之曰「立象以盡意.」"[15]

양인(梁寅)[16]이 말했다. "뜻은 말로 다 표현할 수 있는 것이 아니니 상(象)을 세워 뜻을 다 표현했고, 말은 글로 다 표현할 수 있는 것이 아니니 또 설명을 붙여 그 말을 다 표현했다고 하는데, 무엇 때문인가? 대답한다. '말은 어떤 곳에서 그치지만 뜻은 무궁하니, 성인은 그 때문에 상(象)을 귀하게 여겼다. 그러므로 특별히 첫머리에 상(象)을 세워 뜻을 다 표현한다라고 말했다.'"

● 錢氏志立曰 : "聖人之意, 不能以言盡, 而盡於立象, 此聖人以象爲言也. 因而繫辭, 凡聖人所欲言者, 又未嘗不盡於此."

전지립(錢志立)이 말했다. "성인의 뜻은 말로는 다 표현할 수 없지만 상(象)을 세운 데는 다 표현되어 있으니, 이는 성인이 상(象)으로

---

15) 양인(梁寅), 『주역참의(周易參義)』 권7.

16) 양인(梁寅, 1309~1390) : 자는 맹경(孟敬)이고, 호는 양오경(梁五經) 또는 석문선생(石門先生)이다. 원말명초 강서 신유(江西新喩 : 현 강서성 신여시〈新餘市〉) 사람으로 대대로 농사를 지어 가난했다. 스스로 배우기를 게을리 하지 않아 오경(五經)에 정통했고, 백가(百家)의 학설을 두루 익혔다. 여러 차례 과거에 응시했지만 떨어졌다. 원나라 말에 일찍이 집경로유학훈도(集慶路儒學訓導)로 부름을 받아 2년 동안 있다가 사직하고 은거하여 학생들을 가르쳤다. 명나라 초기에 명유(名儒)로 불려 예국(禮局)에서 각종 예제(禮制)에 대해 토론했는데, 논리가 정확하고 예리해 여러 학자들이 탄복했다. 예악서(禮樂書)를 찬수하고 벼슬을 내렸지만 사양하고 귀향하여 석문산(石門山)에서 학문을 강론했다. 저서에 『예서연의(禮書演義)』, 『주례고주(周禮考注)』, 『춘추고서(春秋考書)』 등이 있었지만 전해지지 않고, 『석문집(石門集)』과 『주역참의(周易參義)』, 『시연의(詩演義)』만 남아 있다.

말했기 때문이다. 그러나 이어서 설명[辭]을 붙였으니, 무릇 성인이 말하려고 했던 것은 또 여기에서 다 표현되지 않은 적이 없다."

案

'立象', 朱子謂指奇耦二畫, 崔氏·吳氏則謂是八卦之象, 似爲得之, 崔氏說又較明也. '變通'·'鼓舞', 『語類』俱著占筮說, 然須知象·辭之中, 便已具'變通'·'鼓舞'之妙, 特因占而用爾. 故下文'化而裁之, 存乎變; 推而行之, 存乎通', 皆是指象·辭中之理, 有變有通, 非專爲七·八·九·六之變也. '鼓舞', 卽是下文'鼓天下之動'意.

'상(象)을 세운다'는 것에 대해 주자는 홀과 짝 두 개의 획을 가리킨다고 말했는데, 최경(崔憬)과 오징(吳澄)이 8괘의 상(象)이라고 말한 것이 맞는 것 같다. 또 그 가운데 최경의 주장이 비교적 명확하다. '변(變)하고 소통시키며' '고무(鼓舞)시킨다'는 것에 대해 『주자어류』에서는 모두 점치는 것으로 말하고 있지만, 상(象)과 설명[辭] 가운데 이미 '변(變)하고 소통시키며' '고무(鼓舞)시킨다'는 오묘함을 갖추었으니, 다만 점치는 일로 인해 그것을 쓸 뿐이라는 것을 반드시 알아야 된다. 그러므로 아래 글[계사상 12-4]에서 '그것을 화(化)하여 재제(裁制)하는 것은 변(變)에 있고, 그것을 미루어 행하는 것은 통(通)에 있다'라고 한 것은, 모두 상(象)과 설명 가운데의 이치가 변(變)도 있고 통(通)도 있으니 오로지 7·8·9·6의 변(變)만 되는 것이 아님을 가리킨다. '고무(鼓舞)시킨다'는 것은 곧 아래 글[계사상 12-5]의 '천하의 움직임을 고무시킨다'는 뜻이다.

象足以盡意, 故因象繫辭. 足以盡言, 但添一'焉'字而意自明, 聖
筆之妙也.

상(象)은 뜻을 충분히 다 표현하기 때문에 상에 따라 설명[辭]을 붙
였다. 설명은 말을 충분히 다 표현하지만 '언(焉 : 거기에)'이라는 글
자를 첨가하여 뜻이 자명하게 된 것은 성인의 글이 오묘해서이다.

乾·坤其易之縕邪? 乾·坤成列, 而易立乎其中矣.
乾·坤毁, 則無以見易; 易不可見, 則乾·坤或幾乎
息矣.

건(乾)·곤(坤)은 역(易)의 심오한 함의를 간직한 것인가? 건(乾)·곤
(坤)이 열(列)을 이루고 역(易)이 그 가운데 정립된다. 건(乾)·곤(坤)
이 무너지면 역(易)을 볼 수 없고, 역(易)을 볼 수 없으면 건(乾)
·곤(坤)이 거의 종식(終息)될 것이다.

本義

'縕', 所包蓄者, 猶衣之著也. 易之所有, 陰陽而已. 凡陽皆乾,
凡陰皆坤. 畫卦定位, 則二者成列, 而易之體立矣. '乾·坤毁',
謂卦畫不立; '乾·坤息', 謂變化不行.

'온(縕)'은 감싸서 함축한 것이니, 옷을 입는 것과 같다. 역(易)이 지
니고 있는 것은 음(陰)·양(陽)일 뿐이다. 모든 양(陽)은 모두 건
(乾)이고 모든 음(陰)은 모두 곤(坤)이다. 괘를 그어 자리를 정하면
건·곤 두 가지가 열(列)을 이루어 역(易)의 체(體)가 정립된다. '건
·곤이 무너진다'는 것은 괘획(卦畫)이 서지 못하는 것을 말하고,
'건·곤이 종식(終息)된다'는 것은 변화(變化)가 행해지지 못하는 것
을 말한다.

集說

● 胡氏瑗曰 : "此言大易之道, 本始於天地. 天地設立, 陰陽之端, 萬物之理, 萬事之情, 以至寒暑往來, 日月運行, 皆由乾·坤之所生. 故乾·坤成而易道變化建立乎其中矣. 若乾·坤毀棄, 則無以見易之用; 易旣毀, 則無以見乾·坤之用. 如是, '乾·坤或幾乎息矣.'"17)

호원(胡瑗)이 말했다. "이는 대역(大易)의 도(道)가 본래 천지에서 시작함을 말한다. 천지가 설립되면 음양의 단서와 만물의 이치와 만사의 실정 및 추위와 더위가 왕래하고 일월이 운행하는 것 모두가 건(乾)·곤(坤)이 낳는 것에 말미암는다. 그러므로 건·곤이 이루어지고 나서 역(易)의 도(道)인 변화가 그 가운데 건립된다. 만약 건·곤이 무너져 버리면 역의 작용을 볼 수 없고, 역이 무너지고 나면 건·곤의 작용을 볼 수 없다. 이와 같으면 '건·곤이 거의 종식(終息)될 것이다.'"

● 張子曰 : "乾·坤, 天地也; 易, 造化也."18)

장자(張子 : 張載)가 말했다. "건·곤은 천지이고, 역(易)은 조화(造化)이다."

● 蘇氏軾曰 : "乾·坤之於易, 猶日之於歲也. 除日而求歲, 豈可得哉? 故乾·坤毀則易不可見矣, 易不可見則乾爲獨陽, 坤爲獨

---

17) 호원(胡瑗), 『주역구의(周易口義)』「계사상(繫辭上)」.
18) 장재(張載), 『횡거역설(橫渠易說)』 권3.

陰, 生生之功息矣."[19]

소식(蘇軾)이 말했다. "건·곤이 역(易)에 대한 것은 마치 날[日]이 세월에 대한 것과 같다. 날자를 제거하고 세월을 구하면 어찌 얻을 수 있겠는가? 그러므로 건·곤이 무너지면 역을 볼 수 없고 역을 볼 수 없으면 건은 독양(獨陽 : 양만 있고 음이 없는 것)이 되고 곤은 독음(獨陰 : 음만 있고 양이 없는 것)이 되어 낳고 낳는 공효가 종식될 것이다."

● 葉氏良佩曰 : "乾位乎上, 坤位乎下, 乾·坤成列, 而易已立乎 其中矣. 四德之循環, 萬物之出入, 易與天地相爲無窮, 必乾·坤 毁則無以見耳. 若'易不可見, 則乾坤或幾乎息矣.'"

섭량패(葉良佩)[20]가 말했다. "건(乾)이 위에 자리 잡고 곤(坤)이 아래에 자리 잡아 건·곤이 열(列)을 이루면 역(易)은 이미 그 가운데 정립된다. 4덕이 순환하고 만물이 출입할 때 역은 천지와 서로 무궁하지만 다만 건·곤이 무너지면 볼 수 없게 될 뿐이다. 만약 '역(易)을 볼 수 없으면 건·곤은 거의 종식(終息)될 것이다.'"

此節及'形而上者'一節, 皆是就造化·人事說, 以見聖人立象·設

19) 소식(蘇軾), 『동파역전(東坡易傳)』 권7.
20) 섭량패(葉良佩) : 자는 경지(敬之)이고, 명(明)대 태주 태평(台州太平 : 현 절강성 태평) 사람이다. 명 세종(世宗) 가정(嘉靖) 2년(1523)에 진사에 급제하여 벼슬은 형부낭중(刑部郞中)에 이르렀다. 저서에 『주역의총(周易義叢)』, 『섭해봉문(葉海峰文)』이 있다.

卦之所從來, 未是說卦畫·蓍變. '夫象'以下, 方是說聖人立象·
設卦·繫辭之事.

이 구절과 ([계사상 12-4]의) '형이상자'로 시작하는 구절은 모두 조
화(造化)와 인사(人事)에서 말하여 성인이 상(象)을 세우고 괘를
만든 유래를 보인 것이지만, 아직 괘의 획과 시초의 변(變)을 말하
지 않았다. ([계사상 12-5]의) '무릇 상(象)은'이라는 구절 이하에서
비로소 성인이 상(象)을 세우고 괘를 만들며 설명[辭] 붙인 일을
말했다.

> 是故形而上者謂之道, 形而下者謂之器. 化而裁之
> 謂之變, 推而行之謂之通, 舉而錯之天下之民謂之
> 事業.

그러므로 형이상자(形而上者)를 도(道)라 하고, 형이하자(形而下者)
를 기(器)라고 한다. 화(化)하여 재제(裁制)하는 것을 변(變)이라 하
고, 미루어 행하는 것을 통(通)이라 하며, 들어서 천하의 백성에게
베푸는 것을 사업(事業)이라고 한다.

本義

卦爻陰陽皆'形而下者', 其理則道也. 因其自然之化而裁制
之, '變'之義也. '變'·'通'二字, 上章以天言, 此章以人言.

괘(卦)와 효(爻)의 음(陰)·양(陽)은 모두 '형이하자'이고, 그 이치는
도(道)이다. 그 저절로 그러한 화(化)에 따라 재제(裁制)하는 것은
'변(變)'의 의미이다. '변(變)'과 '통(通)' 두 글자는 위 장(章)에서는
하늘로 말하였고, 이 장(章)에서는 사람으로 말했다.

集說

● 孔氏穎達曰 : "陰·陽之化, 自然相裁, 聖人亦法此而裁節也."[21]

공영달(孔穎達)이 말했다. "음·양의 화(化)는 저절로 그렇게 서로 재제하니, 성인도 또한 이것을 본받아 재제하였다."

● 程子曰 : "'形而上者'爲道, '形而下者'爲器, 須著如此說. 器亦道, 道亦器也."[22]

정자(程子 : 程頤)가 말했다. "'형이상자'는 도(道)가 되고 '형이하자'는 기(器)가 되니, 반드시 이와 같이 말해야 된다. 그렇지만 기는 또한 도이고 도는 또한 기이다."

● 又曰 : "「繫辭」曰, '形而上者謂之道, 形而下者謂之器', 又曰, '立天之道曰陰與陽, 立地之道曰柔與剛, 立人之道曰仁與義', 又曰, '一陰一陽之謂道.' 陰陽亦形而下者也, 而曰道者, 唯此語截得上下最分明. 元來只此是道, 要在人默而識之也."[23]

(정자가) 또 말했다. "「계사전」에서 '형이상자(形而上者)를 도(道)라 하고, 형이하자(形而下者)를 기(器)라고 한다'라 말했고, 또 (「설괘전」제2장에서) '하늘의 도(道)를 세워 음(陰)과 양(陽)이라 했고, 땅의 도를 세워 유(柔)와 강(剛)이라 했으며, 사람의 도를 세워 인(仁)과 의(義)라고 했다'고 말했으며, 또 ([계사상 5-1]에서) '한 번은 음(陰)이 되고 한 번은 양(陽)이 되는 것을 도(道)라고 한다'고 말했다. 음양은 또한 형이하자인데 도(道)라고 말했으니, 오직 이 말만이 형이상자와 형이하자의 경계를 구분한 것이 가장 분명하다. 원

---

21) 공영달 소(孔穎達 疏), 『주역주소(周易註疏)』 권11.
22) 정호·정이(程顥·程頤), 『하남정씨유서(河南程氏遺書)』 권1.
23) 정호·정이(程顥·程頤), 『하남정씨유서(河南程氏遺書)』 권11.

래는 단지 이것만이 도(道)였으니, 중요한 것은 사람들이 묵묵히 그것을 인식하는 데 달려있을 뿐이다.”

● 張氏浚曰 : “道形而上, 神則妙之; 器形而下, 體則著之. 道之與器, 本不相離, 散而在天地萬物之間者, 其理莫不皆然.”[24]

장준(張浚)이 말했다. “도(道)는 형이상이니 그 신령함은 (형이하를) 오묘하게 하고, 기(器)는 형이하이니 그 몸체는 (형이상을) 드러나게 한다. 도는 기와 본래 서로 떨어지지 않으니, 흩어져 천지만물사이에 있는 것은 그 이치가 모두 그렇지 않은 것이 없다.”

● 王氏宗傳曰 : “道也者, 無方無體, 所以妙是器也; 器也者, 有方有體, 所以顯是道也. 道外無器, 器外無道, 其本一也. 故‘形而上者’與‘形而下者’, 皆謂之‘形.’ ‘化而裁之’, 則是器, 有所指別, 而名體各異, 故謂之‘變.’ ‘推而行之’, 則是變, 無所凝滯, 而運用不窮, 故謂之‘通.’ ‘擧’是變·通之用, 而‘措之天下之民’, 使之各盡其所以相生相養之道, 故謂之事業.”[25]

왕종전(王宗傳)이 말했다. “도(道)는 방소(方所)가 없고 형체가 없기 때문에 그것으로 이 기(器)를 오묘하게 한다. 기(器)는 방소(方所)가 있고 형체가 있기 때문에 그것으로 이 도(道)를 드러낸다. 그러나 도 밖에 기가 없고, 기 밖에 도가 없어 그것들은 본래 하나이다. 그러므로 ‘형이상자’와 ‘형이하자’를 모두 ‘형(形)’이라고 말했다. ‘화(化)하여 재제(裁制)하는 것’은 기(器)인데, 가리키는 것이 구별

---

24) 장준(張浚), 『자암역전(紫巖易傳)』 권7.
25) 왕종전(王宗傳), 『동계역전(童溪易傳)』 권28.

이 있어 그 몸체를 이름 짓는 것이 각각 다르기 때문에 '변(變)'이라 말했다. '미루어 행하는 것'은 변(變)인데, 막히거나 걸림이 없어 그 운용이 끝이 없기 때문에 '통(通)'이라고 말했다. '든다[擧]'는 것은 변(變)과 통(通)의 작용이고, '천하의 백성에게 베푸는 것'은 그들에 게 각각 그것으로 상생(相生)하고 서로 길러주는 도(道)를 다 발휘 하도록 하므로 사업(事業)이라고 하였다."

● 『朱子語類』云 : "'形而上者謂之道, 形而下者謂之器.' 道是道理, 事事物物皆有個道理; 器是形跡, 事事物物亦皆有個形跡. 有道須有器, 有器須有道, 物必有則."[26]

『주자어류』에서 말했다. "'형이상자(形而上者)를 도(道)라 하고, 형 이하자(形而下者)를 기(器)라고 한다.' 도(道)는 도리이니 사물마다 모두 도리가 있고, 기(器)는 형적(形跡)이니 사물마다 형적이 있다. 도가 있으면 반드시 기가 있고 기가 있으면 반드시 도가 있으니, 사물에는 반드시 법칙이 있다."

● 問 : "'形而上·下', 如何以形言?" 曰 : "此言最的當. 設若以'有 形'·'無形'言之, 便是物與理相間斷了. 所以謂'截得分明'者, 只 是上下之間, 分別得一個界止分明. 器亦道, 道亦器, 有分別而 不相離也."[27]

물었다. "'형이상·하'는 무엇 때문에 형(形)을 기준으로 말했습니 까?"

....

26) 주희, 『주자어류』 권75, 107조목.
27) 주희, 『주자어류』 권75, 106조목.

(주자가) 대답했다. "이렇게 말하는 것이 가장 적절하기 때문이다. 만약 '형체가 있다'·'형체가 없다'고 말하면 사물과 이치가 서로 단절된다. 그러므로 정자(程子)가 '경계를 구분한 것이 가장 분명하다'고 말한 것은 다만 상·하 사이에 경계를 분별함이 분명하다는 뜻일 뿐이다. 기(器)는 또한 도(道)이고 도는 또한 기이니, 분별이 있지만 서로 떨어지지 않는다."

● 問 : "只是這一個道理, 但卽形器之本體而離乎形器, 則謂之道; 就形器而言, 則謂之器. 聖人因其自然, 化而裁之, 則謂之變; 推而行之, 則謂之通; 舉而措之, 則謂之事業. 裁也·行也·措也, 都只是裁·行·措這個道."
曰 : "是."[28]

물었다. "다만 이 하나의 도리일 뿐인데, 곧 형기(形器)의 본체이면서 형기를 떠나 있으면 도라고 하고, 형기에서 말하면 기라고 합니다. 성인은 저절로 그러함에 따라 화(化)하여 재제(裁制)하는 것을 변(變)이라 하고, 미루어 행하는 것을 통(通)이라 하며, 들어서 천하의 백성에게 베푸는 것을 사업(事業)이라고 했습니다. 재제함, 행함, 베풂은 모두 이 도(道)를 재제하고 행하며 베푸는 것일 뿐입니다."
(주자가) 대답했다. "옳다."

● 方氏應祥曰 : "此節正好體認立象·盡意處. 乾坤象也, 而曰 '易之縕', 曰'易立乎其中', 則意盡矣. 正以象之所在卽道也. '是

28) 주희, 『주자어류』 권75, 112조목.

故'字, 承上乾坤來. '形而上'·'形而下', 所以俱言'形'者, 見得本
此一物, 若舍此一字, 專言'上者'·'下者', 便分兩截矣."

방응상(方應祥)[29])이 말했다. "이 구절은 바로 상(象)을 세우고 뜻을
다 표현하는 것을 체인한 곳이다. 건곤은 상(象)인데, '역(易)의 심
오한 함의를 간직한 것이다'라고 말하고, '역(易)이 그 가운데 정립
된다'라고 말했으니, 뜻이 다 표현되었다. 그것은 바로 상(象)이 있
는 곳이 곧 도(道)이기 때문이다. '그러므로'라고 말한 것은 위의 건
곤을 이어온 것이다. '형이상'·'형이하'에서 모두 '형(形)'을 말한 것
은, 본래 이것은 하나인데 만약 이 '형(形)'이라는 글자를 버리고 오
로지 '상자(上者 : 높은 차원의 것)'·'하자(下者 : 낮은 차원의 것)'라
고만 말하면 두 가지로 나누어짐을 안 것이다."

---

29) 방응상(方應祥, 1560~1628) : 자는 맹선(孟旋)이고 호는 청동(青峒)이
다. 명(明)대 구주부 서안현(衢州府西安縣 : 현 절강성 구주시〈衢州
市〉) 사람이다. 학문이 깊고 넓어서 30세가 되기 전에 제자들을 가르쳐
당시에 명망이 높았다. 명(明) 만력(萬曆) 44년(1616)에 진사에 급제하
여 남경병부직방사주사(南京兵部職方司主事), 전사부랑중(轉祠部郎
中), 산동포정사참정 겸 안찰사첨사(山東布政司參政兼按察司僉事) 등
을 역임하였다. 저서에는 『사서강의(四書講義)』, 『청래각문집(青來閣文
集)』 등이 있다.

[계사상 12-5]

是故夫象, 聖人有以見天下之賾, 而擬諸其形容,
象其物宜. 是故謂之象. 聖人有以見天下之動, 而
觀其會通, 以行其典禮, 繫辭焉以斷其吉凶. 是故
謂之爻.

그러므로 상(象)은 성인이 그것으로 천하의 번잡한 것을 보고 그
형상에서 헤아려 그 사물의 마땅함을 상징한 것이다. 이 때문에 상
(象)이라고 말했다. 성인이 그것으로 천하의 움직임을 보고 그 회통
(會通)을 살펴보아 그 전례(典禮)를 행하며 설명[辭]을 붙여 길흉을
결단하였다. 이 때문에 효(爻)라고 말했다.

本義

重出以起下文.

거듭 나와서 아래 글을 일으켰다.

集說

● 陸氏績曰: "此明說立象盡意·設卦盡情僞之意也."[30]

....

30) 요사린(姚士粦) 편, 『육씨역해(陸氏易解)』.

육적(陸績)이 말했다. "이는 상(象)을 세워 뜻을 다 표현하고, 괘를 만들어 실정과 허위를 다 표현한다는 뜻을 분명하게 말한 것이다."

● 孔氏穎達曰 : "下文'極天下之賾存乎卦, 鼓天下之動存乎辭', 爲此故更引其文也."[31]

공영달(孔穎達)이 말했다. "아래 글[계사상 12-6] '천하의 번잡함을 극진히 하는 것은 괘(卦)에 있고, 천하의 움직임을 고무(鼓舞)시키는 것은 설명[辭]에 있다'라는 구절은 이 때문에 다시 그 글을 인용하였다."

31) 공영달 소(孔穎達 疏), 『주역주소(周易註疏)』권11.

極天下之賾者存乎卦, 鼓天下之動者存乎辭.

천하의 번잡함을 극진히 하는 것은 괘(卦)에 있고, 천하의 움직임을 고무(鼓舞)시키는 것은 설명[辭]에 있다.

本義

卦卽象也, 辭卽爻也.

괘는 곧 상(象)이고, 설명[辭]은 곧 효(爻)이다.

集說

● 『朱子語類』云 : "'極天下之賾者存乎卦', 謂卦體之中, 備陰陽變易之形容. '鼓天下之動者存乎辭', 是說出這天下之動, 如'鼓之舞之'相似."[32]

『주자어류』에서 말했다. "'천하의 번잡함을 극진히 하는 것은 괘(卦)에 있다'는 괘체(卦體) 가운데 음양 변역의 형상을 갖추었다는 것을 말한다. '천하의 움직임을 고무하는 것은 설명에 있다'는 이 천하의 움직임이 마치 '그것을 고무(鼓舞)시킨다'는 것과 서로 비슷하다는 것을 말한다."

----

32) 주희, 『주자어류』 권75, 90조목.

● 俞氏琰曰 : "賾以象著, 卦有象, 則窮天下之至雜至亂, 無有遺者, 故曰'極.' 動以辭決, 使天下樂於趨事赴功者, 手舞足蹈而不能自已, 故曰'鼓.'"[33]

유염(俞琰)이 말했다. "번잡함은 상(象)으로 드러나는데, 괘에 상(象)이 있는 것은 천하의 지극히 번잡한 것을 캐물음에 남기는 것이 없기 때문에 '극진하다'고 말했다. 움직임은 설명[辭]으로 결단하는데, 천하에 즐거이 일을 좇아서 공로를 세우는 자에게 손발이 저절로 춤을 추는데도 스스로 그칠 수 없도록 하기 때문에 '고무시킨다'고 말했다."

案

'極天下之賾', 結'立象以盡意, 設卦以盡情僞'兩句; '鼓天下之動', 結'繫辭焉以盡其言'一句.

'천하의 번잡함을 극진히 한다'는 말은 '상(象)을 세워 뜻을 다 표현하고, 괘를 만들어 실정과 허위를 다 표현한다'는 두 구절을 끝맺은 것이고, '천하의 움직임을 고무(鼓舞)시킨다'는 말은 '설명[辭]을 붙여 그 말을 다 표현한다'는 한 구절을 끝맺은 것이다.

33) 유염(俞琰), 『주역집설(周易集說)』 권31.

> 化而裁之存乎變, 推而行之存乎通, 神而明之存乎
> 其人, 默而成之, 不言而信, 存乎德行."

화(化)하여 재제(裁制)하는 것은 변(變)에 있고, 미루어 행하는 것은
통(通)에 있으며, 신묘하게 하여 밝히는 것은 그 사람에 있고, 묵묵히
이루며 말하지 않아도 믿는 것은 덕행(德行)에 있다."

本義

卦·爻所以變·通者在人, 人之所以能神而明之者在德.

괘(卦)와 효(爻)가 변(變)하고 통(通)하는 것은 사람에게 있고, 사람
이 신묘(神妙)하게 하여 밝히는 것은 덕에 있다.

此第十二章.

이는 제12장이다.

集說

● 程子曰 : "易因爻·象論變·化, 因變·化論神, 因神論人, 因
人論德行. 大體通論易道, 而終於'默而成之, 不言而信, 存乎
德行.'"[34]

정자(程子 : 程顥·程頤)가 말했다. "역(易)은 효(爻)와 상(象)에 따라 변(變)과 화(化)를 논하고, 변과 화에 따라 신묘하게 하는 것을 논하며, 신묘하게 하는 것에 따라 사람을 논하고, 사람에 따라 덕행을 논했다. 대체로 역의 도를 통론하여 '묵묵히 이루며 말하지 않아도 믿는 것은 덕행(德行)에 있다'고 하는 데서 끝맺었다."

● 程氏敬承曰 : "上繫末章歸重德行, 下繫末章亦首揭出德行. 此之德行, 卽所謂乾坤易簡者乎!"

정경승(程敬承 : 程汝繼)[35]이 말했다. "「계사상」의 끝 장(章)은 덕행을 중시하는 것으로 귀결되었고, 「계사하」의 끝 장(章)도 또한 덕행을 첫머리에 게시하였다. 여기의 덕행은 곧 이른바 건(乾)의 쉬움과 곤(坤)의 간단함일 것이다![36]"

● 張氏振淵曰 : "'謂之變'·'謂之通', 變·通, 因化裁推行而有也. '存乎變'·'存乎通', 化裁推行, 因變·通而施也."

....

34) 정호·정이, 『하남정씨외서(河南程氏外書)』 권10.
35) 정여계(程汝繼) : 자는 지초(志初) 또는 경승(敬承)이다. 명(明)대 휘주부(徽州府) 무원(婺源 : 현 강서성 무원현) 사람이다. 만력(萬曆) 29년(1601)에 진사에 급제하여 벼슬은 원주부(袁州府) 지부(知府)를 역임했다. 『역』연구에 뛰어났는데, 주희(朱熹)의 『주역본의(周易本義)』를 종주로 하면서도 주희와 다른 견해를 피력했다. 저서에 『주역종의(周易宗義)』가 있다.
36) 이른바 건(乾)의 쉬움과 곤(坤)의 간단함일 것이다 : 위의 글 [계사상 1-6]의 "건(乾)은 쉬움으로써 주관하고 곤(坤)은 간단함으로써 잘 해낸다.[乾以易知, 坤以簡能.]"를 가리킨다.

장진연(張振淵)이 말했다. "([계사상 12-4]의) '변(變)이라 하고'·'통(通)이라 한다'는 것은 변(變)·통(通)이 화(化)하여 재제(裁制)하고 미루어 행하는 것에 따라 있게 된다는 말이다. '변(變)에 있고'·'통(通)에 있다'는 것은 화(化)하여 재제(裁制)하고 미루어 행하는 것이 변(變)·통(通)에 따라 베풀어진다는 말이다."

案

'化而裁之'·'推而行之', 結'變而通之以盡利'一句; '神而明之'以下, 結'鼓之舞之以盡神'一句. 上文化裁推行, 是泛說天地間道理, 故曰'謂之變'·'謂之通.' 此化裁推行, 是說『易』書中所具, 故曰'存乎變'·'存乎通.' 言就易道之變處, 見得聖人化裁之妙, 就易道之通處, 見得聖人推行之善也. '神而明'之'神'字, 卽根鼓舞盡神來. 辭之鼓舞乎人者, 固足以盡神, 然必以人心之神, 契合乎易之神, 然後鼓舞而不自知. 此所謂'神而明之'也. '默而成之, 不言而信', 是其所以能神明處.

'화(化)하여 재제(裁制)하고'·'미루어 행하는 것'은 '변(變)하고 소통시켜 이로움을 다 표현한다'는 구절을 끝맺은 것이고, '신묘하게 하여 밝히는 것' 이하는 '고무(鼓舞)시켜 신묘(神妙)함을 다 표현하였다'는 구절을 끝맺은 것이다. 윗글[계사상 12-4]의 화(化)하여 재제(裁制)하고 미루어 행하는 것은 천지간의 도리를 광범하게 설명한 것이기 때문에 '변(變)이라 하고'·'통(通)이라 한다'고 말했다. 여기의 화(化)하여 재제(裁制)하고 미루어 행하는 것은 『역』이라는 책 가운데 갖춘 것을 설명한 것이기 때문에 '변(變)에 있고'·'통(通)에 있다'고 말했다. 이는 역(易)의 도(道) 가운데 변(變)의 측면에서 성인이 화(化)하여 재제(裁制)하는 오묘함을 볼 수 있고, 역의 도 가운데 통(通)의 측면에서 성인이 미루어 행하는 선함을 볼 수 있다

는 것을 말한다. '신묘하게 하여 밝히는 것'에서 '신묘함[神]'이라는
글자는 곧 고무(鼓舞)시켜 신묘함을 다 표현한다는 것에 뿌리를 두
고 있다. 설명[辭]이 사람을 고무시키는 것은 본디 신묘함을 충분히
다 표현할 수 있지만, 반드시 사람 마음의 신묘함으로 역(易)의 신
묘함에 부합한 뒤에 고무시키고도 스스로 그렇게 하는 것을 알지
못한다. 이것이 이른바 '신묘하게 하여 밝히는 일'이다. '묵묵히 이
루며 말하지 않아도 믿는 것'은 성인이 신묘하게 하여 밝힐 수 있는
근거이다.

胡氏炳文曰 : "上繫凡十二章, 末乃曰'書不盡言, 言不盡意', 蓋
欲學者自得於書·言之外也. 自'立象盡意'至'鼓天下之動者存乎
辭', 反覆易之書·言可謂盡矣. 末乃曰'默而成之, 不言而信, 存
乎德行', 然則易果書·言之所能盡哉? 得於心爲德, 履於身爲行,
易之存乎人者, 蓋有存乎心身, 而不徒存乎書·言者矣."[37]

호병문(胡炳文)이 말했다. "「계사상」은 모두 12장인데, 끝에서 도
리어 '글로는 말을 다 표현하지 못하고, 말로는 뜻을 다 표현하지
못한다'라고 말한 것은 배우는 사람들에게 글과 말을 넘어서 스스
로 터득하도록 하려는 뜻이다. '상(象)을 세워 뜻을 다 표현한다'에
서 '천하의 움직임을 고무시키는 것은 설명에 있다'까지는 역(易)이
글과 말을 반복한 것이 다 표현하였다고 말할 수 있다. 그러나 끝
에서 도리어 '묵묵히 이루며 말하지 않아도 믿는 것은 덕행(德行)에
있다'고 하였으니, 그렇다면 역에서 과연 글과 말이 다 표현되었다

37) 호병문(胡炳文), 『주역본의통석(周易本義通釋)』 권5.

고 할 수 있겠는가? 마음에서 얻은 것이 덕(德)이고 몸에서 실천하는 것이 행(行)이니, 역이 사람에게 있다는 것은 몸과 마음에 있다는 것이지 한갓 글과 말에 있지는 않다는 뜻이다."

案

此章蓋總上十一章之意而通論之. '言不盡意', 故'立象以盡意', 謂伏羲也. '書不盡言', 故因象而'繫辭焉以盡其言', 謂文·周也. 象之足以盡意者, 言之指陳有限, 而象之該括無窮也. 因象繫辭之足以盡言者, 象爲虛倣之象, 而該括無窮, 則辭亦爲假託之辭, 而包涵無盡也. 變通盡利者, 象所自具之理, 而所以定吉凶. 鼓舞盡神者, 辭所發揮之妙, 而所以成亹亹也.

이 장(章)은 위 11개 장(章)의 뜻을 총괄하여 그것을 통론하였다. '말로는 뜻을 다 표현하지 못하기' 때문에 '상(象)을 세워 뜻을 다 표현하였다'고 하는 것은, 복희씨를 말한다. '글로는 말을 다 표현하지 못하기' 때문에 상(象)에 따라 '설명을 붙여 그 말을 다 표현하였다'는 것은, 문왕과 주공을 말한다. 상(象)이 뜻을 충분히 다 표현한다는 것은 말이 지적해서 진술하는 것은 제한이 있지만 상(象)이 포괄하는 것은 무궁하다는 뜻이다. 상(象)에 따라 설명[辭]을 붙이는 것이 말을 충분히 다 표현한다는 것은 상(象)이 공허하게 모방한 상일지라도 포괄한 것이 무궁하니, 설명도 또한 가탁한 설명일지라도 포함한 것이 다함이 없다는 말이다. 변(變)하고 소통시켜 이로움을 다 표현한다는 것은 상이 본래 갖춘 이치로 길흉을 정한다는 말이다. 고무(鼓舞)시켜 신묘(神妙)함을 다 표현한다는 것은 설명이 발휘한 오묘함으로 힘써야 할 것을 이룬다는 말이다.

其言乾坤者, 推象之所自來也. 有天地故有變化, 滯於形以觀之,
亦器焉而已; 超乎形以觀之, 則道之宗也. 因天地之變化而裁之,
則人事所由變也; 因其可通之理而推行之, 則人事所由通也. 自
古聖人所以定天下之業者, 此而已矣.

건곤을 말한 것은 상(象)을 미루어 보는 것의 유래가 된다. 천지가
있기 때문에 변화가 있는데, 형체에 매여 그것을 살펴보면 또한 기
(器)일 뿐이지만, 형체를 초월하여 그것을 살펴보면 도(道)의 종주
이다. 천지의 변화에 따라 그것을 재제(裁制)하면 인사(人事)가 그
것에 말미암아 변하게 되고, 소통할 수 있는 이치에 따라 그것을
미루어 행하면 인사가 그것에 말미암아 소통하게 된다. 예로부터
성인이 천하의 공업(功業)을 확정하는 일은 이것일 따름이다.

是以作『易』之聖, 觀乾·坤之器而立象, 推其變·通之用而設辭,
使天下後世, 欲裁化而推行者, 於是乎在, 其動可謂盛矣. 雖然,
象足以盡意, 而有畫前之易, 故貴乎'默而成之'也. 辭足以盡言,
而有言外之意, 故貴乎'不言而信'也. 此則所謂'神而明之', 蓋學
之不以觀玩之文, 而明之不以口耳之粗者也. 德行, 謂有得於易
簡之理.

이 때문에 『역(易)』을 지은 성인이 건·곤의 기(器)를 살펴 상(象)
을 세우고, 변(變)과 통(通)의 작용을 미루어 설명을 만들고, 천하
후세 사람들에게 재제하여 화(化)하고 미루어 실행하도록 한 것은
여기에 있으니, 그 움직임이 융성하다고 말할 수 있다. 비록 그렇
지만 상(象)은 뜻을 충분히 다 표현할 수 있고 획을 긋기 전의 역
(易)도 있기 때문에 '묵묵히 그것을 이루는 일'을 귀하게 여긴다. 설
명이 말을 충분히 다 표현할 수 있지만 말 밖의 뜻이 있기 때문에

'말하지 않아도 믿는 것'을 귀하게 여긴다. 여기에서 이른바 '신묘하게 하여 밝히는 것'은 그것을 보고 완미하는 글로 배우지 않고, 그것을 말하고 듣는 거친 것으로 밝히지 않는다는 뜻이다. 덕행은 쉽고 간단한 이치를 얻음이 있는 것을 말한다.

| 역주자 소개 |

신창호申昌鎬

현 고려대학교 교수

고려대학교 박사(Ph. D, 동양철학/교육철학 전공)

권우(卷宇) 홍찬유(洪贊裕), 일평(一平) 조남권(趙南勸), 중관(中觀) 최권흥(崔權興), 위재(威齋) 김중렬(金重烈), 수강(修岡) 유명종(劉明鍾) 선생 등으로부터 한학 및 동양학 사사

한국교육철학학회 회장(역임)

「중용(中庸) 교육사상의 현대적 조명」(박사논문) 외 『관자』, 「주역 계사전」, 『유교의 교육학 체계』, 한글사서(『논어』, 『맹자』, 『대학』, 『중용』) 등 100여 편의 논저가 있음

김학목金學睦

현 고려대학교 연구교수

건국대학교 박사(Ph. D, 한국철학 전공)

해송학당 원장(사주명리·동양학 강의)

「박세당의 『신주도덕경』 연구」(박사논문)를 비롯하여 『왕필의 노자주』, 『하상공의 노자』, 『한국주역대전』 등 50여 편의 논저가 있음

심의용沈義用

현 숭실대학교 H.K 연구교수

숭실대학교 박사(Ph. D, 주역철학 전공)

「정이천의 『역전』 연구」(박사논문)를 비롯하여 『주역』, 『성리대전』, 『인역』, 『주역과 운명』, 『세상과 소통하는 힘』『시적 상상력으로 주역을 읽다』 등 30여 편의 논저가 있음.

윤원현尹元鉉

전 고려대학교 연구교수

臺灣 文化大學校 박사(Ph. D, 주자철학 전공)

한중철학회 회장(역임)

「從朱子思想中之天人架構闡論其義理脈絡」(박사논문)를 비롯하여 『성리대전』, 『태극해의』, 『역학계몽』, 『율려신서』 등 10여 편의 논저가 있음.

한국연구재단
학술명저번역총서
[동양편] 620

주역절중 周易折中 9

초판 인쇄   2018년 11월 1일
초판 발행   2018년 11월 15일

편   찬 | 이광지
책임역주 | 신창호
공동역주 | 김학목·심의용·윤원현
펴 낸 이 | 하운근
펴 낸 곳 | 學古房

주   소 | 경기도 고양시 덕양구 통일로 140 삼송테크노밸리 A동 B224
전   화 | (02)353-9908 편집부(02)356-9903
팩   스 | (02)6959-8234
홈페이지 | www.hakgobang.co.kr
전자우편 | hakgobang@naver.com, hakgobang@chol.com
등록번호 | 제311-1994-000001호

ISBN   978-89-6071-799-2 94140
        978-89-6071-287-4 (세트)

값 : 32,000원

이 책은 2015년도 정부재원(교육부)으로 한국연구재단의 지원을 받아 연구되었음
(NRF-2015S1A5A7018113).
This work was supported by National Research Foundation of Korea Grant funded by
the Korean Government(NRF-2015S1A5A7018113).

이 도서의 국립중앙도서관 출판예정도서목록(CIP)은 서지정보유통지원시스템 홈페이지
(http://seoji.nl.go.kr)와 국가자료종합목록시스템(http://www.nl.go.kr/kolisnet)에서 이용
하실 수 있습니다. (CIP제어번호 : CIP2018032010)